MW00834323

DICIONÁRIO ILUSTRADO DE PORTUGUÊS

Língua Estrangeira/Língua Segunda/Língua Não Materna

Autora e Ilustradora
Maria Libéria Matos

LIDEL

Lidel edições técnicas, lda.

EDIÇÃO E DISTRIBUIÇÃO

Lidel – edições técnicas, lda.

ESCRITÓRIO: Rua D. Estefânia, 183, r/c Dto. – 1049-057 Lisboa
Internet: 21 354 14 18 – livraria@lidel.pt
Revenda: 21 351 14 43 – revenda@lidel.pt
Formação/Marketing: 21 351 14 48 – formacao@lidel.pt/marketing@lidel.pt
Ensino Línguas/Exportação: 21 351 14 42 – depinternacional@lidel.pt
Linha de Autores: 21 351 14 49 – edicoesple@lidel.pt
Fax: 21 352 26 84

LIVRARIA: Av. Praia da Vitória, 14 – 1000-247 Lisboa – Telef. 21 354 14 18 – Fax 21 317 32 59 – livraria@lidel.pt

ISBN: 978-972-757-986-0

Pré-Impressão: Carlos Mendes
Impressão e acabamento: Cafilesa – Soluções Gráficas, Lda. – Venda do Pinheiro
Depósito Legal: 367312/13

Capa: José Manuel Reis

Ilustrações: Maria Libéria Matos

Todos os nossos livros passam por um rigoroso controlo de qualidade, no entanto, aconselhamos a consulta periódica do nosso *site* (www.lidel.pt) para fazer o *download* de eventuais correções.

ÍNDICE

A FAMÍLIA

A árvore genealógica

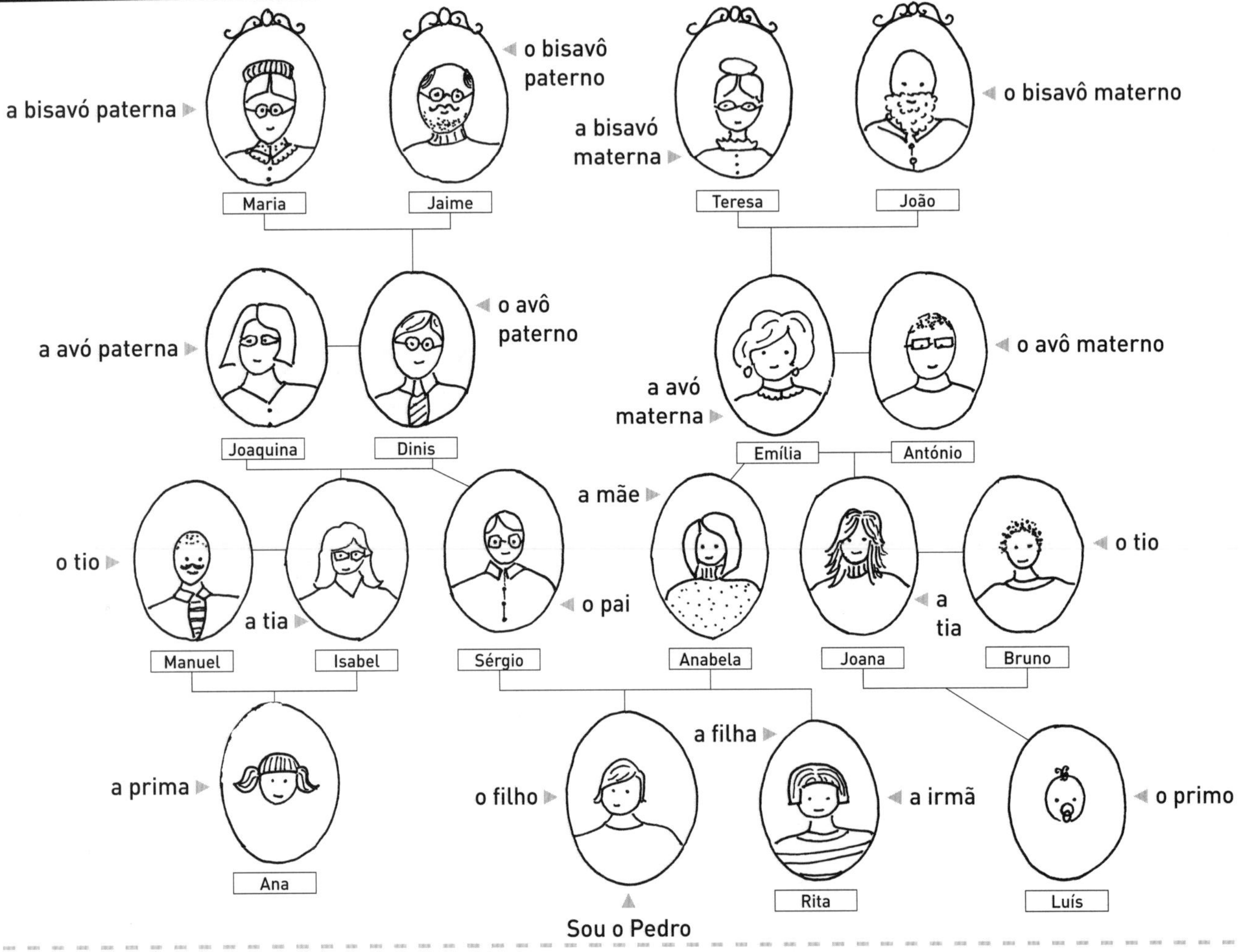

a bisavó paterna
o bisavô paterno
a bisavó materna
o bisavô materno
Maria
Jaime
Teresa
João
a avó paterna
o avô paterno
a avó materna
o avô materno
Joaquina
Dinis
Emília
António
o tio
a tia
o pai
a mãe
a tia
o tio
Manuel
Isabel
Sérgio
Anabela
Joana
Bruno
a prima
o filho
a filha
a irmã
o primo
Ana
Sou o Pedro
Rita
Luís

Os graus de parentesco

- O Sérgio é **genro** da Emília e do António.
- A Anabela é **nora** da Joaquina e do Dinis.

- A Isabel é **cunhada** da Anabela.
- O Manuel é **cunhado** da Anabela.

- O Pedro é o **sobrinho** da Joana e do Bruno.
- A Ana é a **sobrinha** do Sérgio e da Anabela.

- A Rita é **bisneta** da Maria, do Jaime, da Teresa e do João.
- O Pedro é **neto** da Joaquina, do Dinis, da Emília e do António.
- A Ana, o Pedro, a Rita e o Luís são **primos**.

- A Emília e o António são os **avós maternos** do Pedro.
- A Joaquina e o Dinis são os **avós paternos** do Pedro e da Rita.

- A Joana e o Bruno são os **tios** do Pedro.
- O Pedro é **filho** do Sérgio e da Anabela.

- A Ana é **filha** do Manuel e da Isabel.
- A Rita e o Pedro são **irmãos**.

- A Ana é **prima** da Rita, do Pedro e do Luís.
- A Isabel é a **mãe** da Ana.

Outras relações de parentesco:

o padrasto	o enteado
a madrasta	a enteada

Etapas da vida

o nascimento

o batismo

o aniversário

o casamento

morte

O CORPO HUMANO

O corpo humano

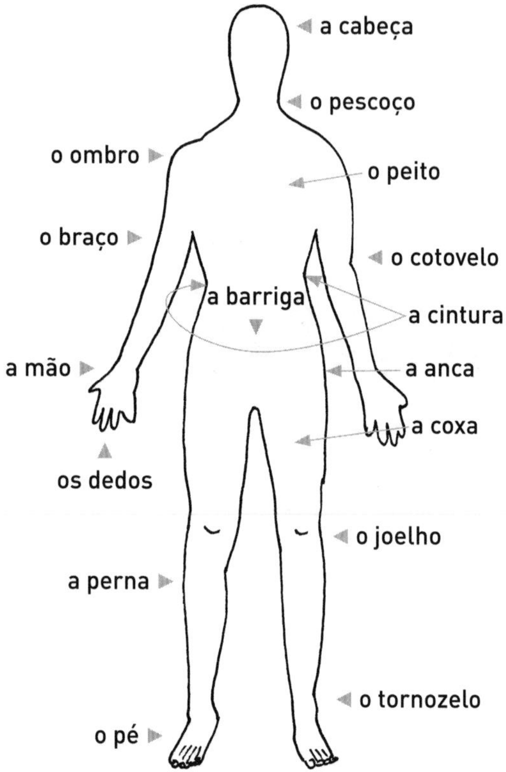
a cabeça
o pescoço
o ombro
o peito
o braço
o cotovelo
a barriga
a cintura
a mão
a anca
a coxa
os dedos
o joelho
a perna
o tornozelo
o pé

A boca

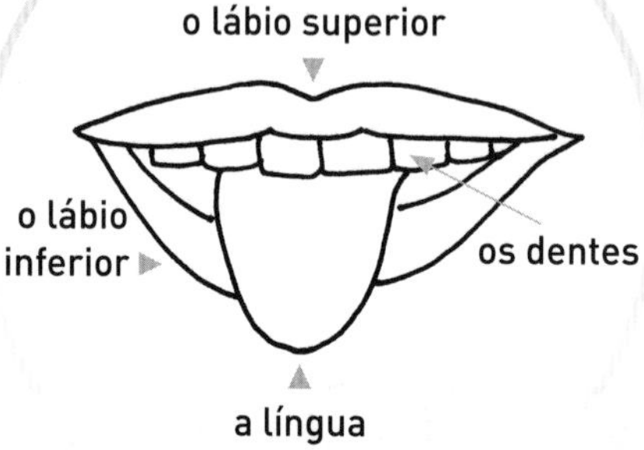
o lábio superior
o lábio inferior
os dentes
a língua

A cabeça

o cabelo
a testa
os olhos
a orelha
o nariz
a boca
a bochecha
o queixo

A mão / O pé

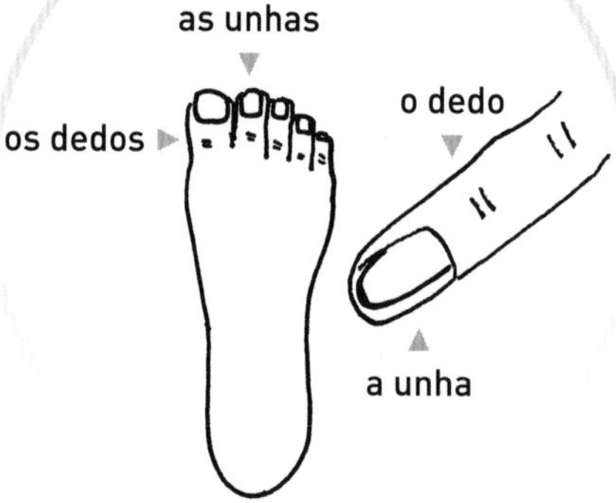
as unhas
o dedo
os dedos
a unha

Os olhos

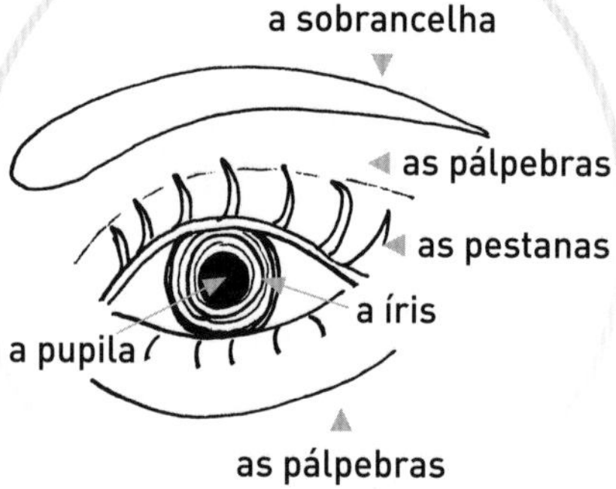
a sobrancelha
as pálpebras
as pestanas
a íris
a pupila
as pálpebras

O cabelo

o cabelo comprido
o cabelo ondulado
o cabelo liso
o cabelo curto
a carapinha
a franja
o cabelo encaracolado
careca

Penteados

o cabelo apanhado

o risco ao lado

o rabo de cavalo

as tranças

os totós

o risco ao meio

a trança

Características físicas

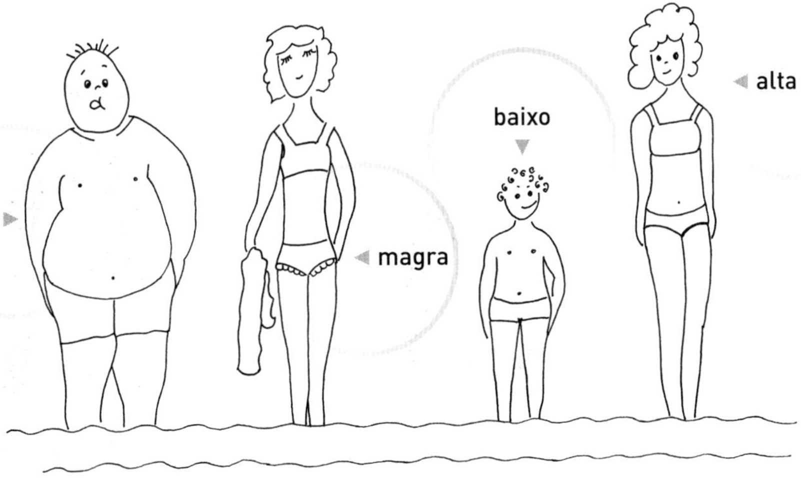

gordo

magra

baixo

alta

Estados de saúde

Dói-me o joelho!

- Estou com uma dor no **joelho**.
- Tenho uma dor no **joelho**.

Dói-me um dente!

- Estou com uma dor num **dente**.
- Tenho uma dor num **dente**.

Dói-me a cabeça!

- Estou com dor de **cabeça**.
- Tenho dor de **cabeça**.

- Estou com **tosse**.
- Tenho **tosse**.

- Estou com **febre**.
- Tenho **febre**.

- Estou **constipada**.
- Tenho uma **constipação**.

Dói-me a garganta!

- Estou com dor de **garganta**.
- Tenho dor de **garganta**.

Dói-me a barriga!

- Estou com dor de **barriga**.
- Tenho dor de **barriga**.

Os estados de espírito

OS ALIMENTOS

A Roda dos Alimentos

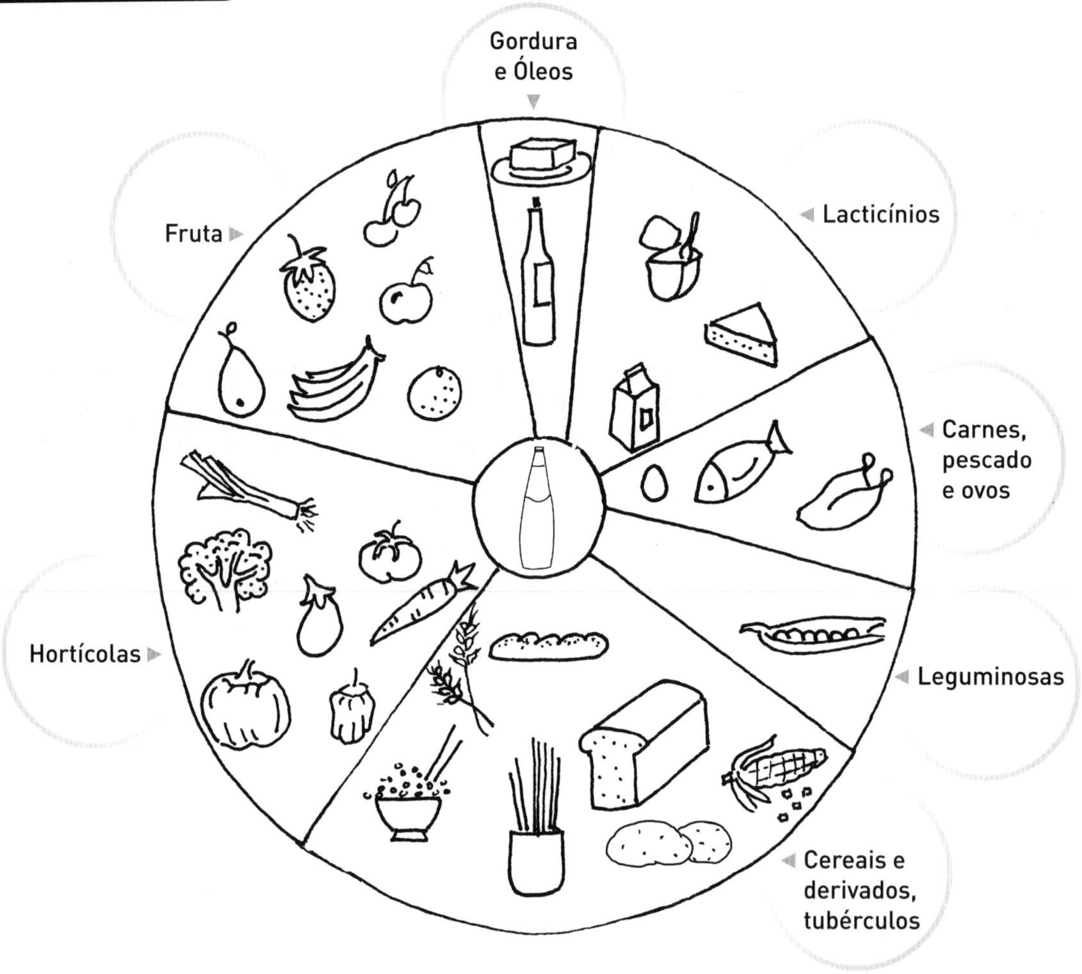

Cereais e derivados, tubérculos

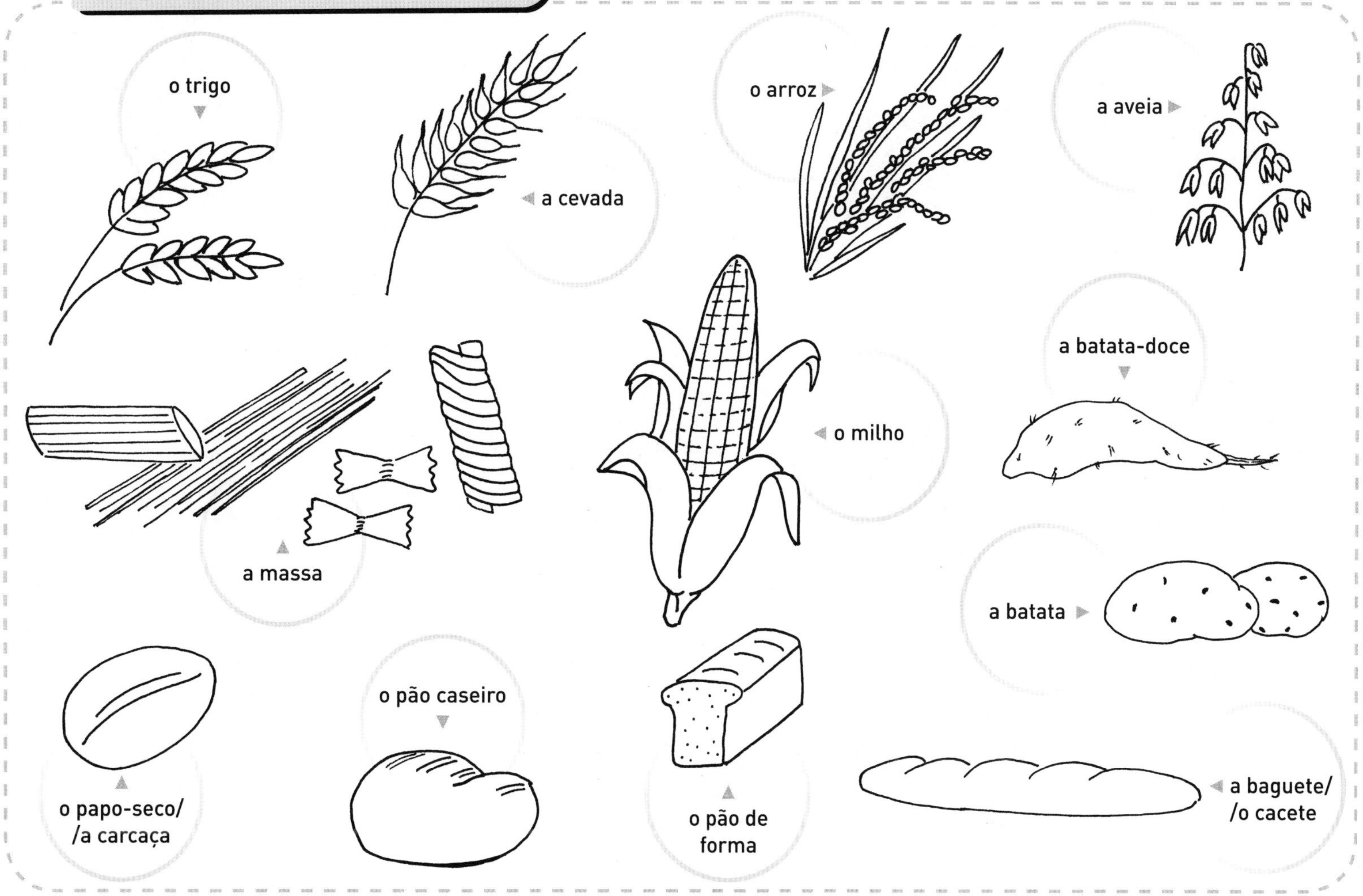

o trigo
a cevada
o arroz
a aveia
o milho
a batata-doce
a massa
a batata
o pão caseiro
o papo-seco/
/a carcaça
o pão de
forma
a baguete/
/o cacete

Hortícolas

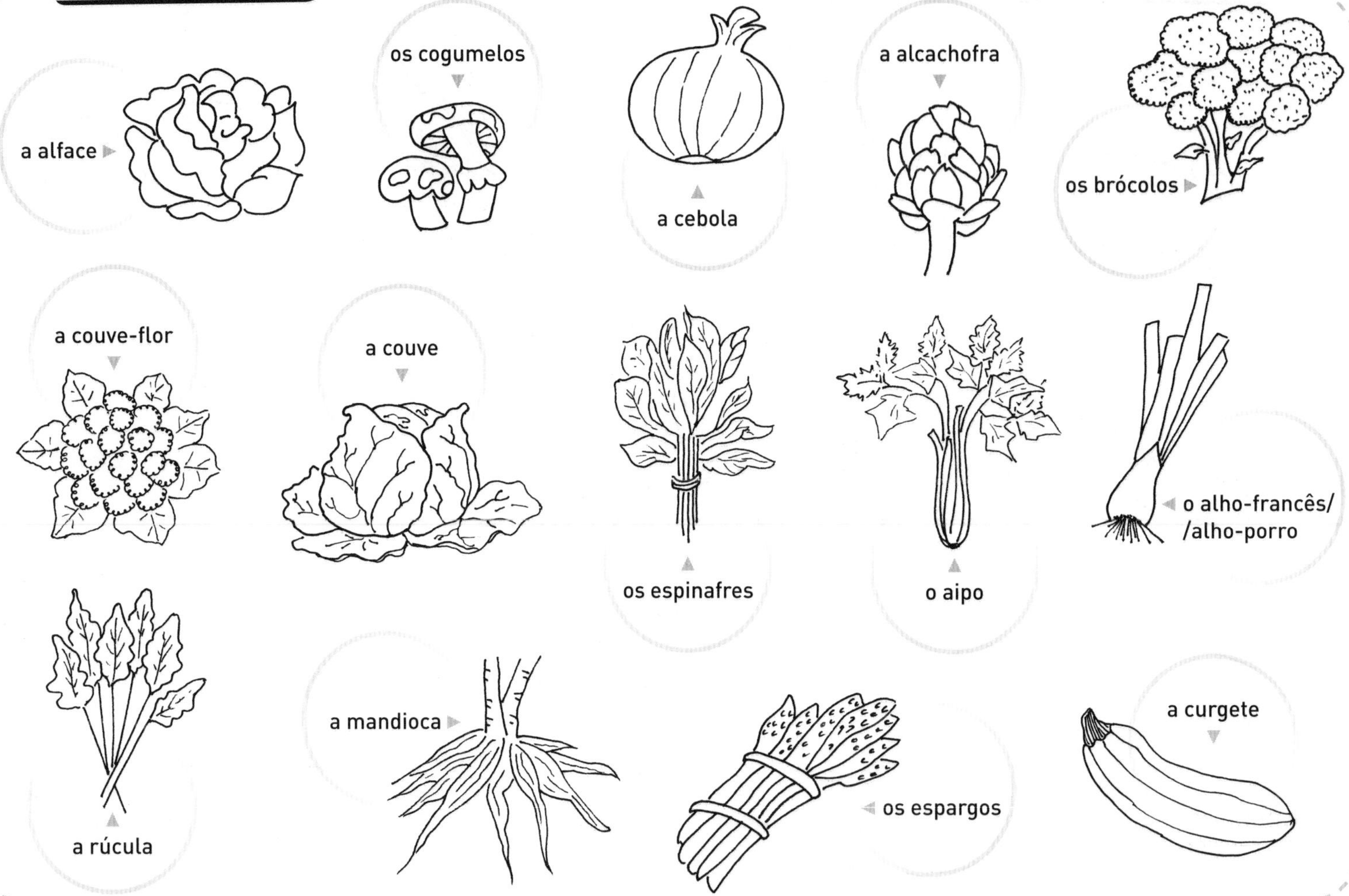
a alface
os cogumelos
a cebola
a alcachofra
os brócolos
a couve-flor
a couve
os espinafres
o aipo
o alho-francês/
/alho-porro
a rúcula
a mandioca
os espargos
a curgete

Hortícolas

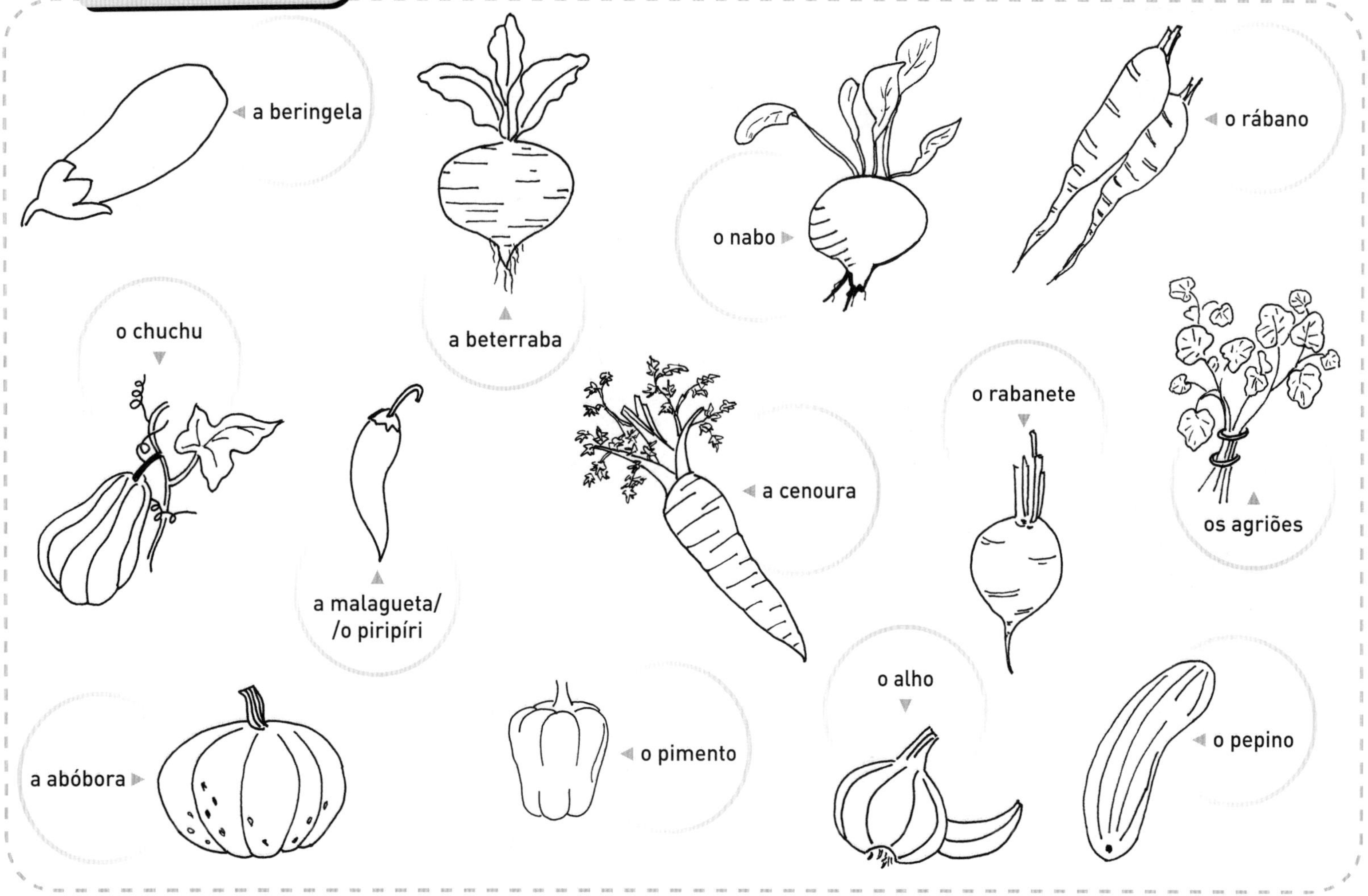
a beringela
a beterraba
o nabo
o rábano
o chuchu
a malagueta/
/o piripíri
a cenoura
o rabanete
os agriões
a abóbora
o pimento
o alho
o pepino

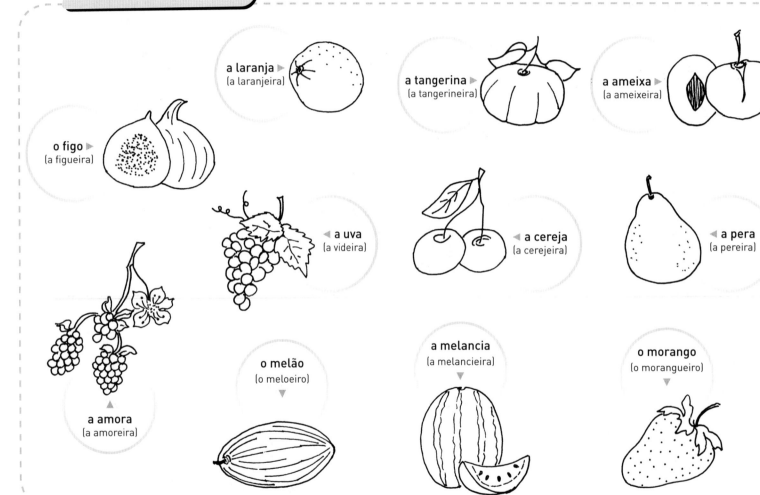

Fruta (e suas árvores)

a laranja ▸
(a laranjeira)

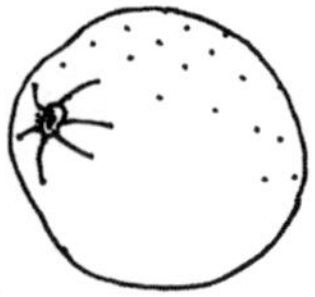

a tangerina ▸
(a tangerineira)

a ameixa ▸
(a ameixeira)

o figo ▸
(a figueira)

◂ a uva
(a videira)

◂ a cereja
(a cerejeira)

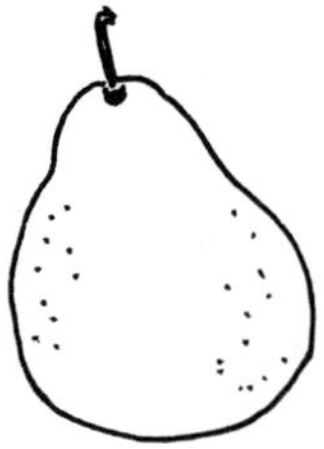

◂ a pera
(a pereira)

▴
a amora
(a amoreira)

o melão
(o meloeiro)
▾

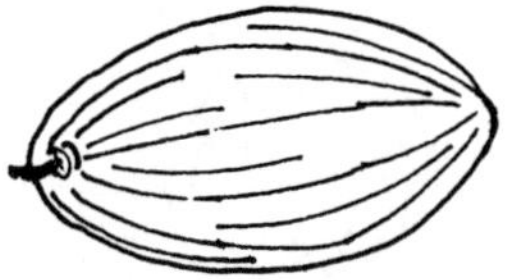

a melancia
(a melancieira)
▾

o morango
(o morangueiro)
▾

Fruta (e suas árvores)

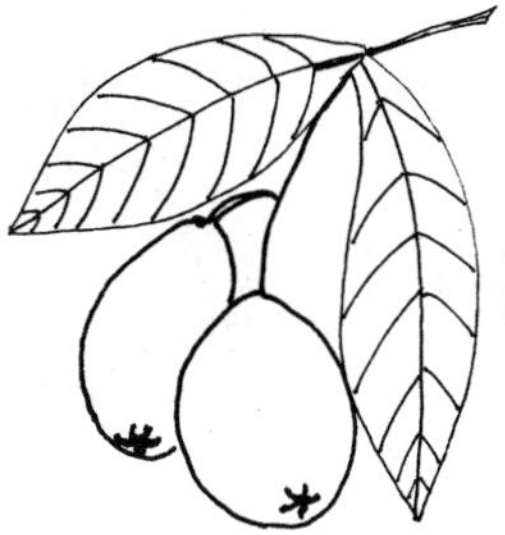

a nêspera
(a nespereira)

a toranja
(a toranjeira)

a romã
(a romãzeira)

o limão
(o limoeiro)

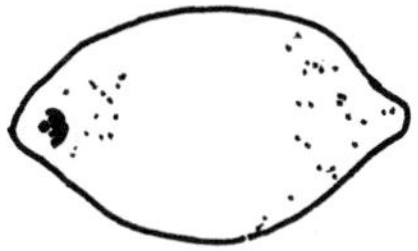

o dióspiro
(a diospireiro)

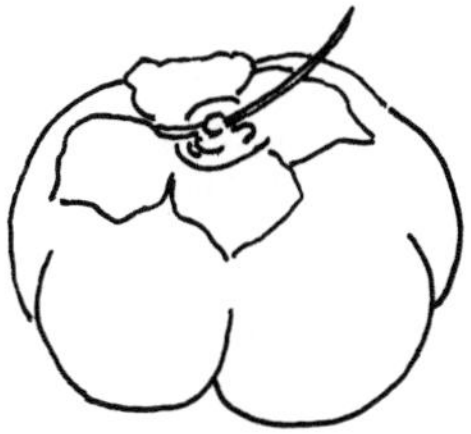

o marmelo
(o marmeleiro)

a maçã
(a macieira)

o pêssego
(o pessegueiro)

a framboesa
(a framboesa)

Frutos tropicais (e suas árvores)

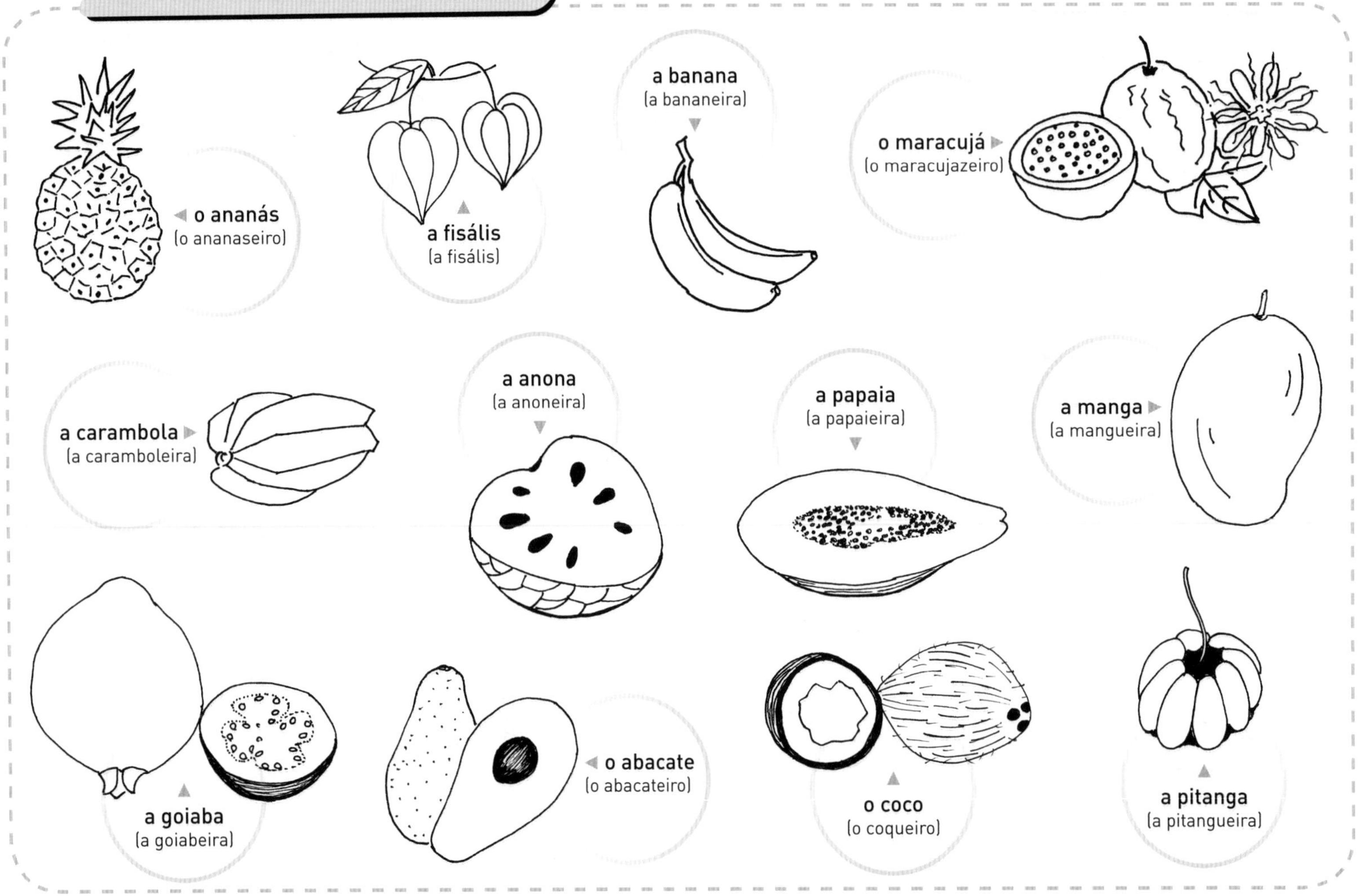
o ananás
(o ananaseiro)
a fisális
(a fisális)
a banana
(a bananeira)
o maracujá
(o maracujazeiro)
a carambola
(a caramboleira)
a anona
(a anoneira)
a papaia
(a papaieira)
a manga
(a mangueira)
a goiaba
(a goiabeira)
o abacate
(o abacateiro)
o coco
(o coqueiro)
a pitanga
(a pitangueira)

Frutos secos e sementes

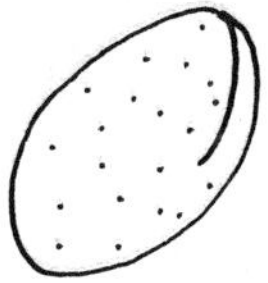

a amêndoa
(a amendoeira)

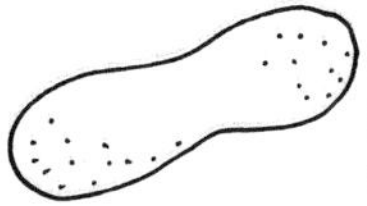

o amendoim
(a planta do amendoim)

o pistácio
(a pistácia)

o caju
(o cajueiro)

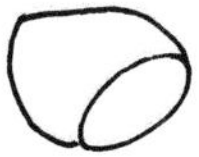

a castanha
(o castanheiro)

o pinhão
(o pinheiro)

a avelã
(a aveleira)

a noz
(a nogueira)

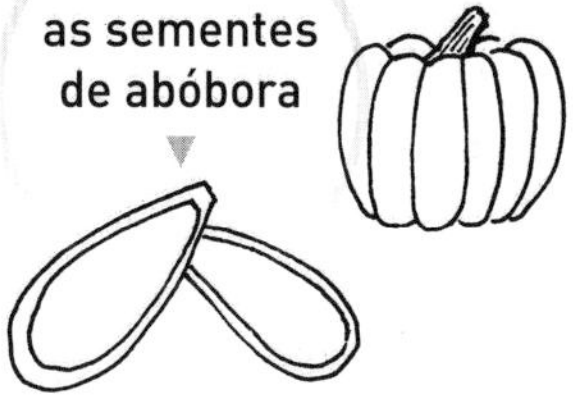

as sementes de abóbora

as sementes de linhaça

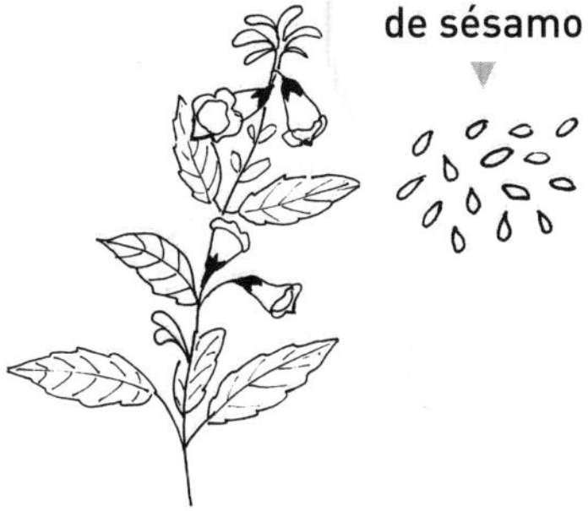

as sementes de sésamo

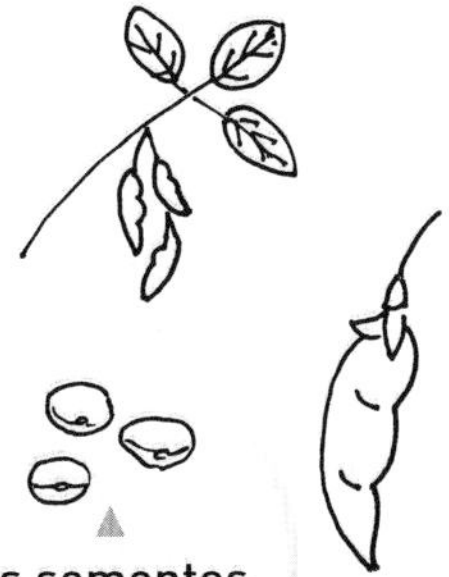

as sementes de soja

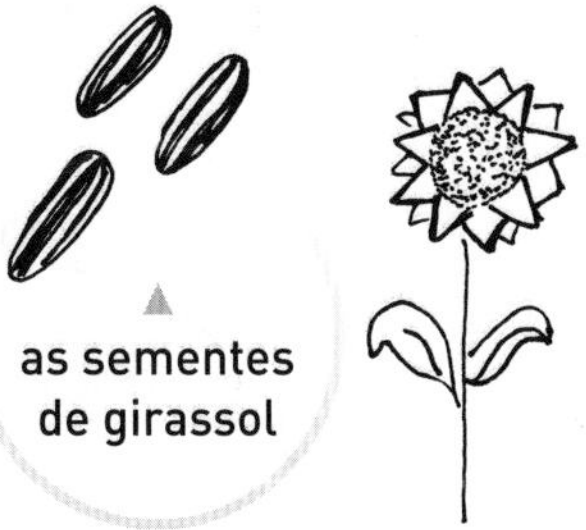

as sementes de girassol

Lacticínios

o leite

o iogurte

o requeijão

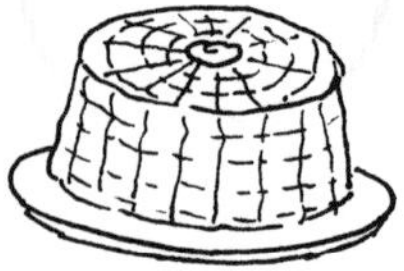

o queijo fresco

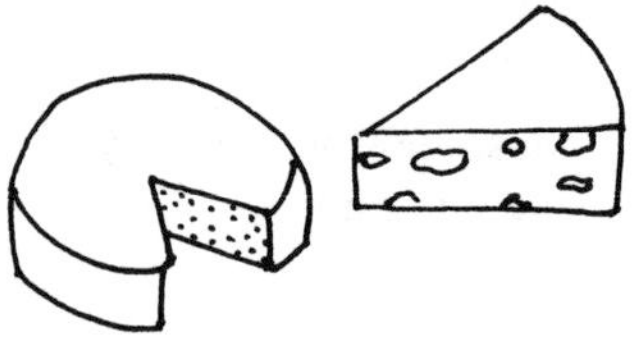

o queijo

Carnes, pescado e ovos

a vaca

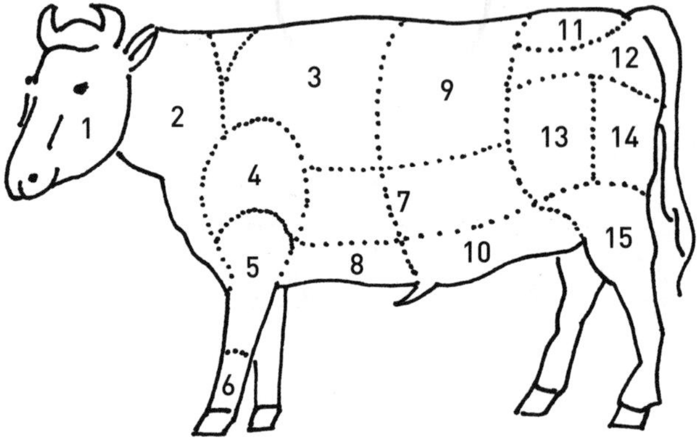

1. cabeça
2. cachaço
3. acém
4. cheio da pá
5. chambão
6. mão
7. aba de costela
8. peito
9. vazia
10. aba grossa
11. lombo
12. alcatra
13. pojadouro
14. ganso
15. rabadilha

o bife de vaca

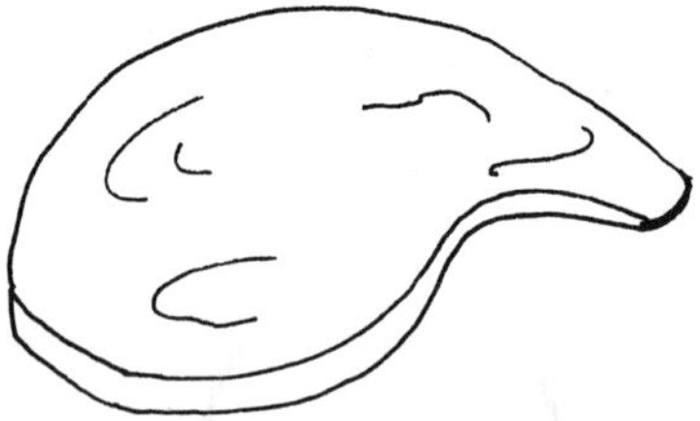

a costeleta de novilho

Carnes, pescado e ovos

1. cabeça
2. cachaço
3. pá
4. chispe
5. costelas
6. entrecosto
7. lombo
8. presunto

o porco

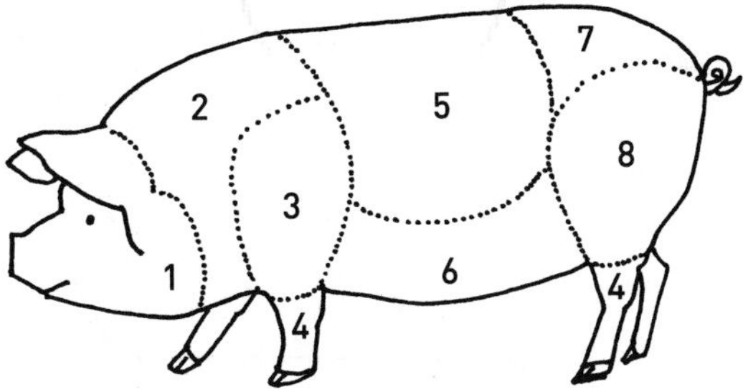

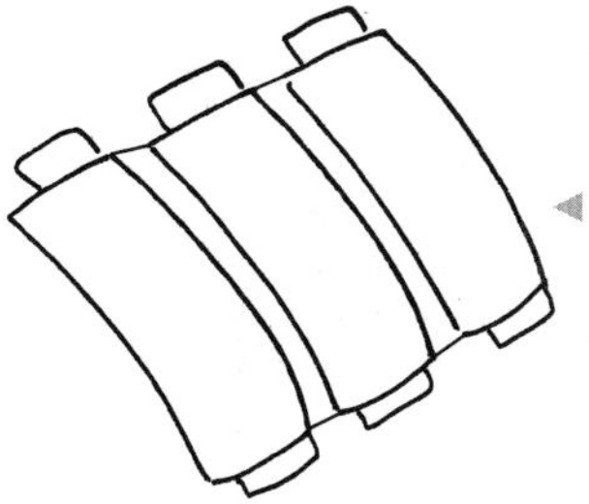

o entrecosto

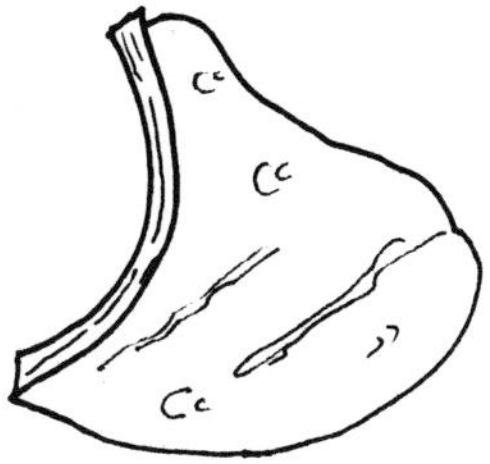

a costeleta

o bife

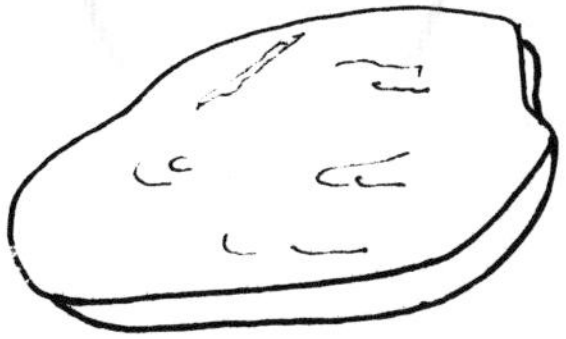

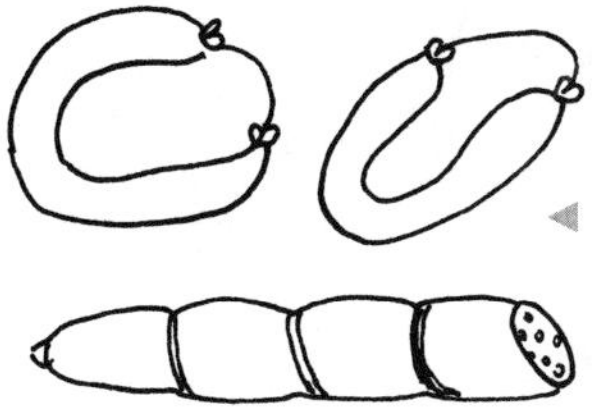

os enchidos

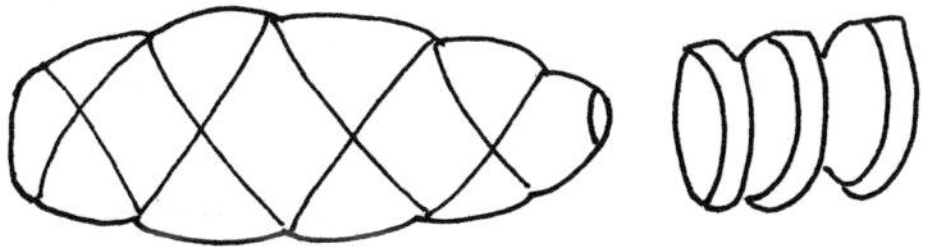

o lombo

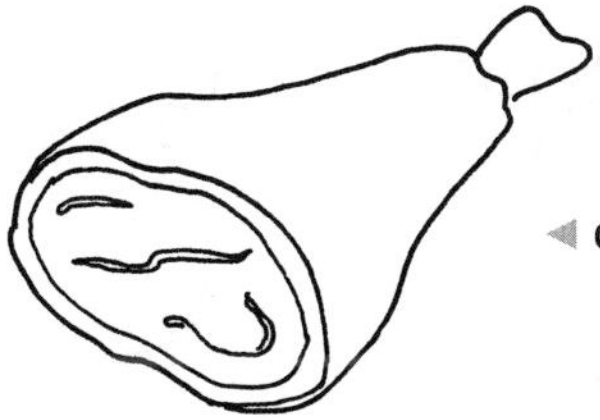

o presunto

Carnes, pescado e ovos

a galinha

o frango

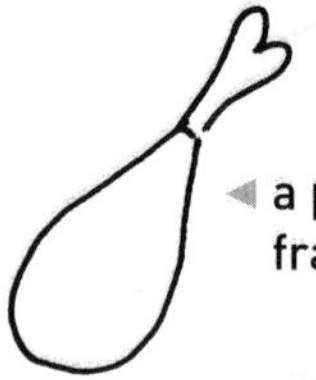

a perna de frango

o borrego

o coelho

o cabrito

o peru

O ovo

a casca

a gema

a clara

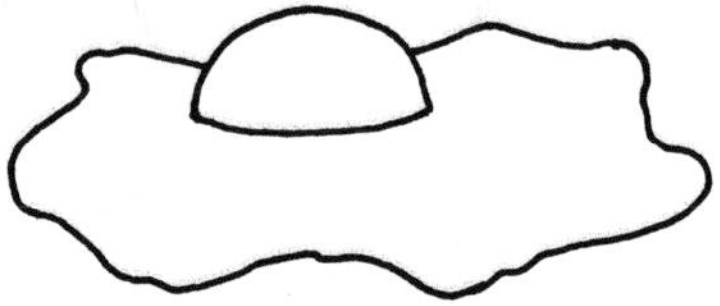

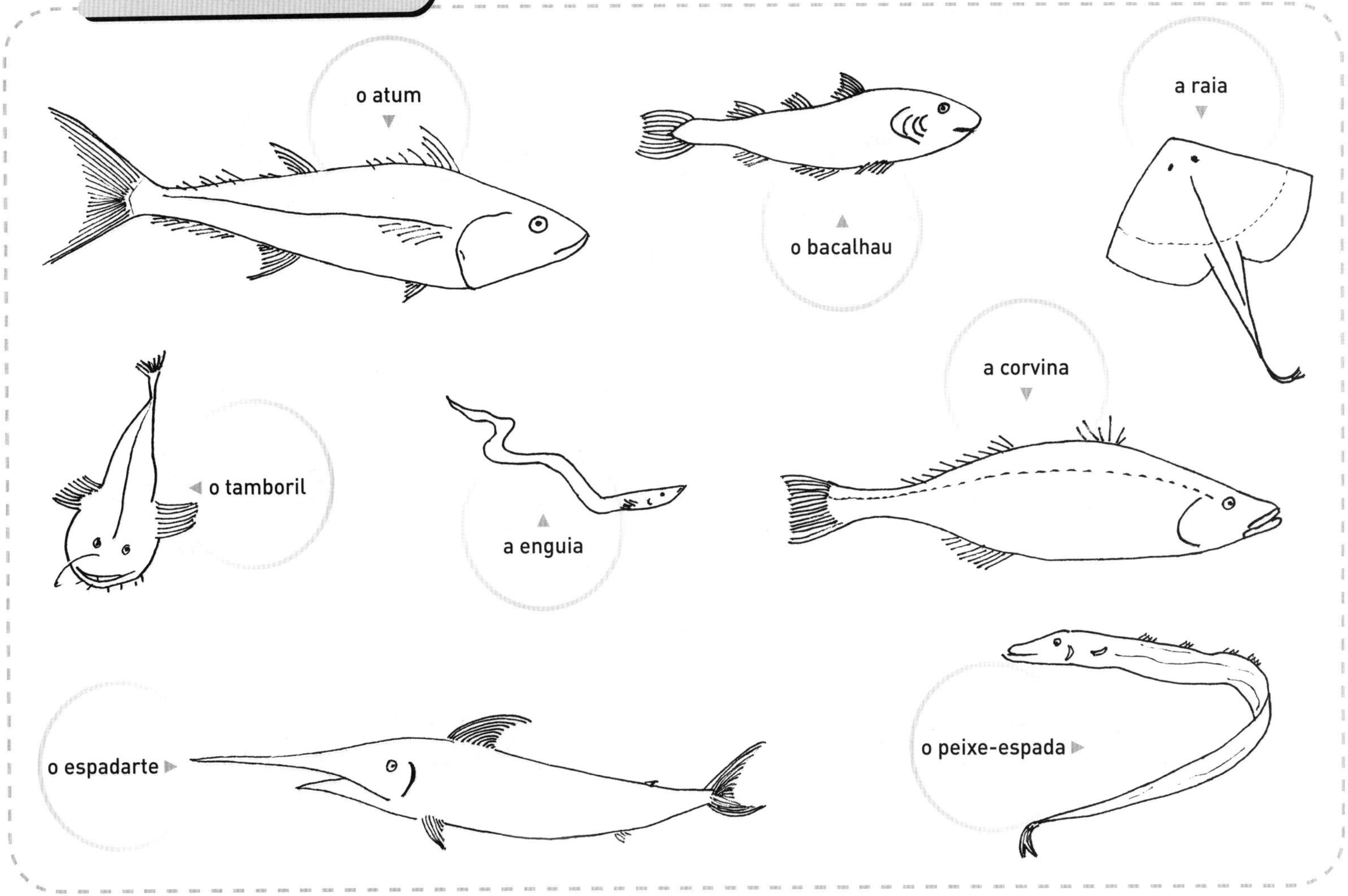
o atum
o bacalhau
a raia
a corvina
o tamboril
a enguia
o espadarte
o peixe-espada

Carnes, pescado e ovos

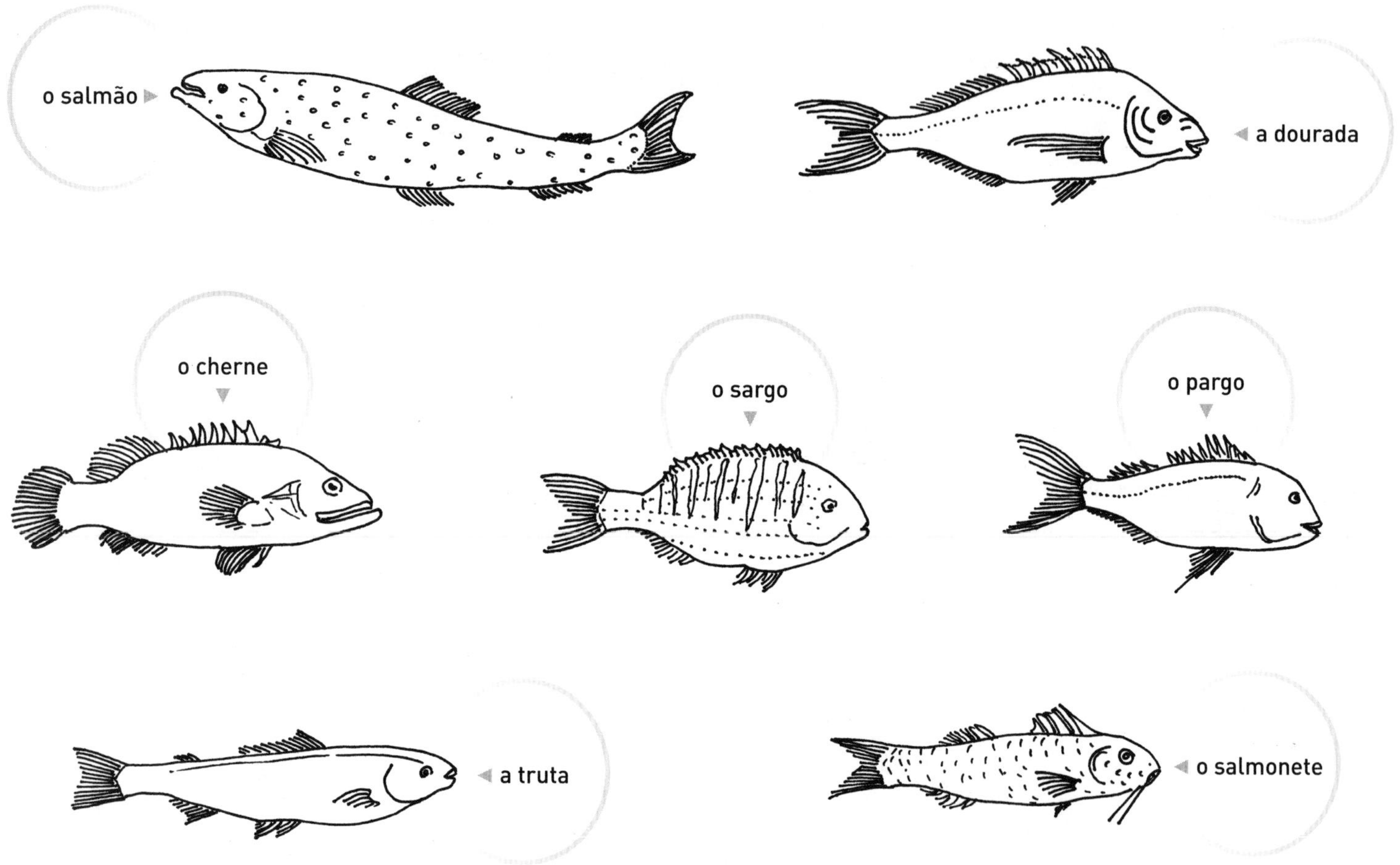

o salmão
a dourada
o cherne
o sargo
o pargo
a truta
o salmonete

Carnes, pescado e ovos

a pescada

a cavala

a sardinha

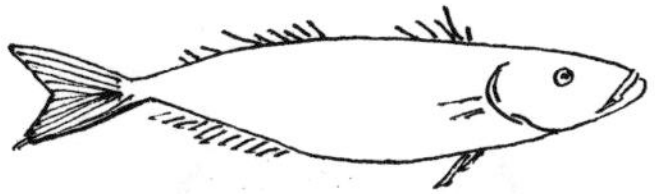

o carapau

o biqueirão

O peixe

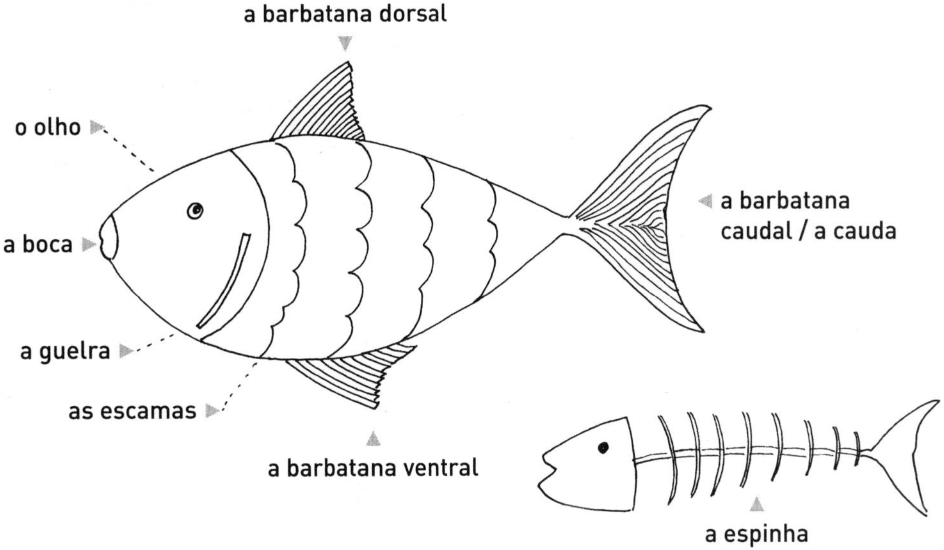

Leguminosas

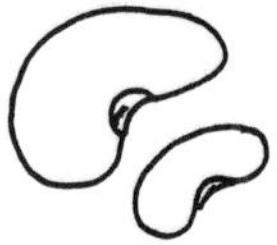
o feijão

o grão

a fava

as ervilhas
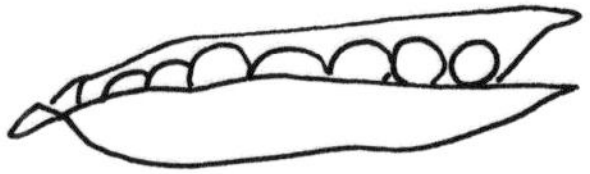

a soja

as lentilhas

Gorduras e óleos

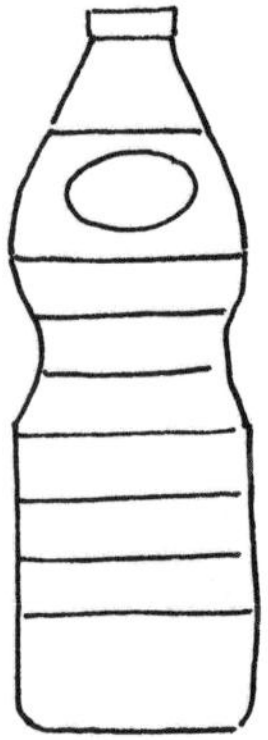
o óleo

o azeite

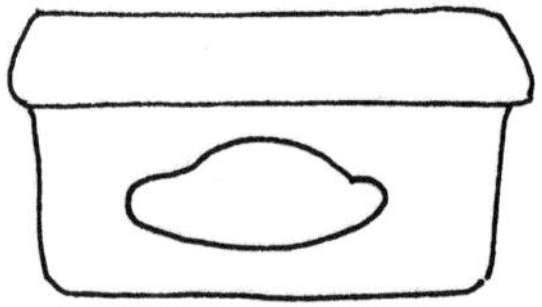
a margarina

a manteiga
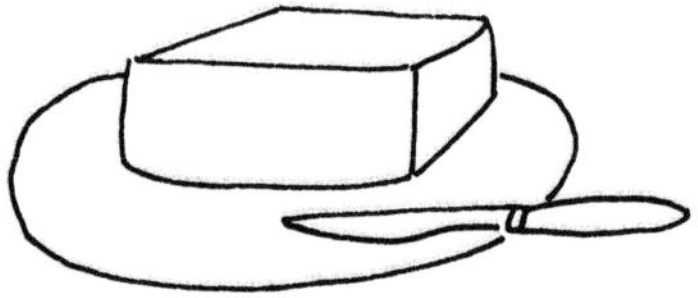

As especiarias

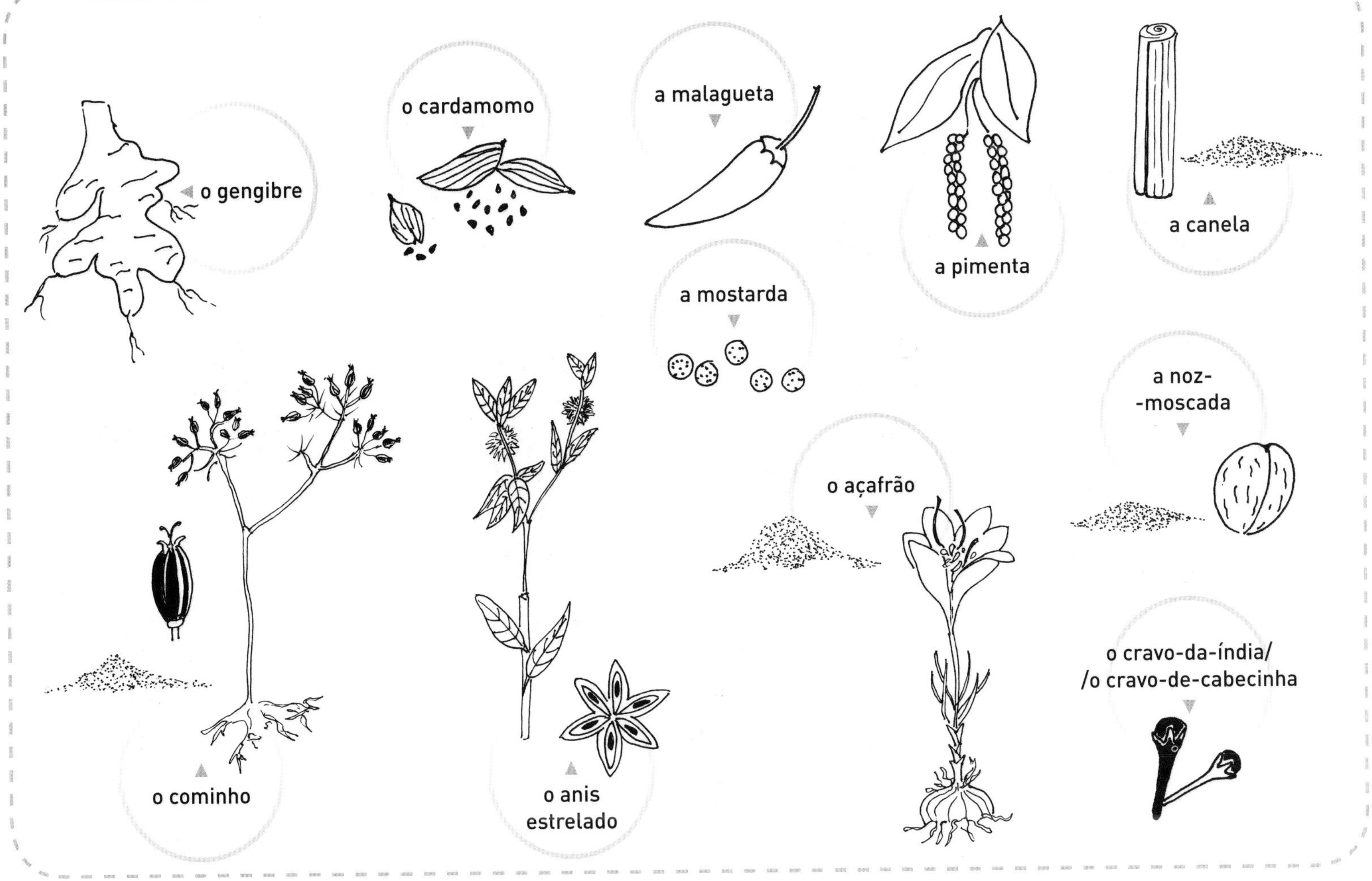
o gengibre
o cardamomo
a malagueta
a pimenta
a canela
a mostarda
a noz-
-moscada
o cominho
o anis
estrelado
o açafrão
o cravo-da-índia/
/o cravo-de-cabecinha

As ervas aromáticas

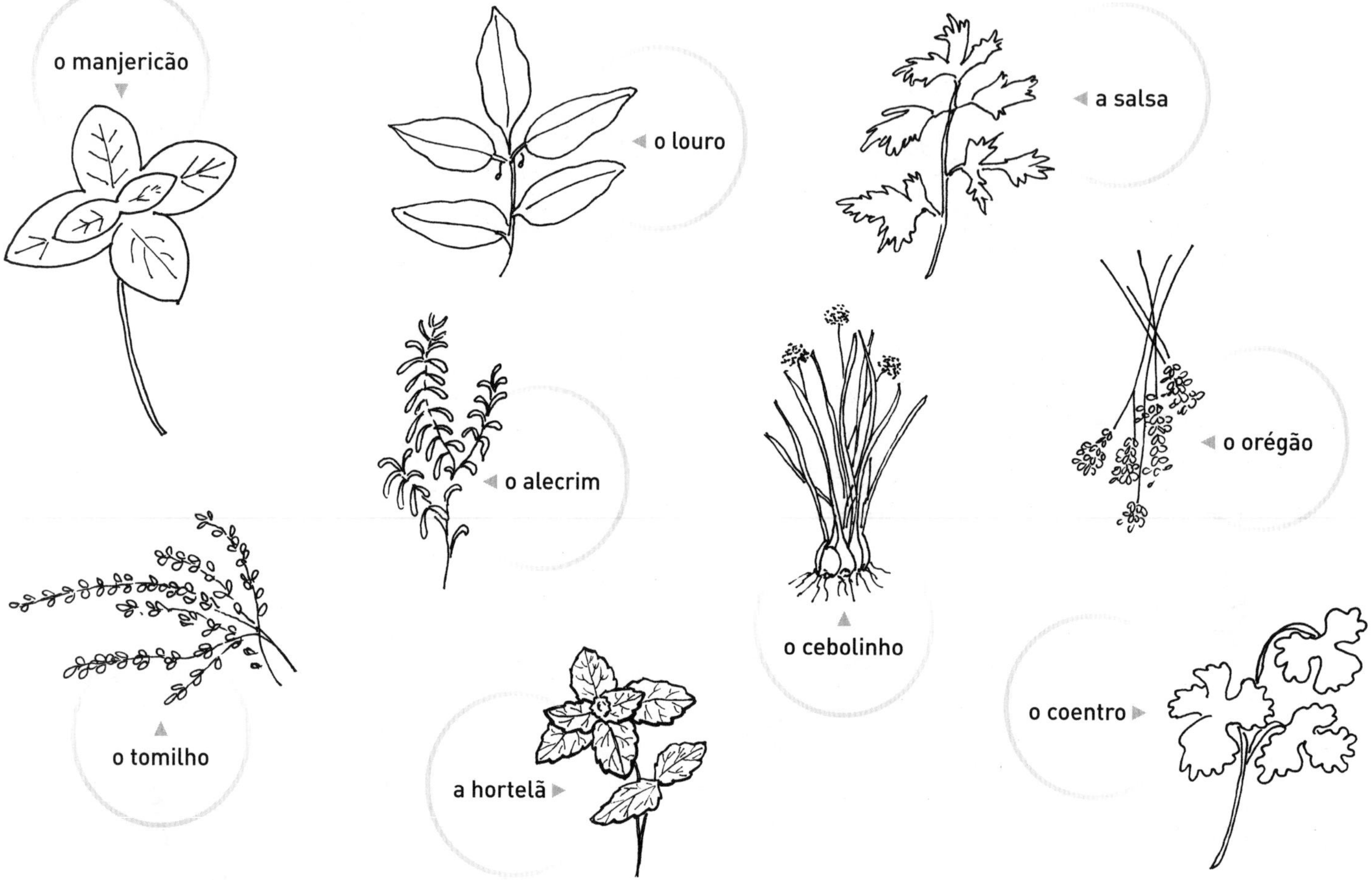

Os doces / As guloseimas

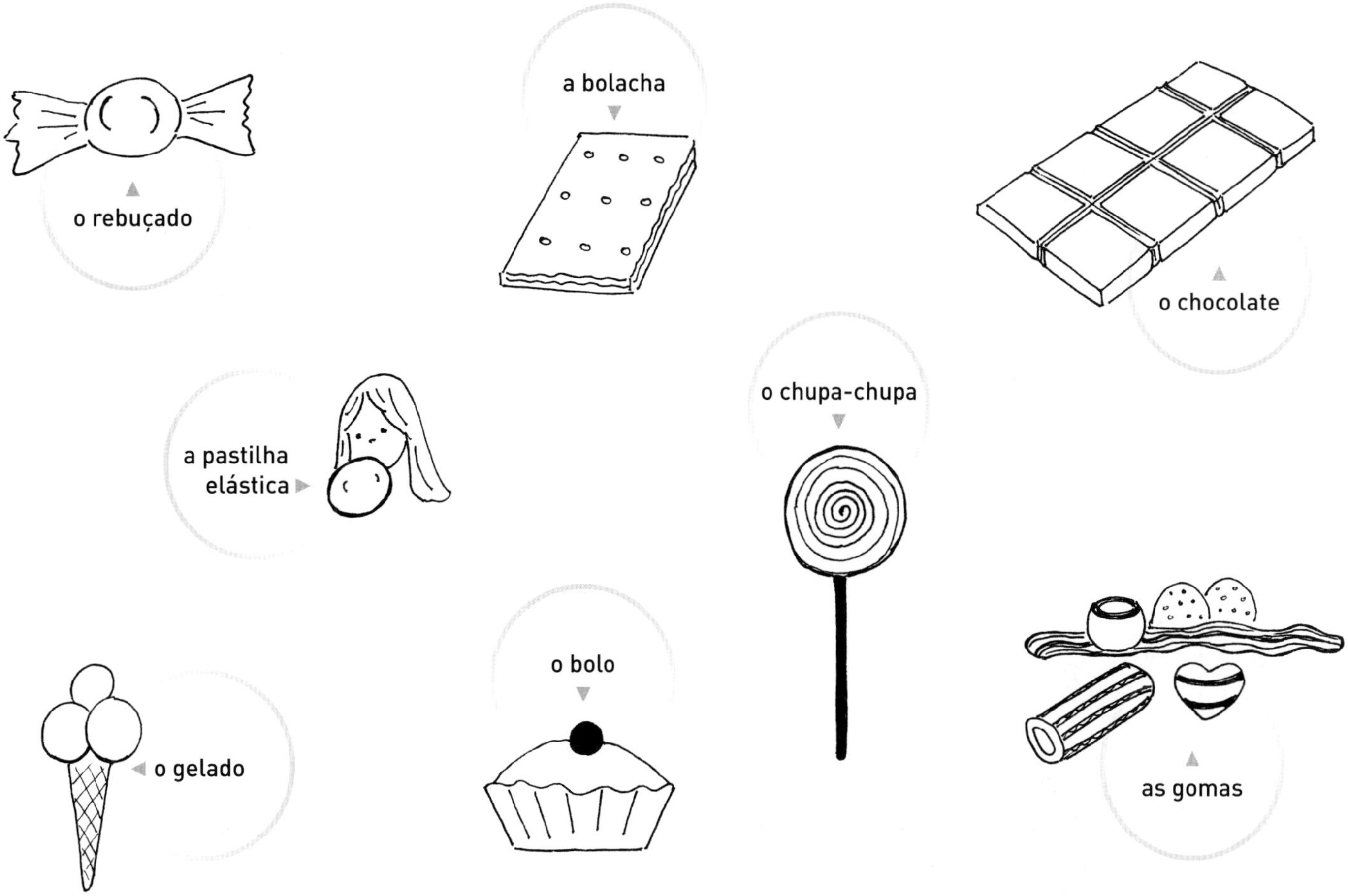

As refeições do dia

o pequeno-almoço

Bom dia!

o almoço

Boa tarde!

o lanche

Boa tarde!

o jantar

Boa noite!

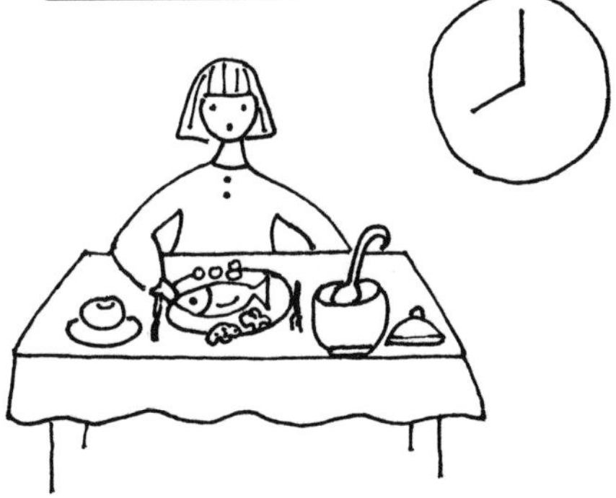

AS PLANTAS

As flores

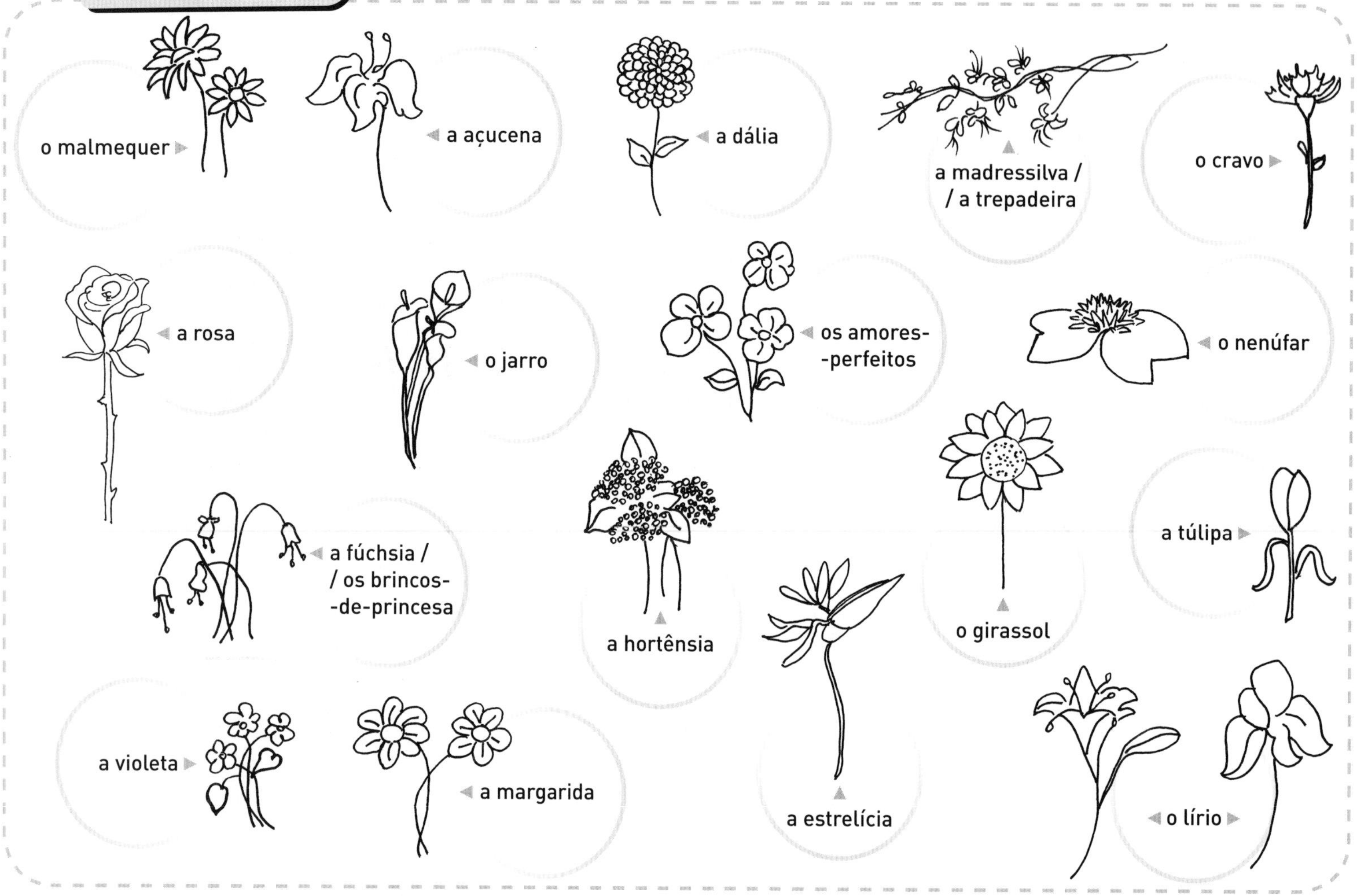
o malmequer
a açucena
a dália
a madressilva /
/ a trepadeira
o cravo
a rosa
o jarro
os amores-
-perfeitos
o nenúfar
a fúchsia /
/ os brincos-
-de-princesa
a hortênsia
o girassol
a túlipa
a violeta
a margarida
a estrelícia
o lírio

A flor

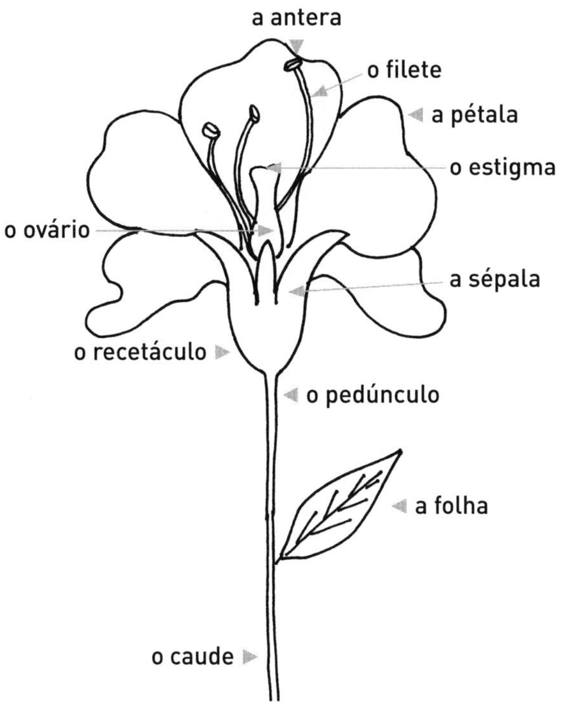
a antera
o filete
a pétala
o estigma
o ovário
a sépala
o recetáculo
o pedúnculo
a folha
o caude

A árvore

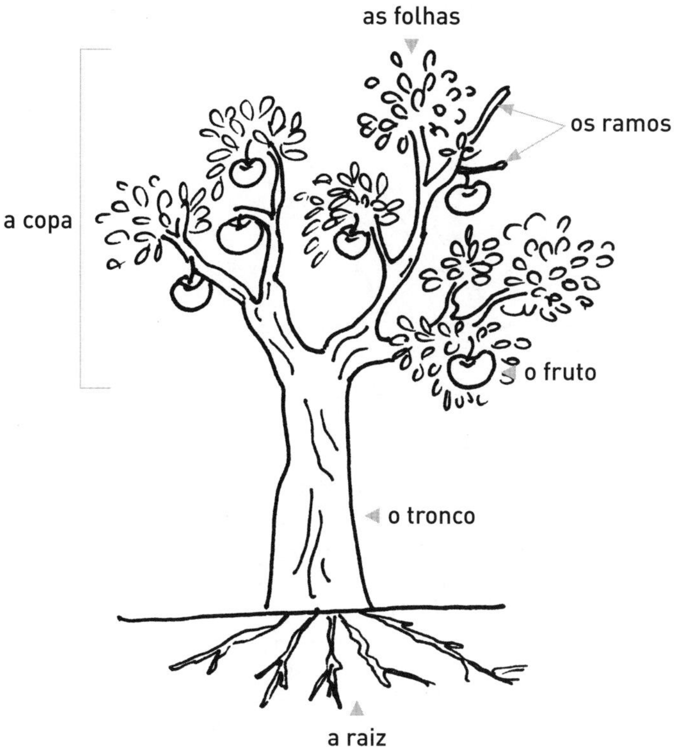
as folhas
os ramos
a copa
o fruto
o tronco
a raiz

O sobreiro

o sobreiro

a bolota

a rolha de **cortiça**.

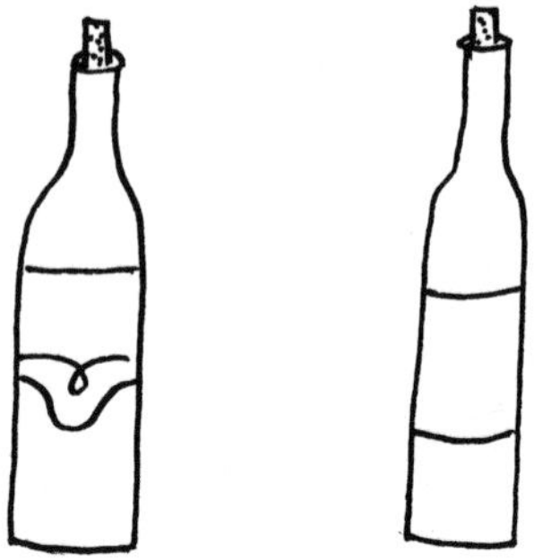

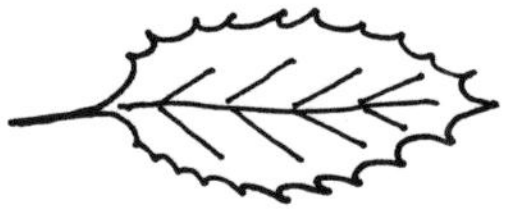

a folha

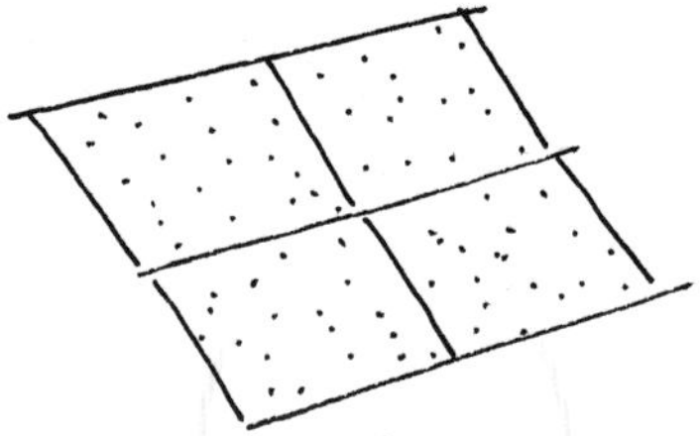

a cortiça

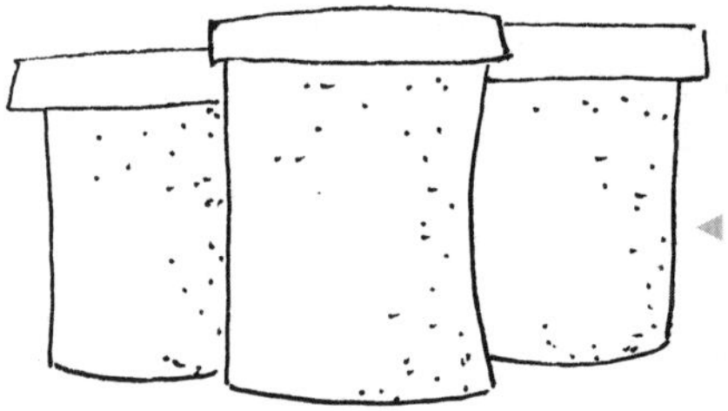

os cortiços

o sobreiral (col.)

O pinheiro

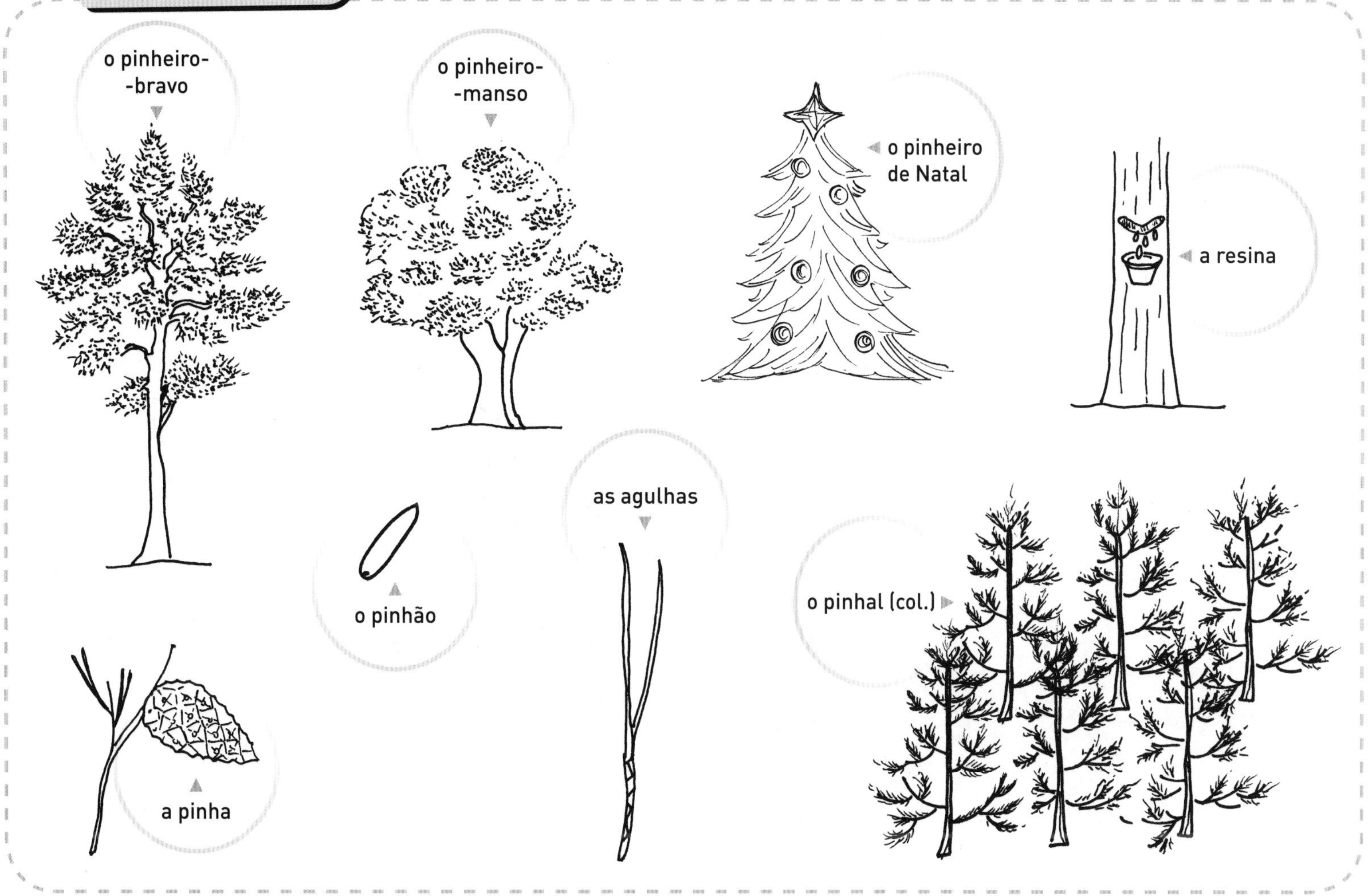
o pinheiro-
-bravo
o pinheiro-
-manso
o pinheiro
de Natal
a resina
as agulhas
o pinhão
o pinhal (col.)
a pinha

A oliveira

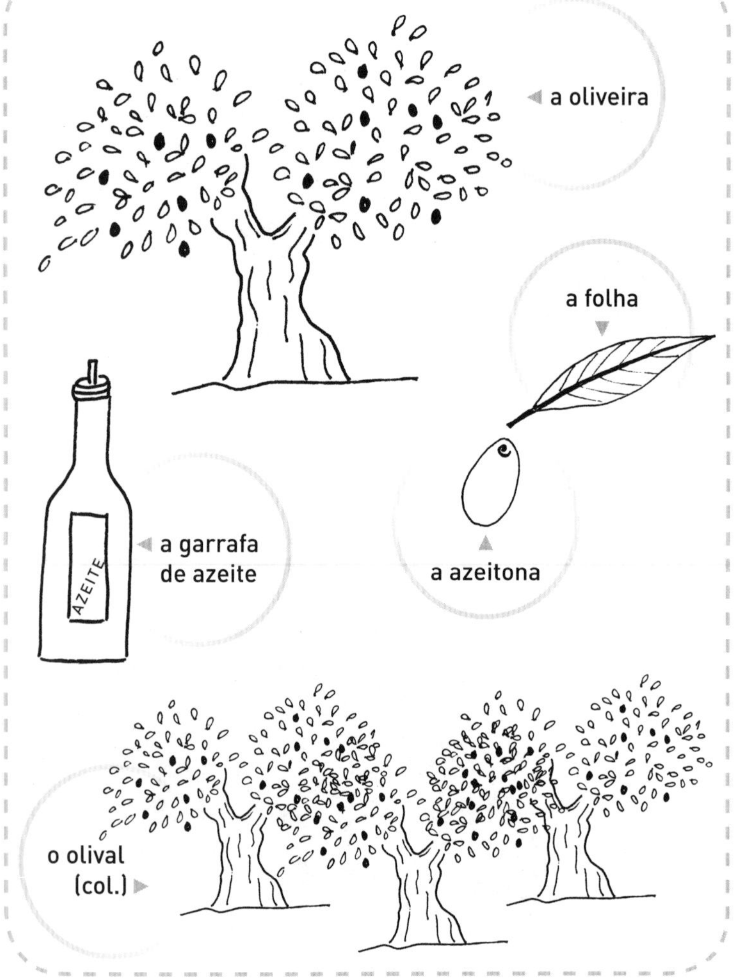
a oliveira
a folha
a garrafa
de azeite
AZEITE
a azeitona
o olival
(col.)

O eucalipto

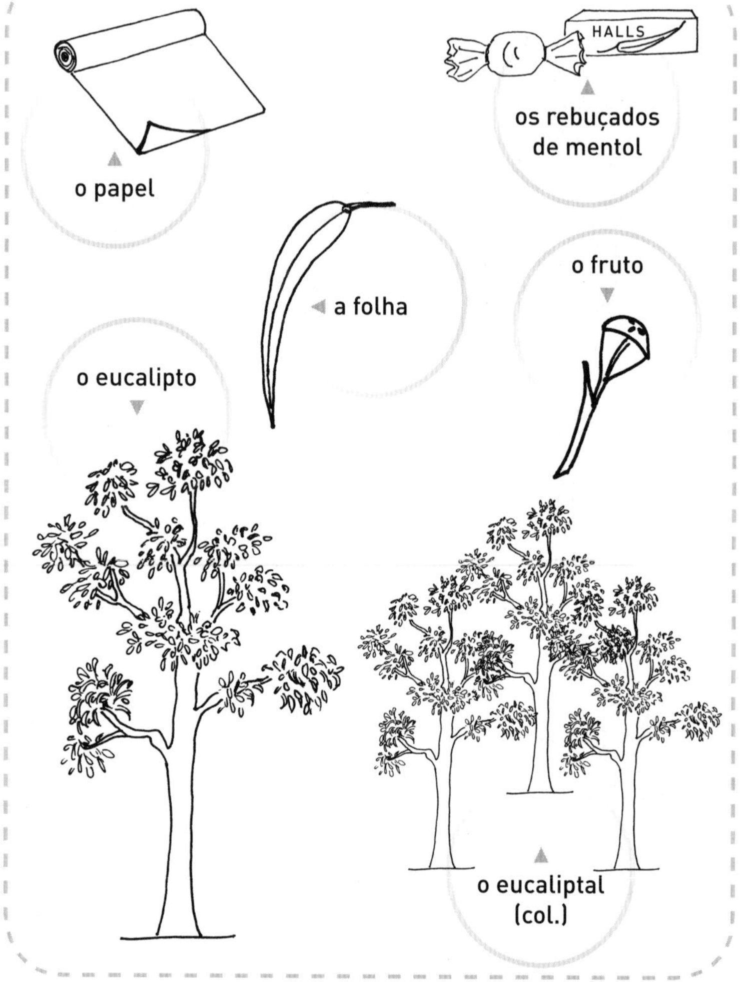
HALLS
o papel
os rebuçados
de mentol
a folha
o fruto
o eucalipto
o eucaliptal
(col.)

O carvalho

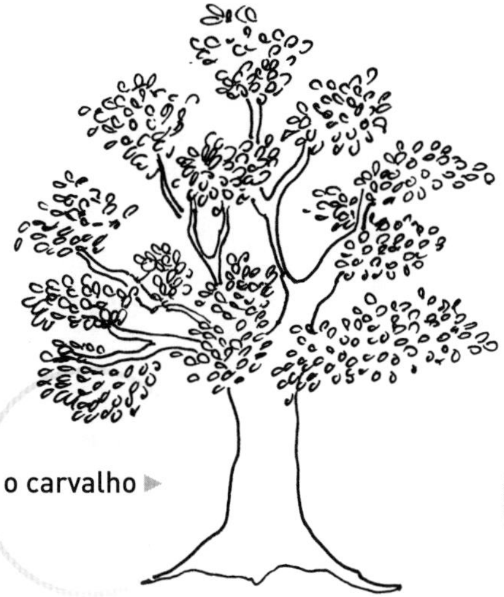

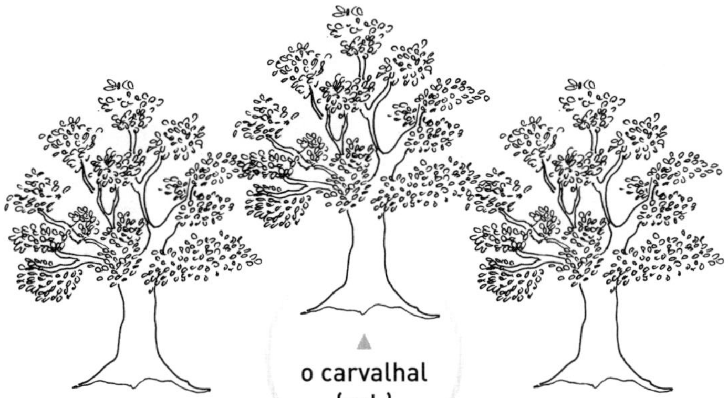

O castanheiro

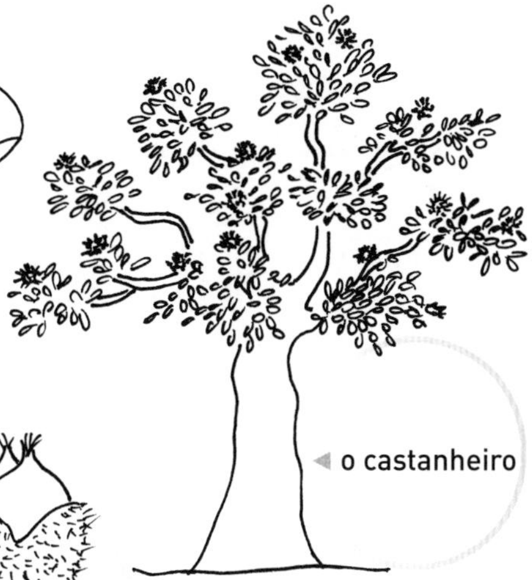

OS ANIMAIS

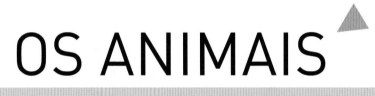

Os insetos

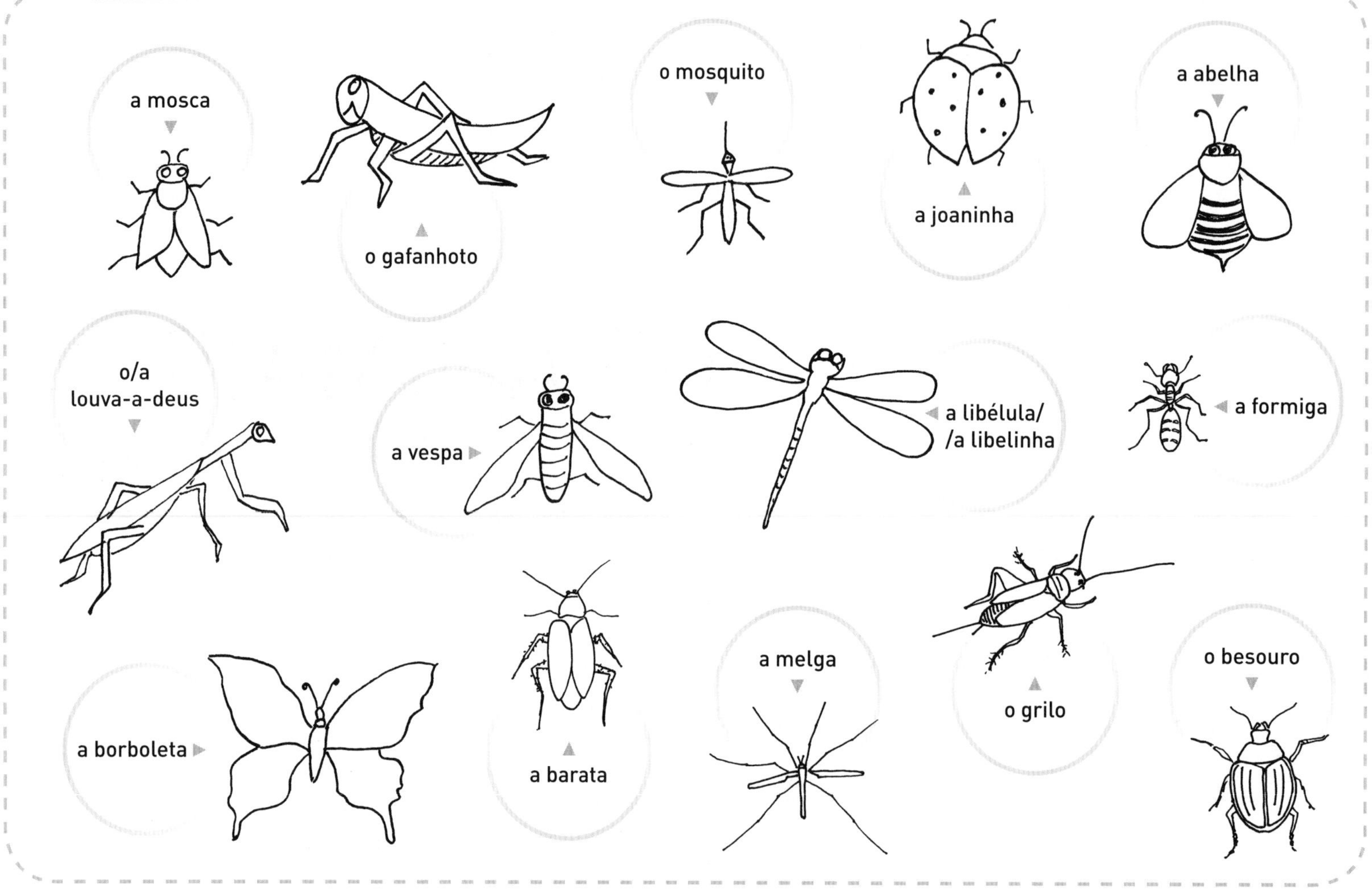
a mosca
o gafanhoto
o mosquito
a joaninha
a abelha
o/a louva-a-deus
a vespa
a libélula/
/a libelinha
a formiga
a barata
a melga
o grilo
o besouro
a borboleta

Animais da quinta

a galinha
o galo
o coelho
o cão
o gato
a cabra
a pomba
a andorinha
o peru
a rã
o sapo
a lagartixa
o porco
a ovelha
a aranha
o rato

Animais da quinta

o pato ▸

o cisne ▾

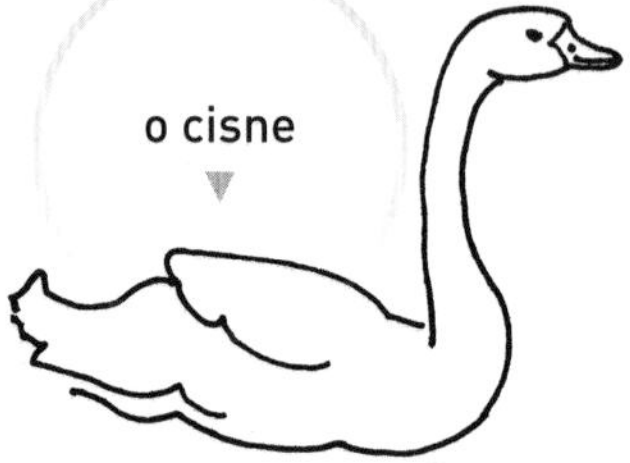

◂ o ganso

a pata ▸

a pena ▸

◂ a asa

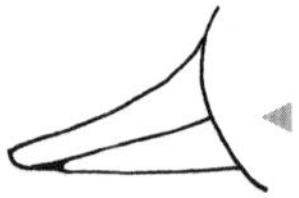

◂ o bico

o cavalo ▾

▴ o burro

a vaca ▾

Animais selvagens

Animais selvagens

a avestruz

a cegonha

a foca

o pinguim

o flamingo

o leão

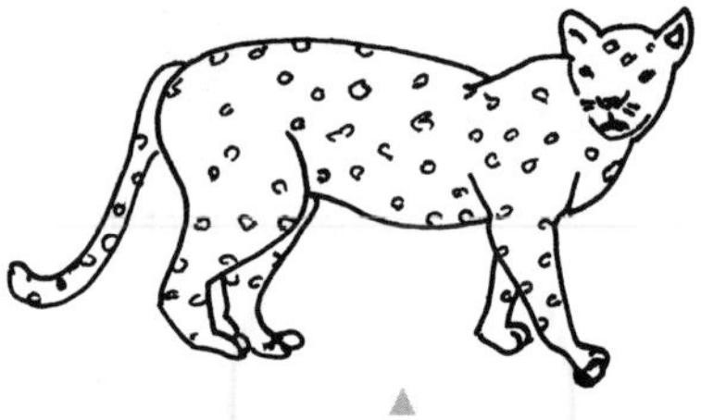
o leopardo

o tigre

o urso

Animais selvagens

o elefante

o camelo

a zebra

o macaco

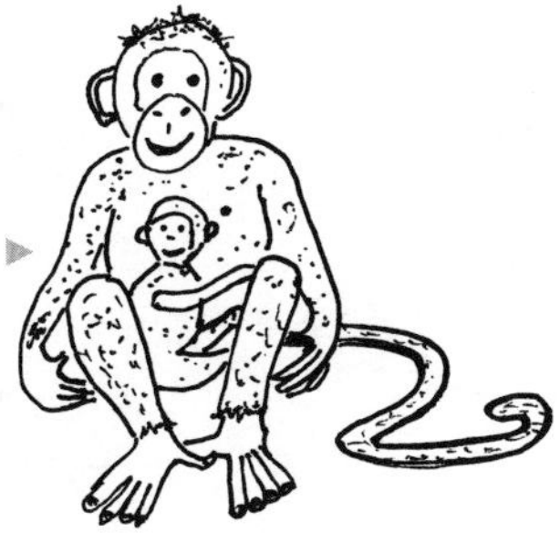

a águia

o camaleão

o esquilo

a lebre

a serpente/
/a cobra

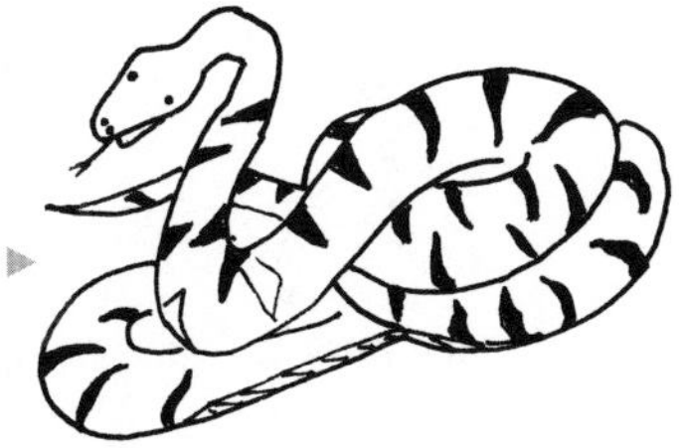

Animais marinhos

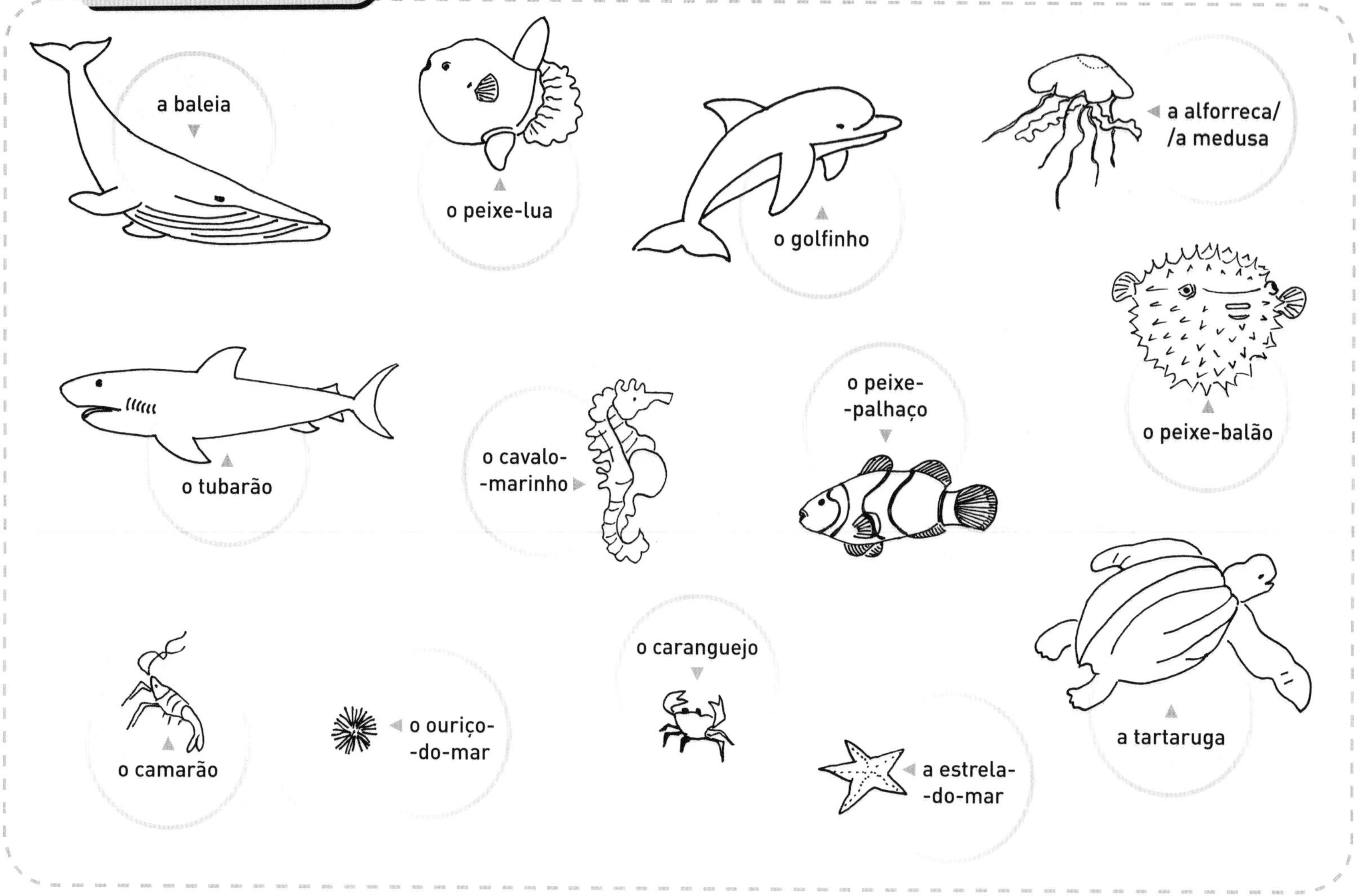
a baleia
o peixe-lua
o golfinho
a alforreca/
/a medusa
o peixe-balão
o tubarão
o cavalo-
-marinho
o peixe-
-palhaço
a tartaruga
o camarão
o ouriço-
-do-mar
o caranguejo
a estrela-
-do-mar

Bivalves ou moluscos

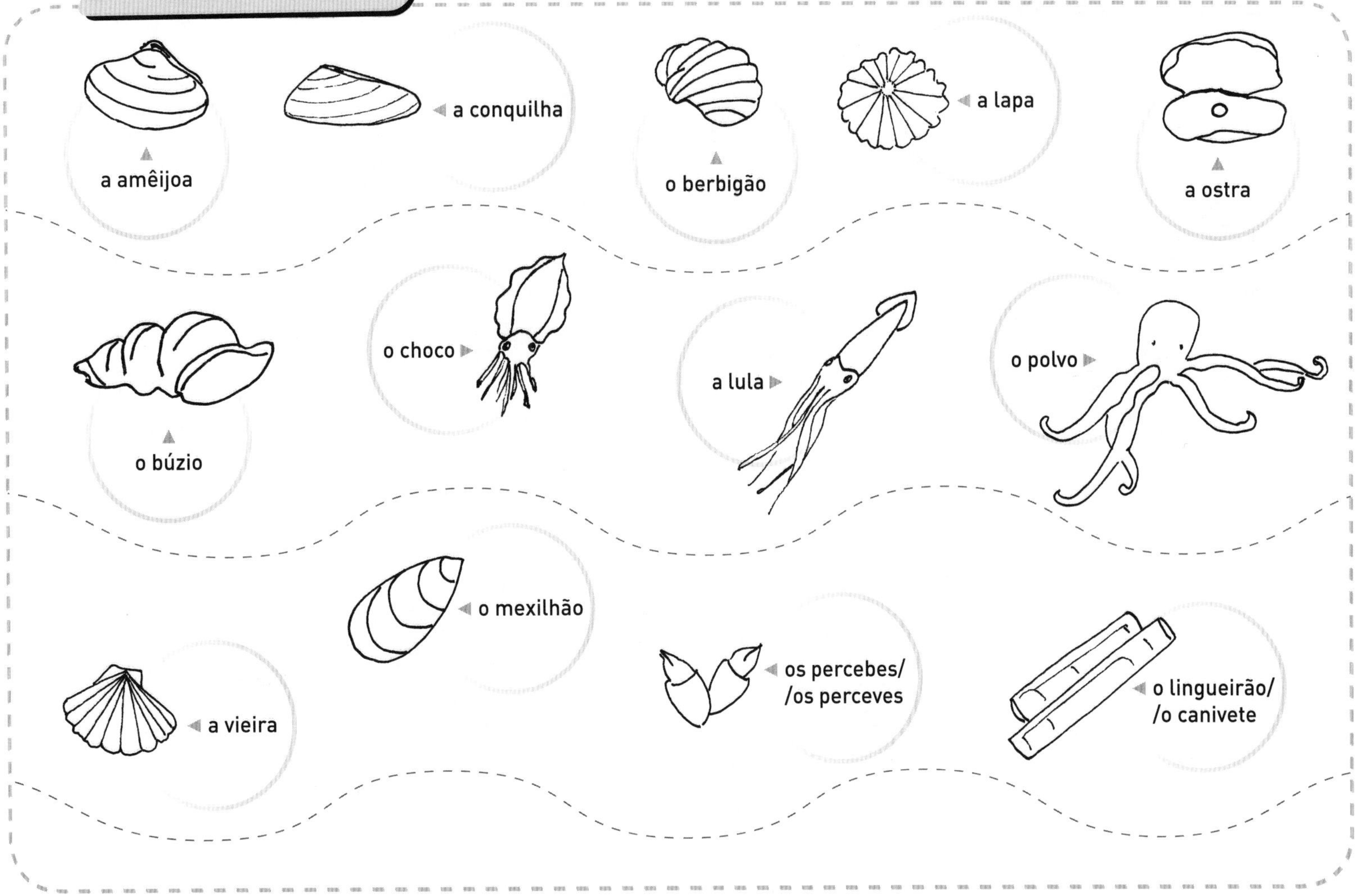
a amêijoa
a conquilha
o berbigão
a lapa
a ostra
o búzio
o choco
a lula
o polvo
a vieira
o mexilhão
os percebes/
/os perceves
o lingueirão/
/o canivete

No Jardim Zoológico

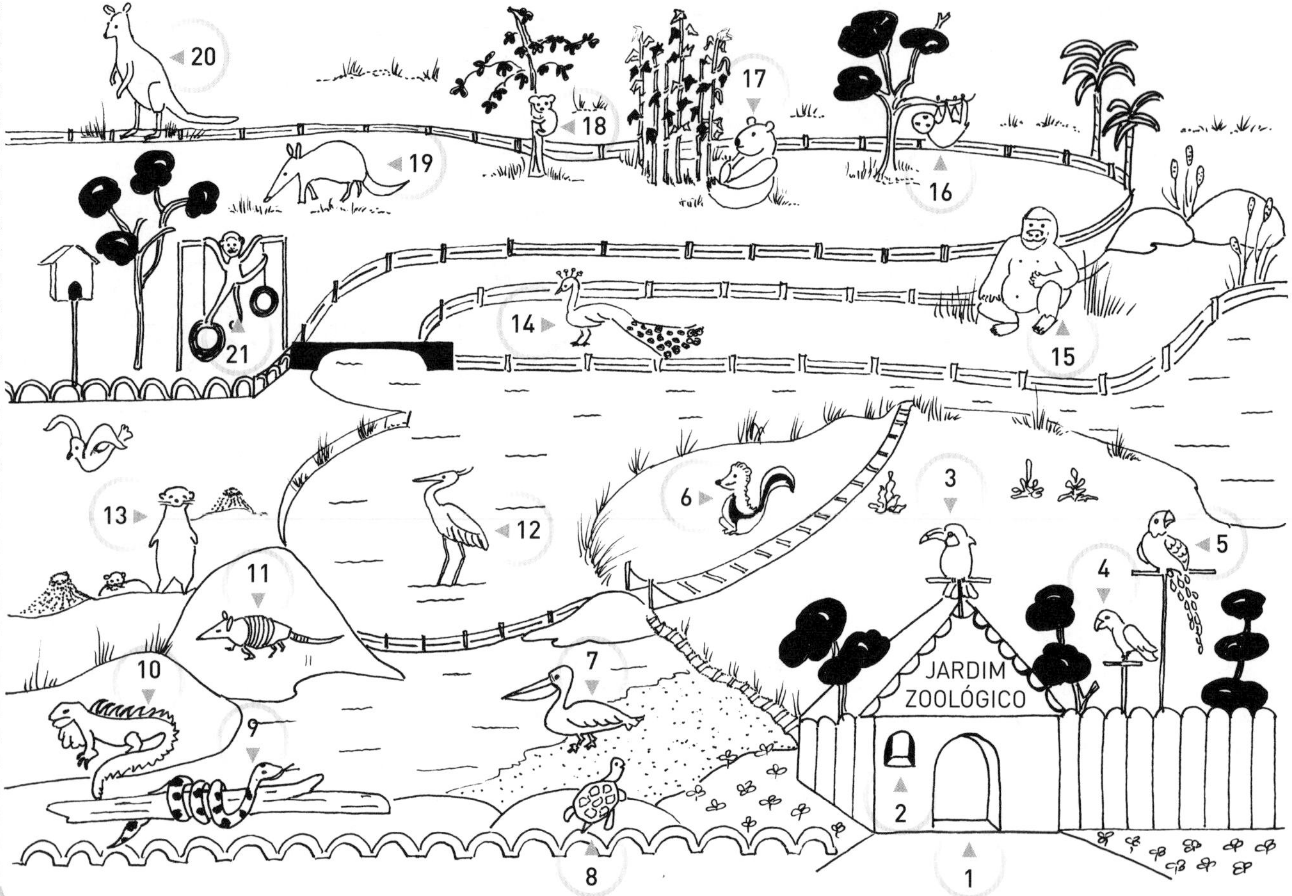

1. a entrada
2. a bilheteira
3. o tucano
4. o papagaio
5. a arara
6. o gambá
7. o pelicano
8. o cágado
9. a anaconda
10. a iguana
11. o tatu
12. a garça
13. a suricata
14. o pavão
15. o gorila
16. a preguiça
17. o panda
18. o coala
19. o papa-formigas
20. o canguru
21. o macaco/
/o chimpanzé

NO MAR

A praia

1. o mar
2. o Sol
3. a gaivota
4. as nuvens
5. o vento
6. as palmeiras
7. o barco à vela
8. a onda
9. a espuma
10. a falésia
11. o farol
12. a ilha
13. o guarda-sol
14. a sombra
15. o saco de praia
16. a cadeira de praia
17. a toalha de praia
18. a concha
19. a areia

A praia

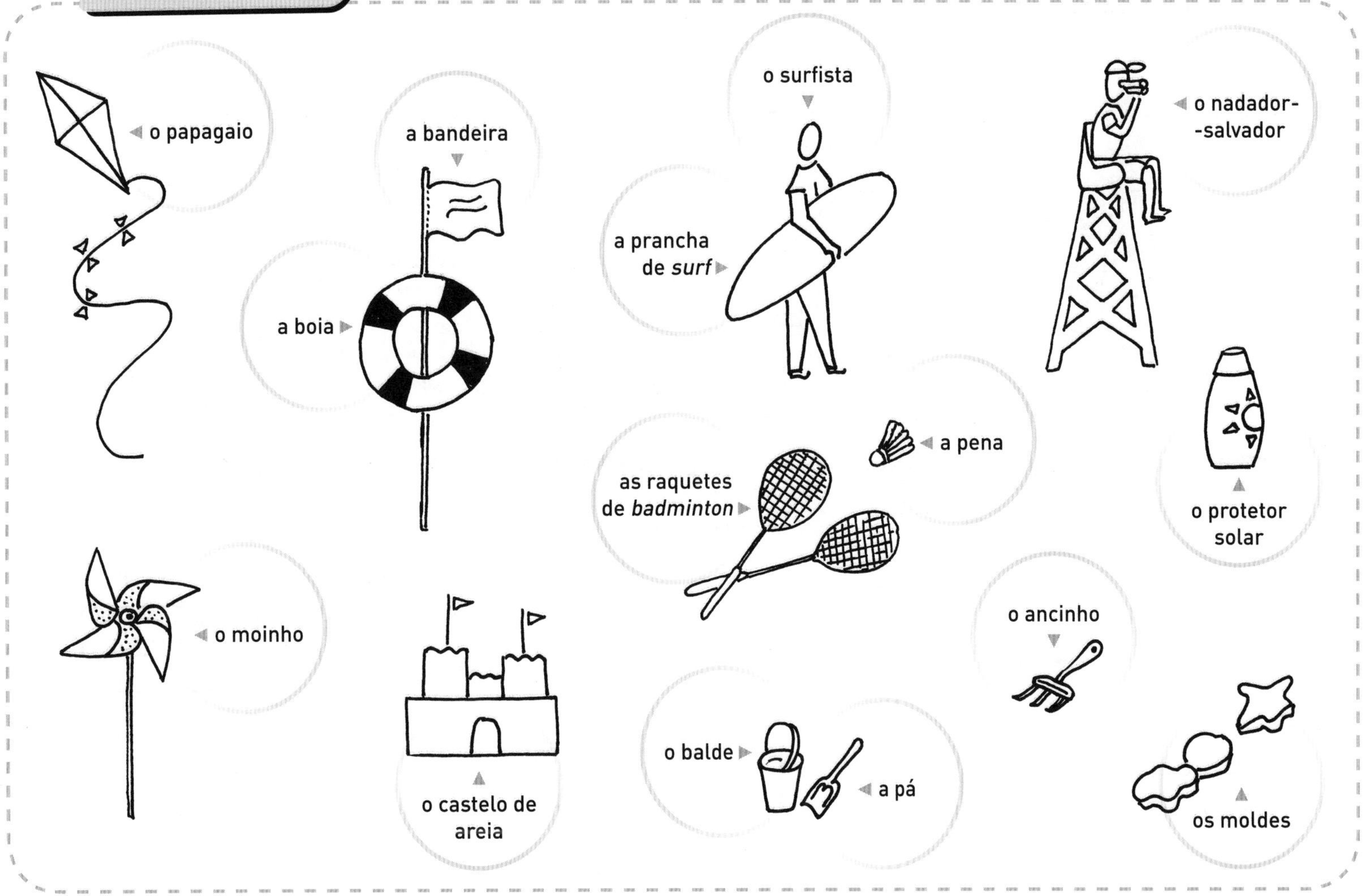
o papagaio
a bandeira
a boia
o surfista
a prancha de *surf*
o nadador-salvador
a pena
as raquetes de *badminton*
o protetor solar
o moinho
o castelo de areia
o ancinho
o balde
a pá
os moldes

O mar / a ilha / a ria

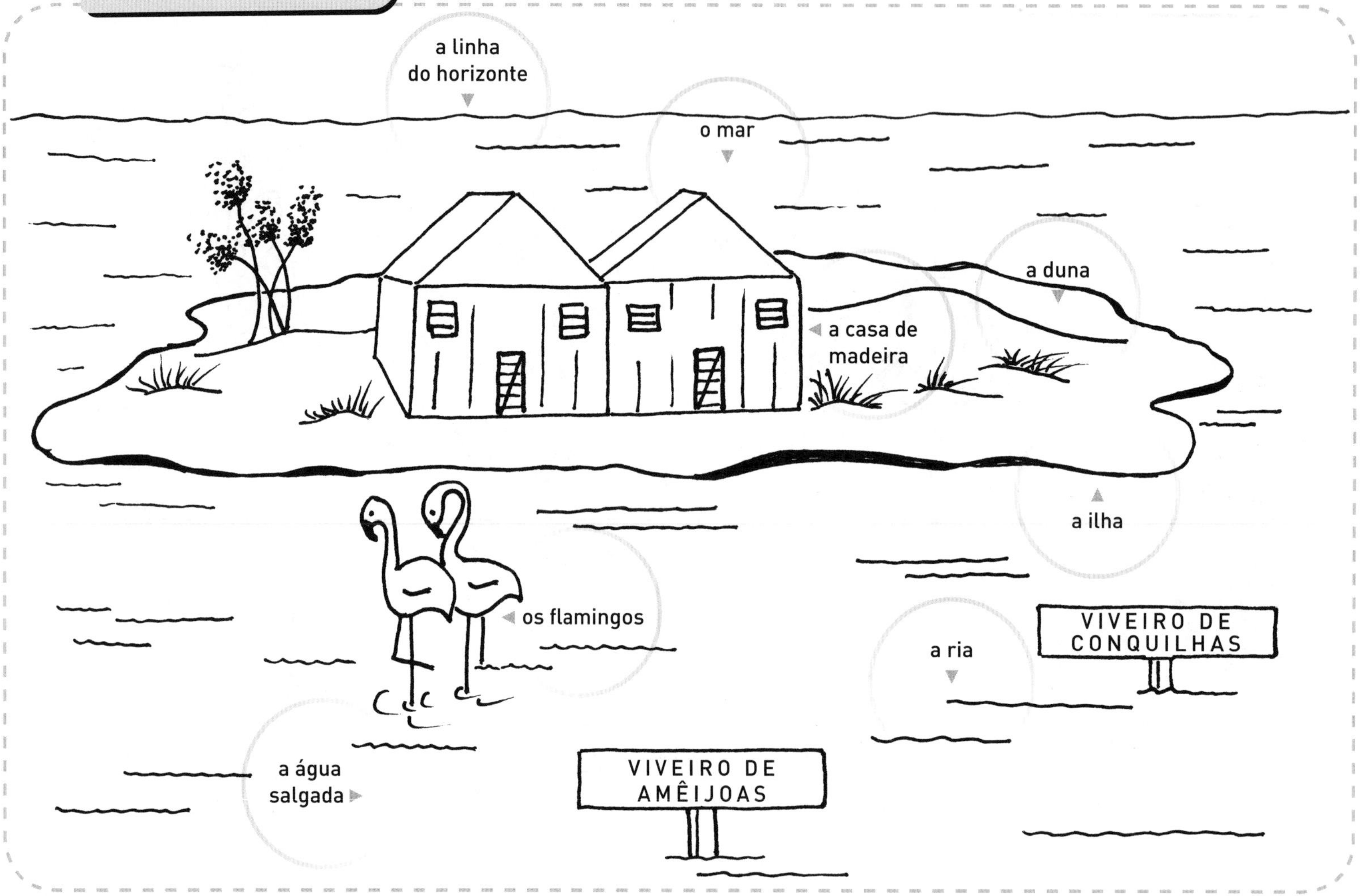

A pesca

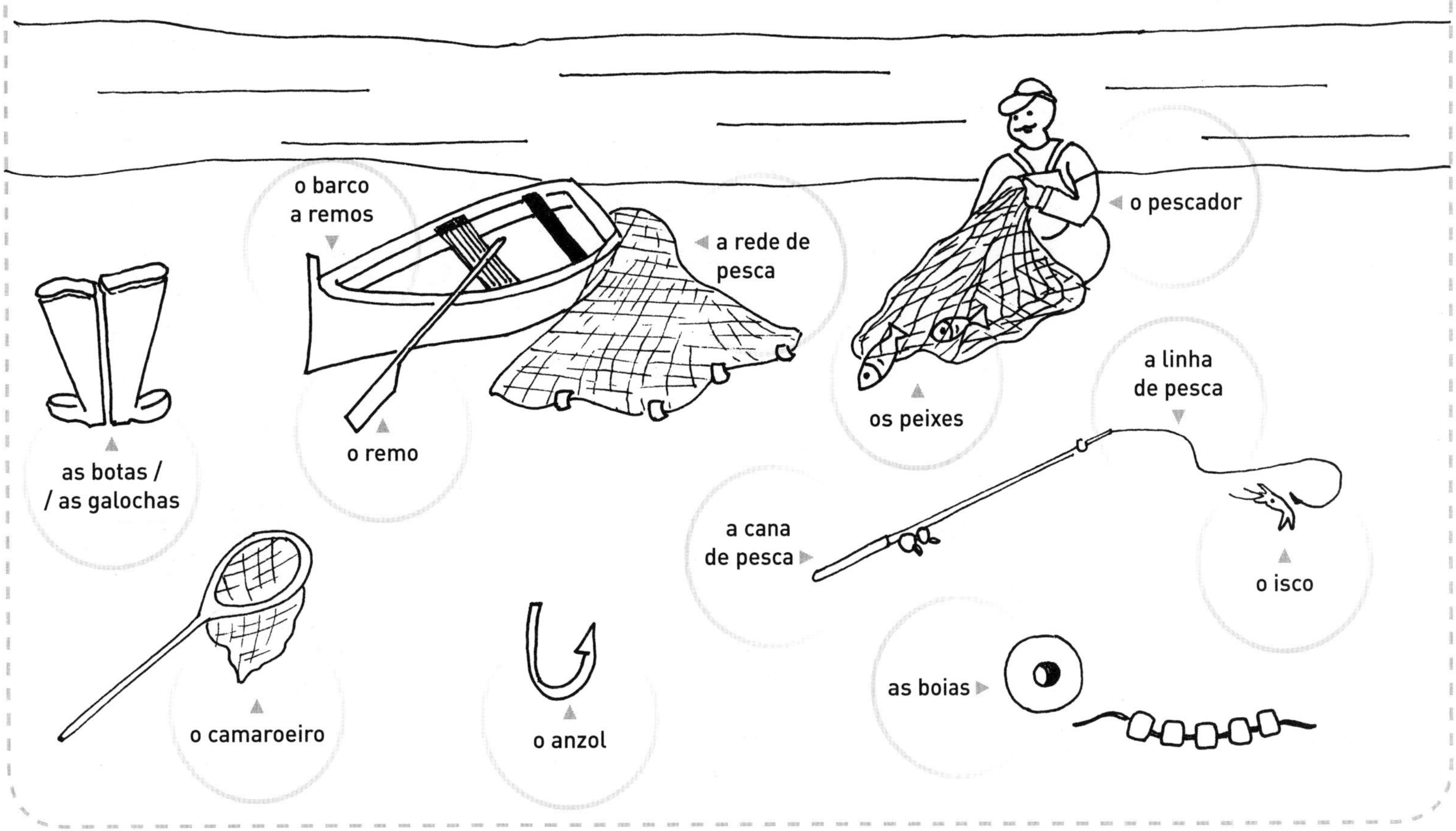
o barco
a remos
a rede de
pesca
o pescador
as botas /
/ as galochas
o remo
os peixes
a linha
de pesca
a cana
de pesca
o isco
o camaroeiro
o anzol
as boias

A pesca

as barbatanas

a máscara

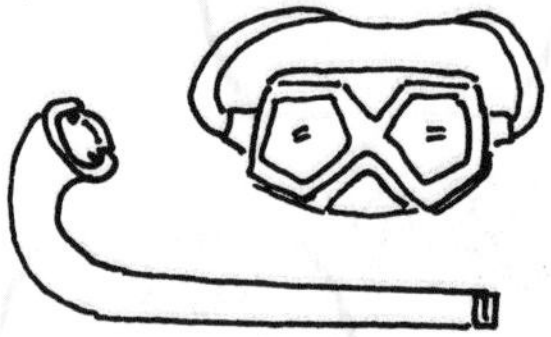

o tubo

o fato de mergulho

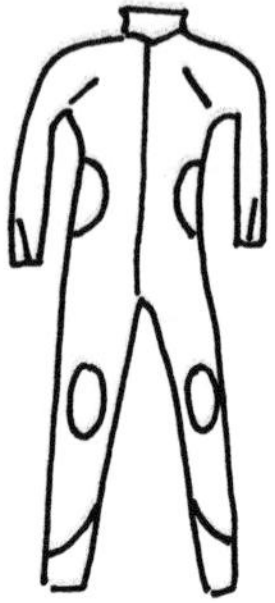

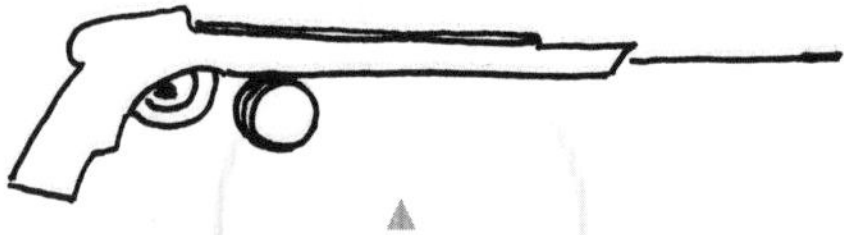

o arpão

a bússola

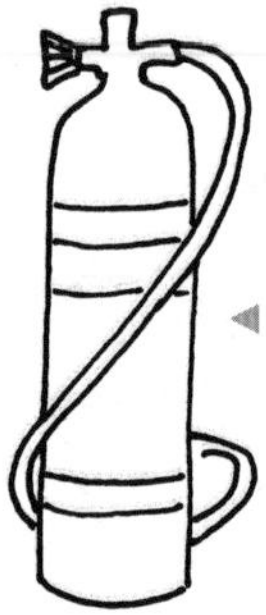

a garrafa de oxigénio

NO CAMPO

No campo

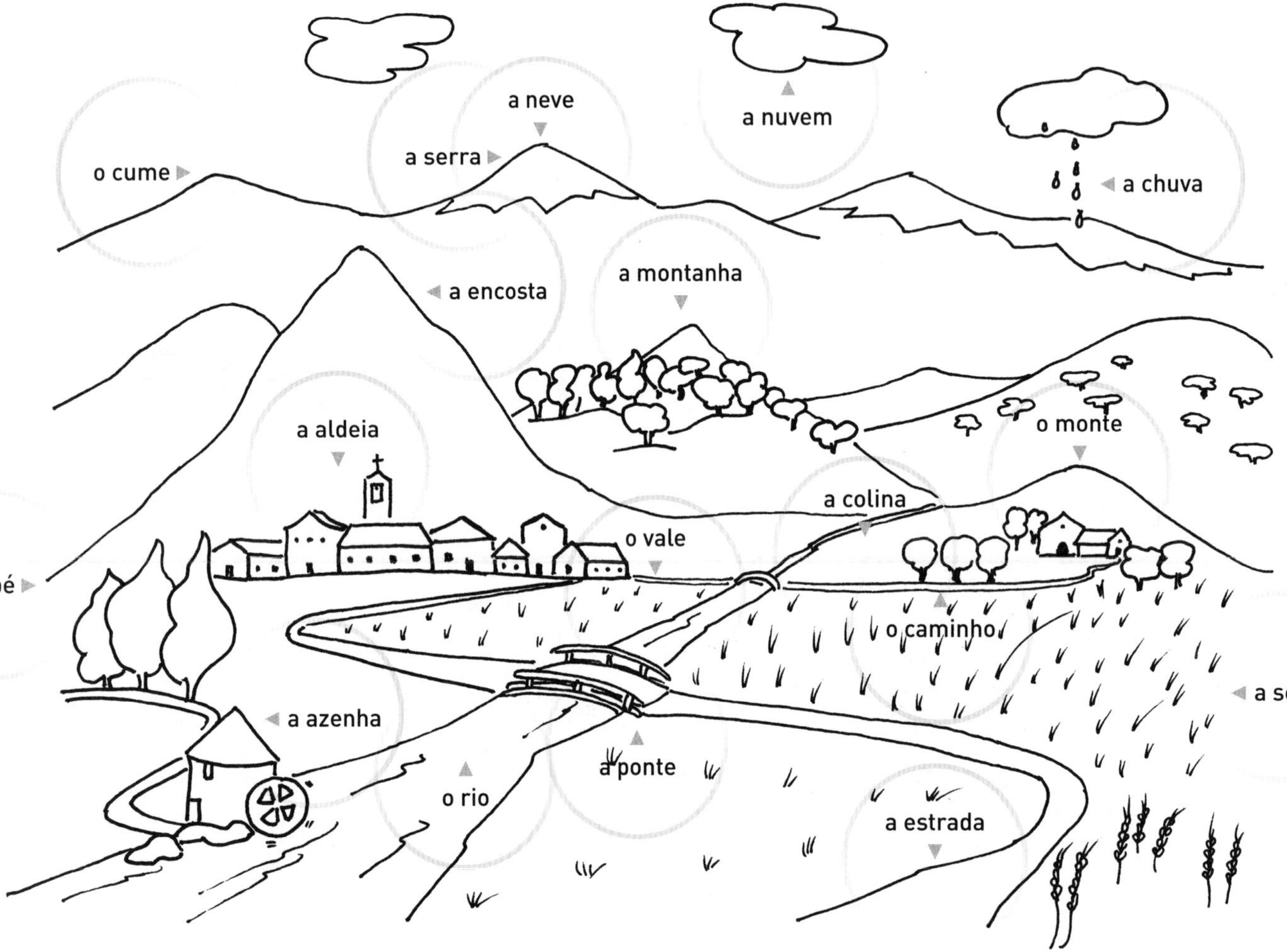

a neve
a nuvem
o cume
a serra
a chuva
a encosta
a montanha
a aldeia
o monte
a colina
o vale
o sopé
o caminho
a seara
a azenha
a ponte
o rio
a estrada

O campismo

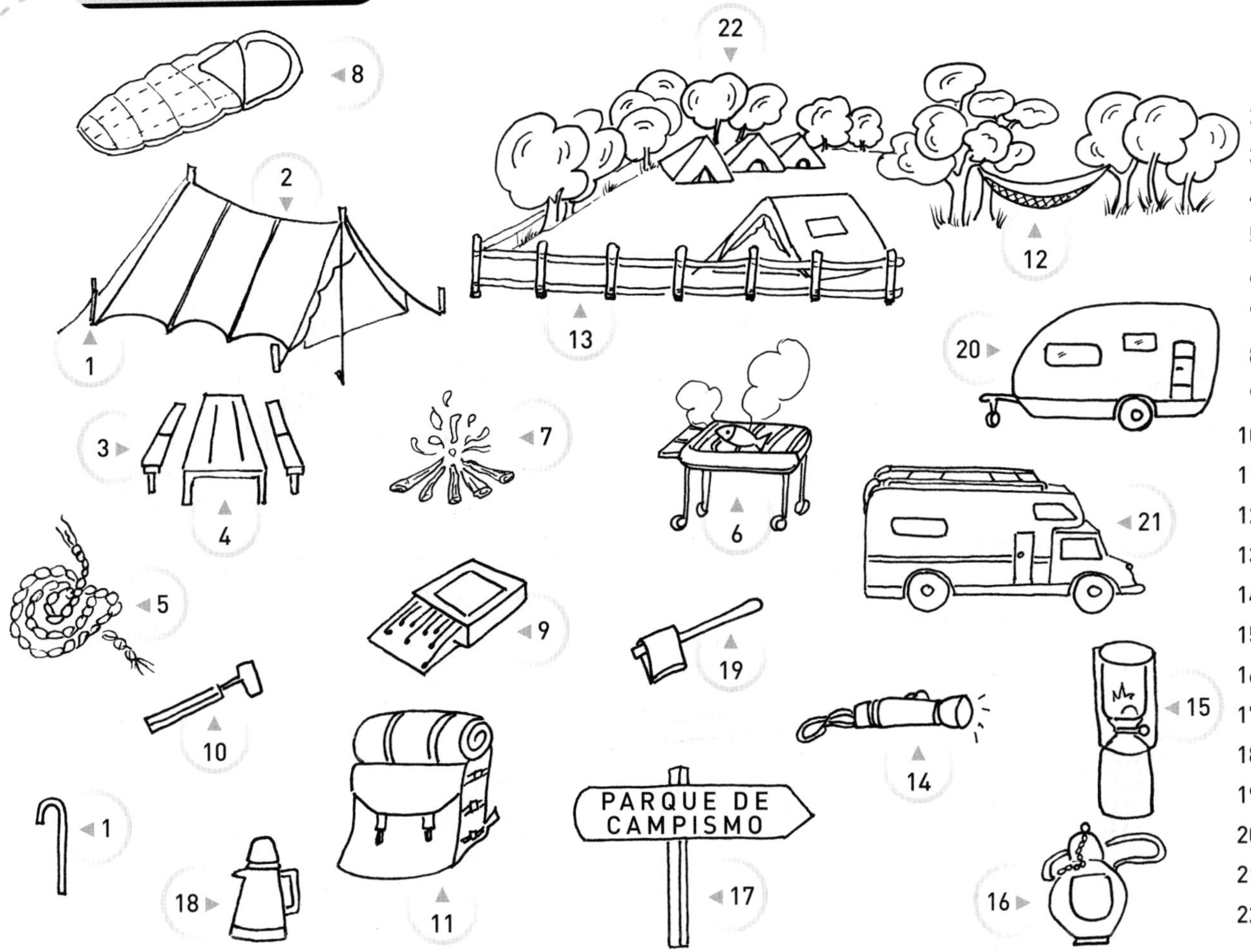

1. a estaca
2. a tenda
3. o banco
4. a mesa
5. a corda
6. o grelhador
7. a fogueira
8. o saco-cama
9. a caixa de fósforos
10. o martelo
11. a mochila
12. a rede
13. a vedação
14. a lanterna
15. o candeeiro a gás
16. o cantil
17. a placa de sinalização
18. o termos
19. o machado
20. a *roulotte*
21. a autocaravana
22. o parque de campismo

O lago

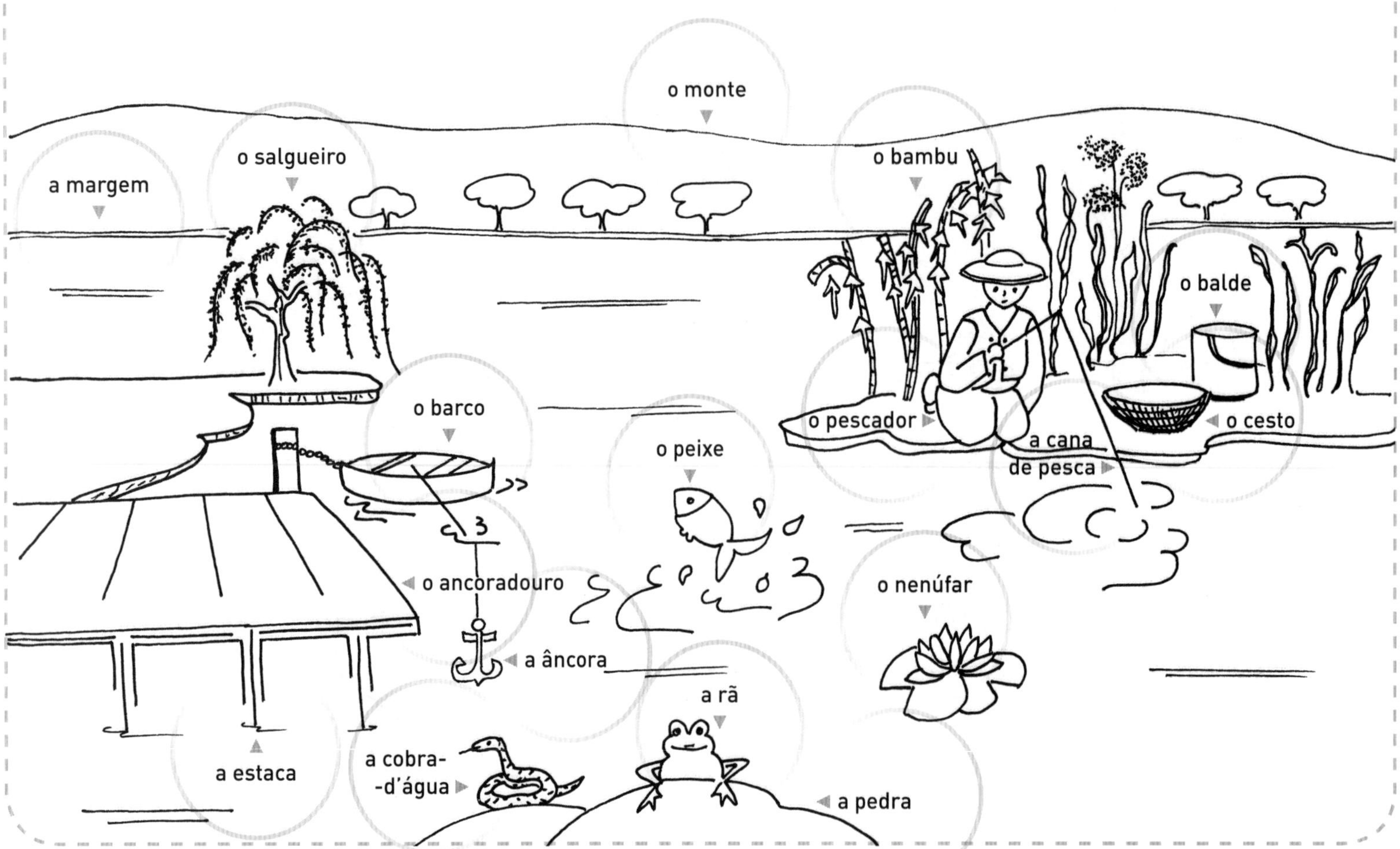
o monte
o salgueiro
a margem
o bambu
o balde
o barco
o pescador
o cesto
a cana
de pesca
o peixe
o ancoradouro
a âncora
o nenúfar
a rã
a estaca
a cobra-
-d'água
a pedra

A quinta

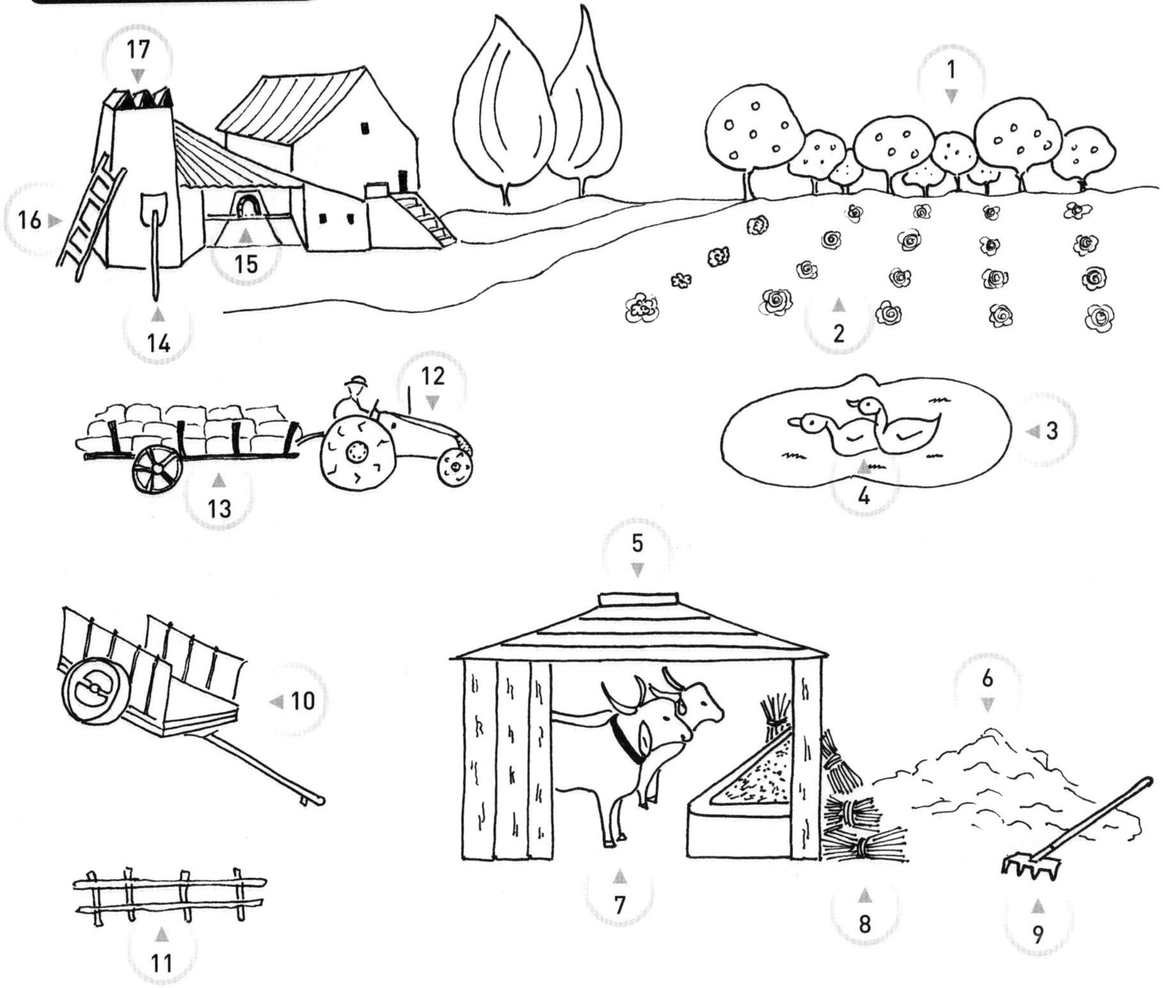

1. o pomar
2. a horta
3. o lago
4. os patos
5. o estábulo
6. o estrume
7. as vacas
8. os fardos de palha
9. o ancinho
10. o carro de bois
11. a cerca
12. o trator
13. o atrelado
14. a pá do forno
15. o forno
16. a escada
17. a chaminé

A quinta

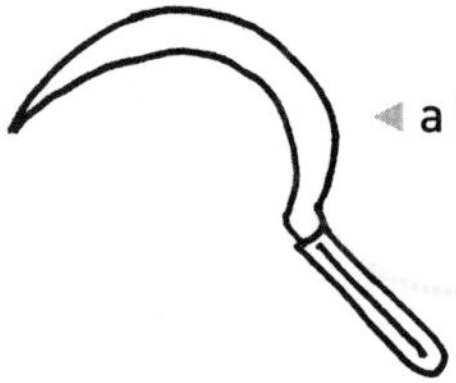
a foice

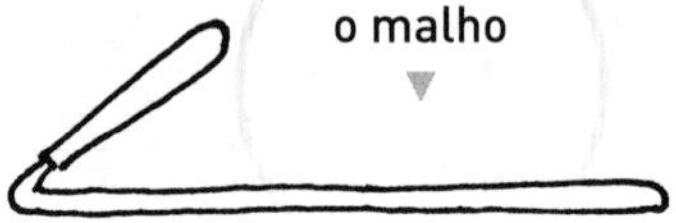
o malho

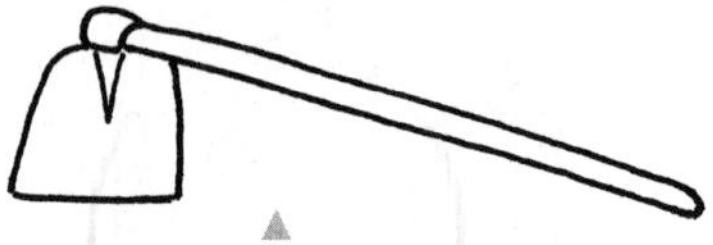
o sacho

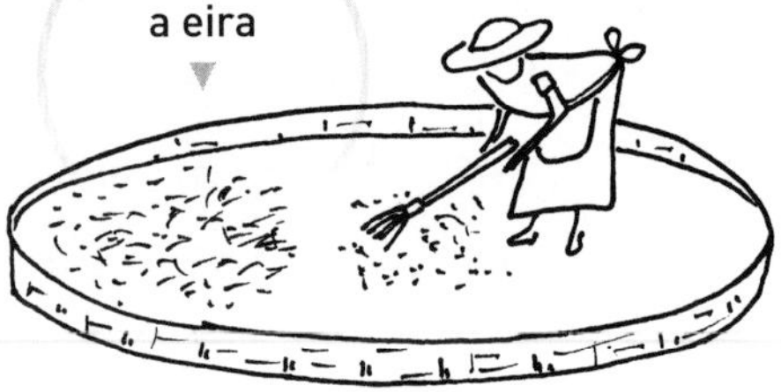
a eira

a gadanha

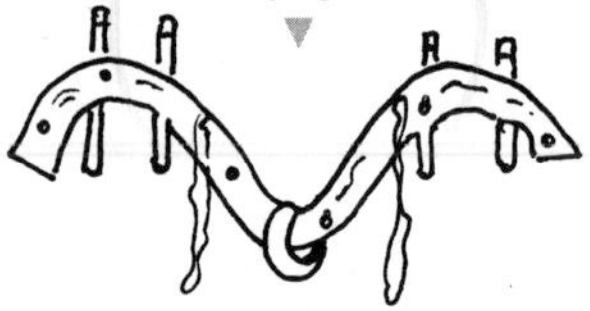
o jugo

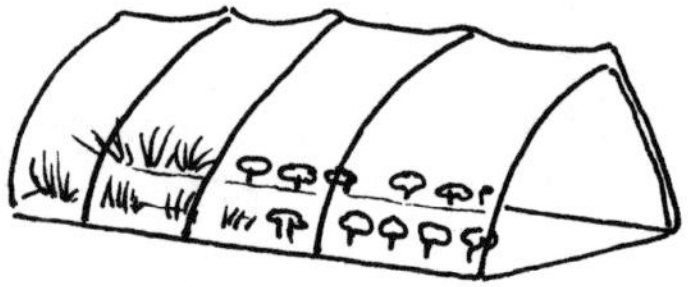
a estufa

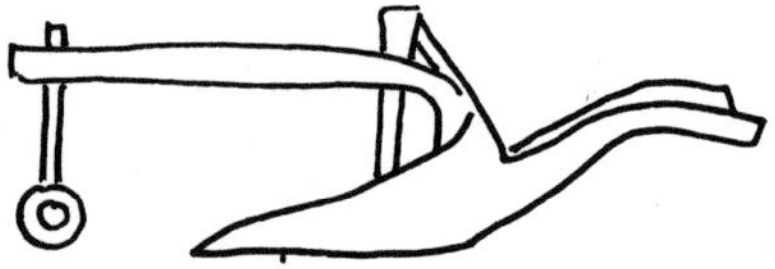
o arado

A quinta

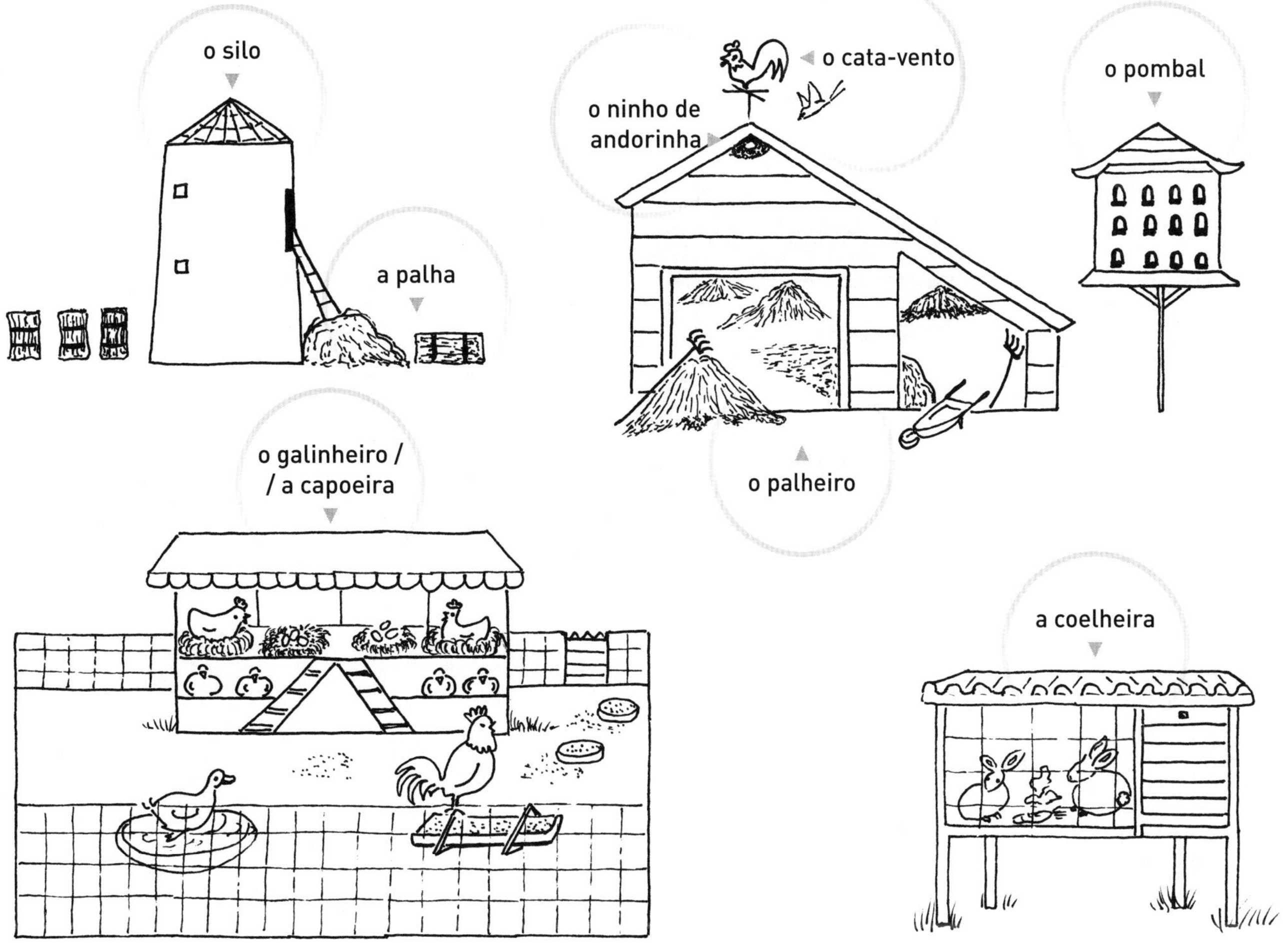
o silo
a palha
o ninho de andorinha
o cata-vento
o pombal
o palheiro
o galinheiro / / a capoeira
a coelheira

A quinta

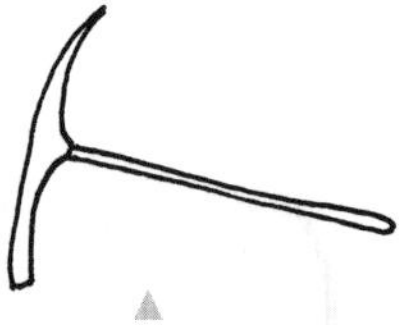

a picareta

os aspersores

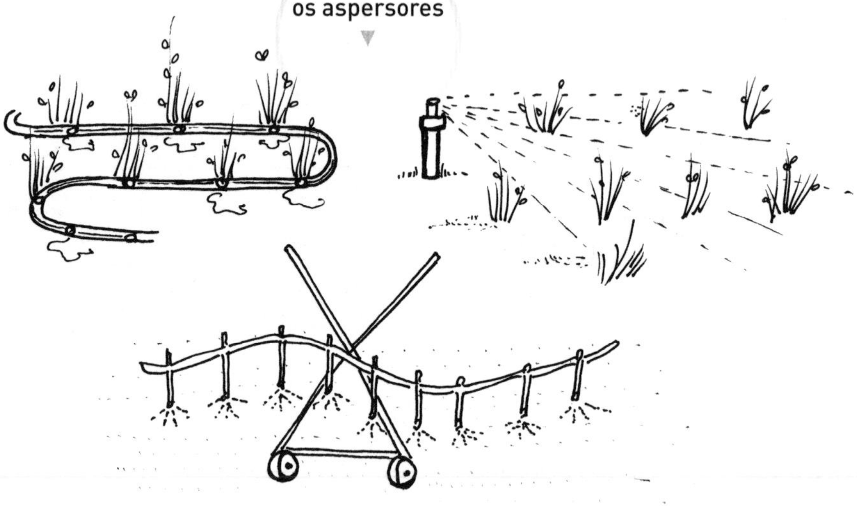

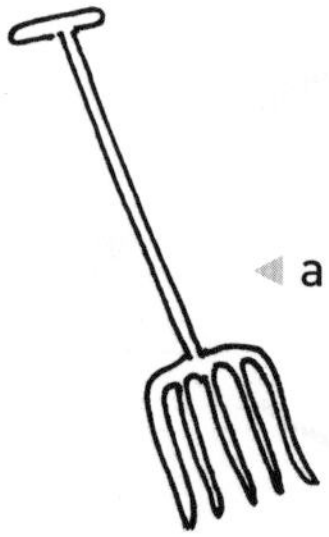

a forquilha

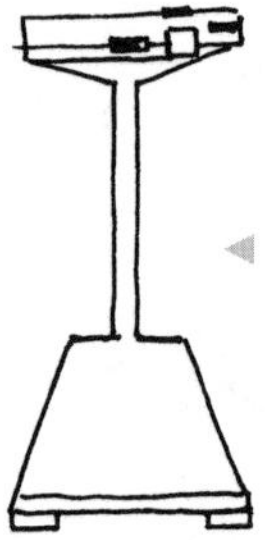

a balança

NA CIDADE

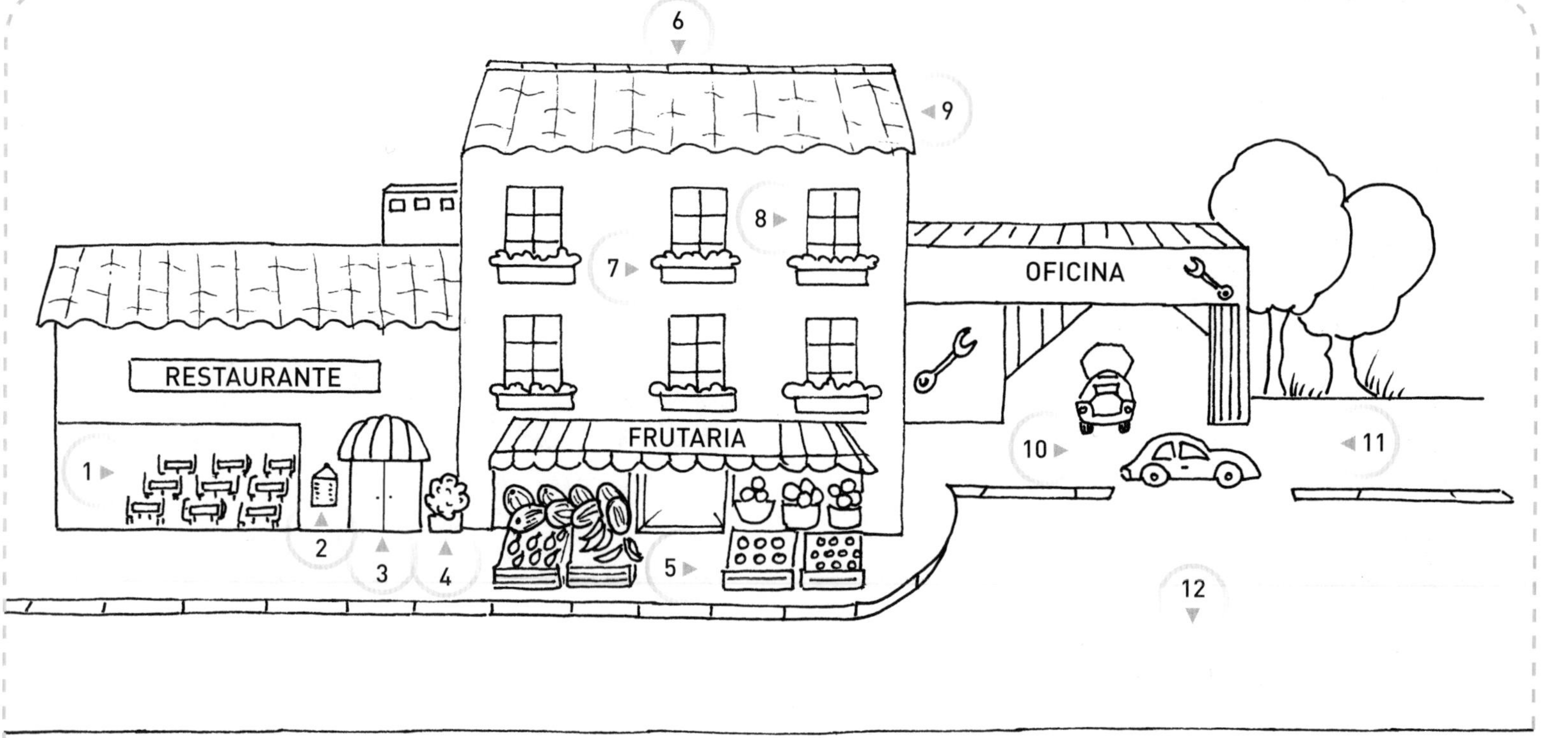

1. a sala de refeições
2. a ementa / o menu
3. a porta
4. o vaso com flores
5. as caixas de fruta
6. o edifício de dois andares
7. as floreiras das janelas
8. a janela
9. o telhado
10. os carros
11. o passeio
12. a rua

O restaurante

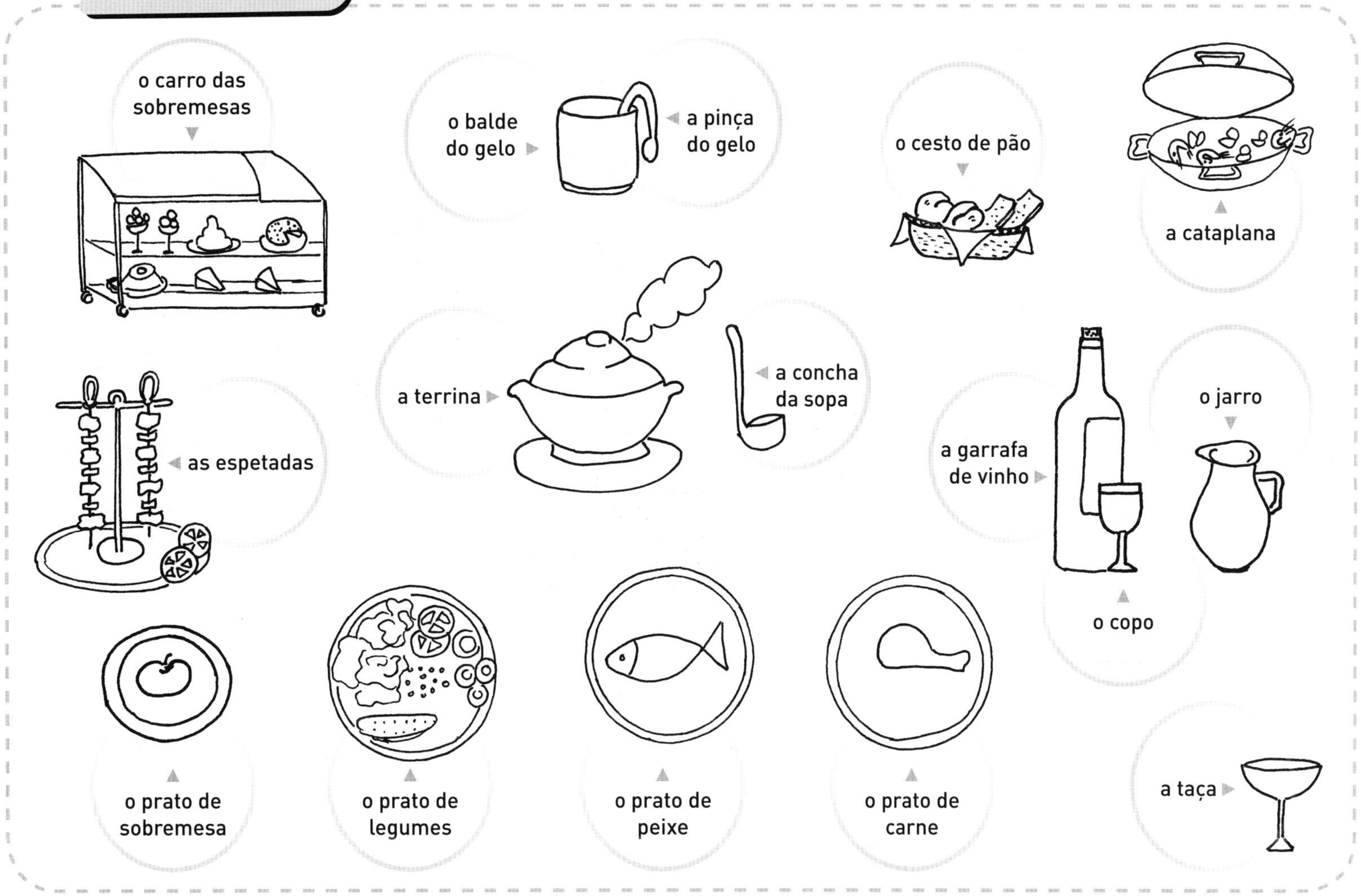
o carro das sobremesas
o balde do gelo
a pinça do gelo
o cesto de pão
a cataplana
a terrina
a concha da sopa
as espetadas
a garrafa de vinho
o jarro
o copo
o prato de sobremesa
o prato de legumes
o prato de peixe
o prato de carne
a taça

O restaurante

cozido

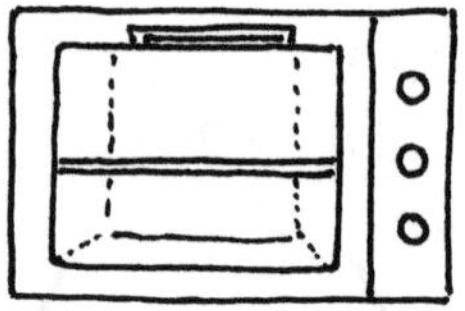

assado

frito

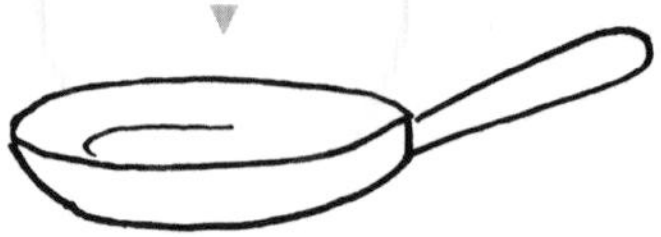

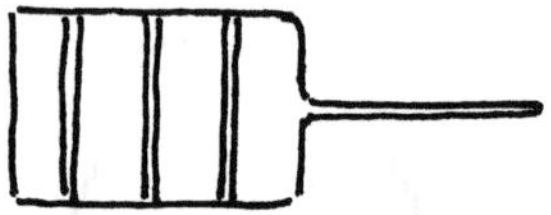

grelhado

a pinça

a saladeira

as entradas / / o couvert

1. as azeitonas
2. a manteiga
3. o pão
4. o queijo

a travessa

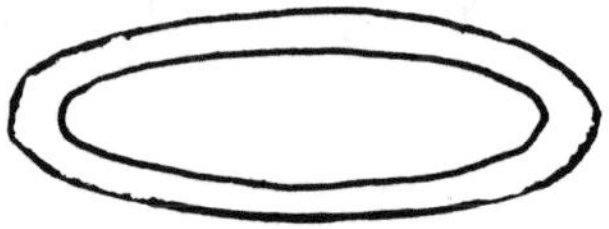

O restaurante

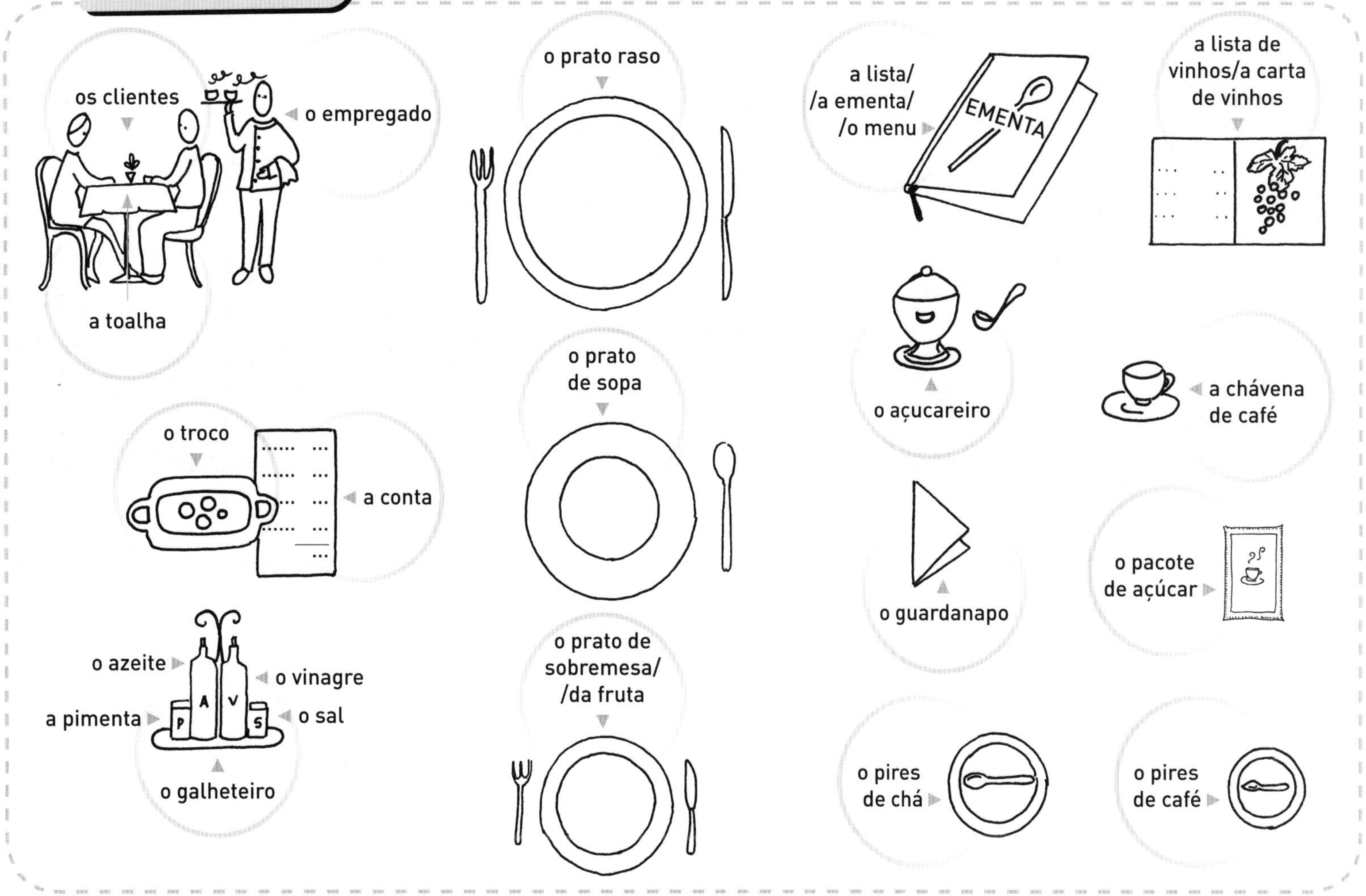
os clientes
o empregado
a toalha
o prato raso
a lista/
/a ementa/
/o menu
EMENTA
a lista de
vinhos/a carta
de vinhos
o troco
a conta
o prato
de sopa
o açucareiro
a chávena
de café
o guardanapo
o pacote
de açúcar
o azeite
o vinagre
a pimenta
o sal
P
A
V
S
o galheteiro
o prato de
sobremesa/
/da fruta
o pires
de chá
o pires
de café

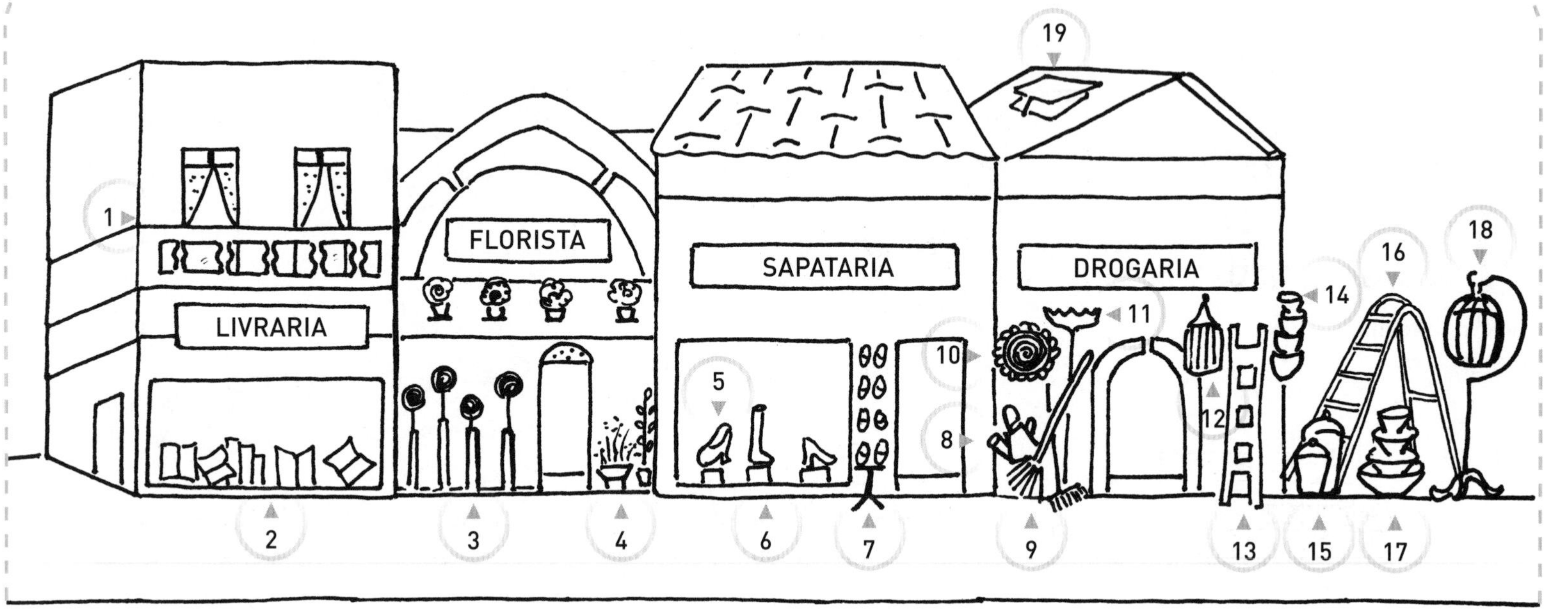

1. a varanda
2. a montra com livros
3. as jarras de flores
4. os vasos de flores
5. os sapatos
6. a caixa
7. o expositor de sapatos
8. o regador
9. as vassouras
10. o tapete de palha
11. o ancinho
12. a grelha
13. a escada
14. os vasos
15. os baldes do lixo
16. o escadote
17. as bacias/os alguidares
18. a gaiola
19. a claraboia

CENTRO COMERCIAL
CABELEIREIRO
SUPERMERCADO
BIBLIOTECA
TEATRO

O cabeleireiro

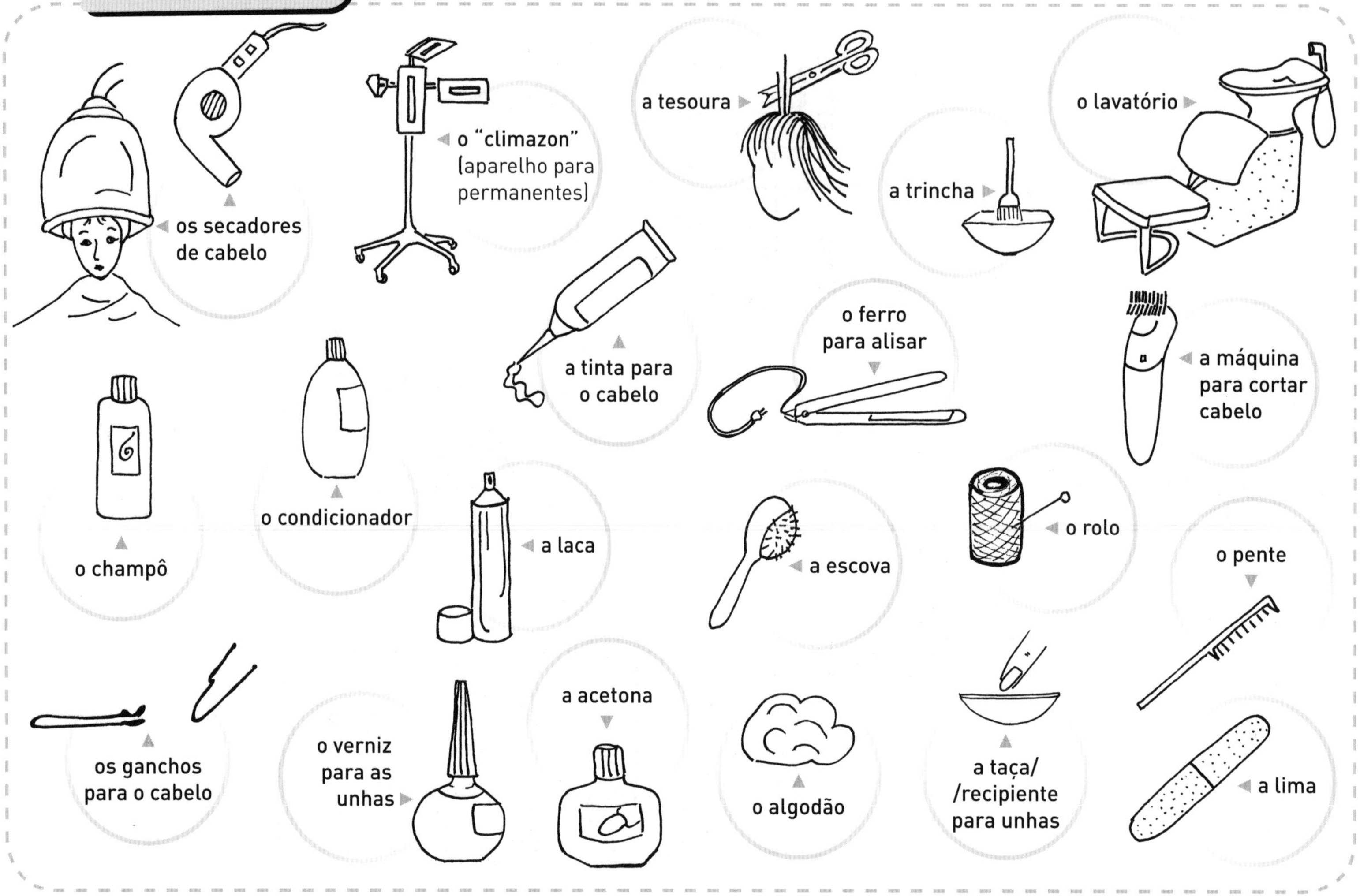
os secadores de cabelo
o "climazon" (aparelho para permanentes)
a tesoura
o lavatório
a trincha
a tinta para o cabelo
o ferro para alisar
a máquina para cortar cabelo
o champô
o condicionador
a laca
a escova
o rolo
o pente
os ganchos para o cabelo
o verniz para as unhas
a acetona
o algodão
a taça/ /recipiente para unhas
a lima

O supermercado

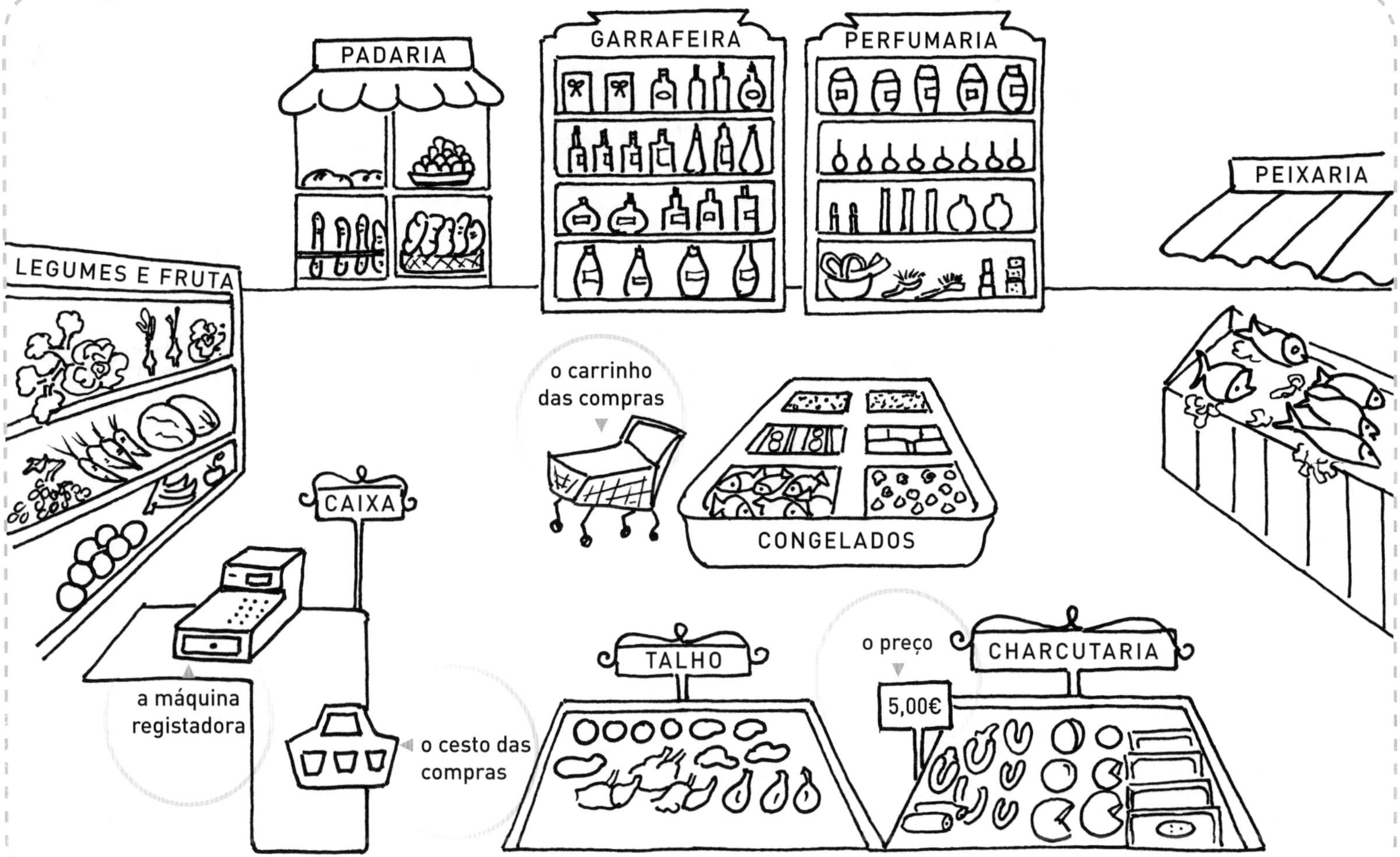
PADARIA
GARRAFEIRA
PERFUMARIA
PEIXARIA
LEGUMES E FRUTA
o carrinho das compras
CAIXA
CONGELADOS
a máquina registadora
o cesto das compras
TALHO
o preço
5,00€
CHARCUTARIA

O teatro

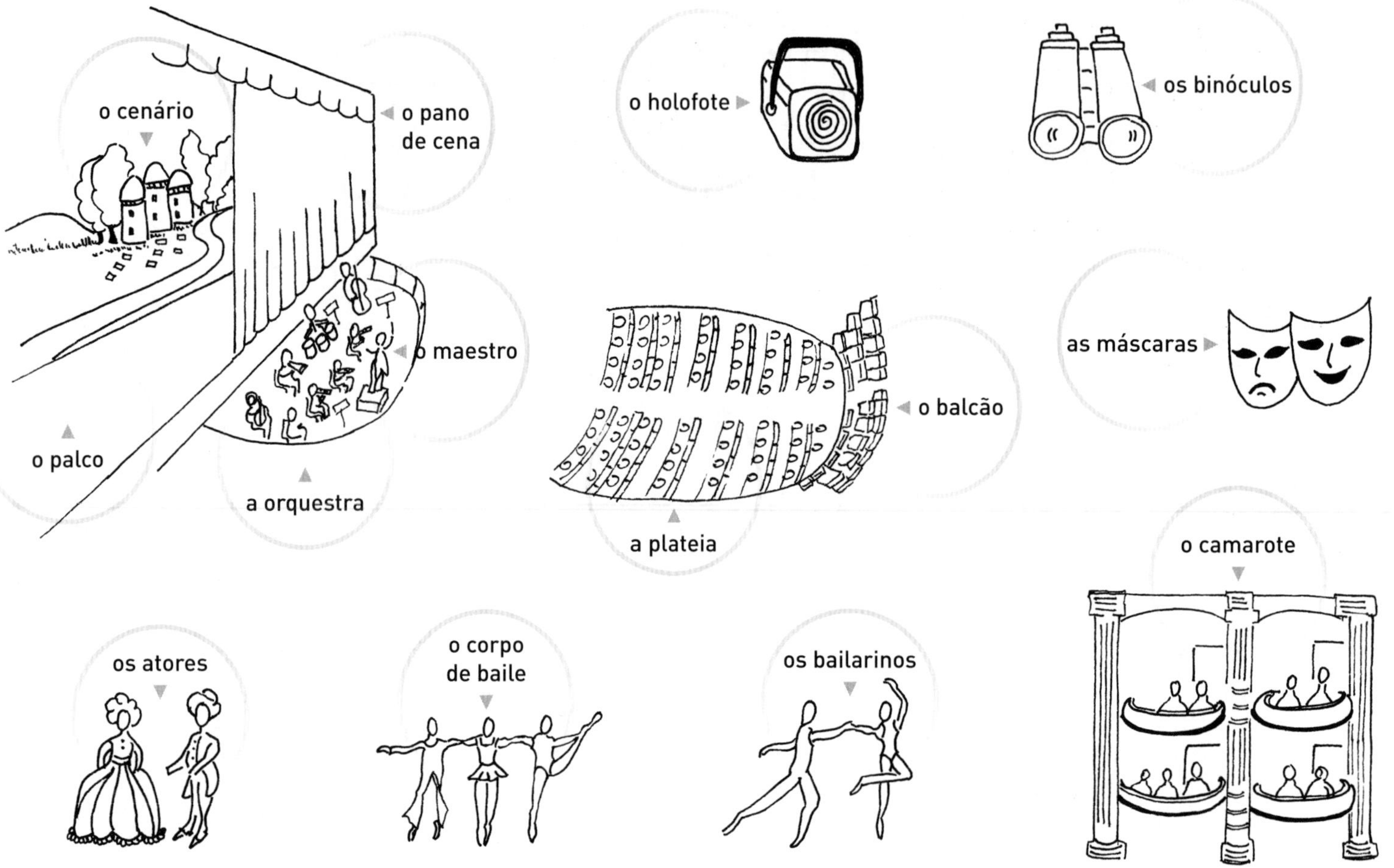
o cenário
o pano de cena
o maestro
o palco
a orquestra
o holofote
os binóculos
o balcão
a plateia
as máscaras
o camarote
os atores
o corpo de baile
os bailarinos

o bilhete

o camarim

o guarda-roupa

a cadeira

o lugar n.º 3

A biblioteca

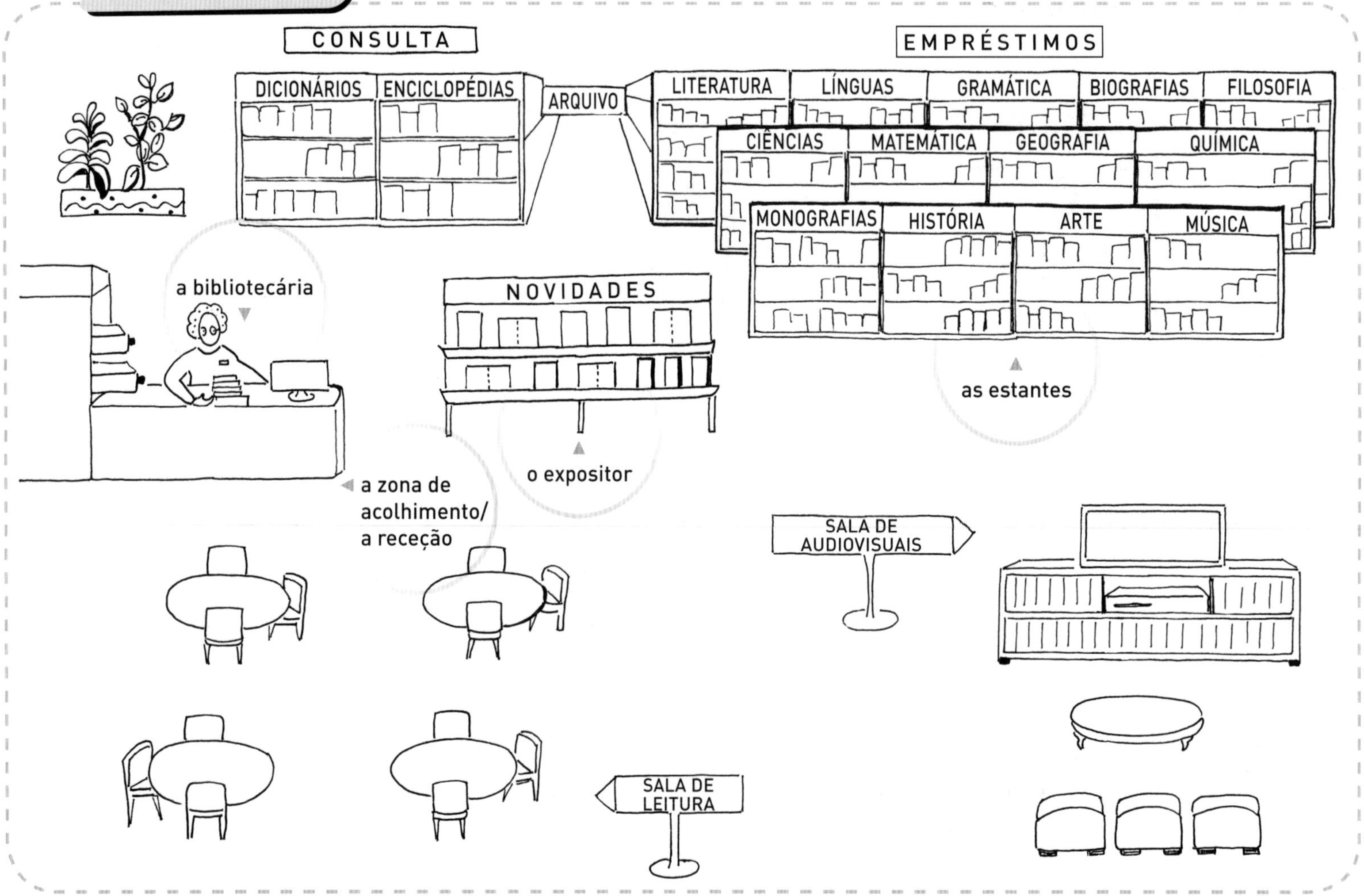
CONSULTA
EMPRÉSTIMOS
DICIONÁRIOS
ENCICLOPÉDIAS
ARQUIVO
LITERATURA
LÍNGUAS
GRAMÁTICA
BIOGRAFIAS
FILOSOFIA
CIÊNCIAS
MATEMÁTICA
GEOGRAFIA
QUÍMICA
MONOGRAFIAS
HISTÓRIA
ARTE
MÚSICA
a bibliotecária
NOVIDADES
as estantes
o expositor
a zona de acolhimento/ a receção
SALA DE AUDIOVISUAIS
SALA DE LEITURA

A biblioteca

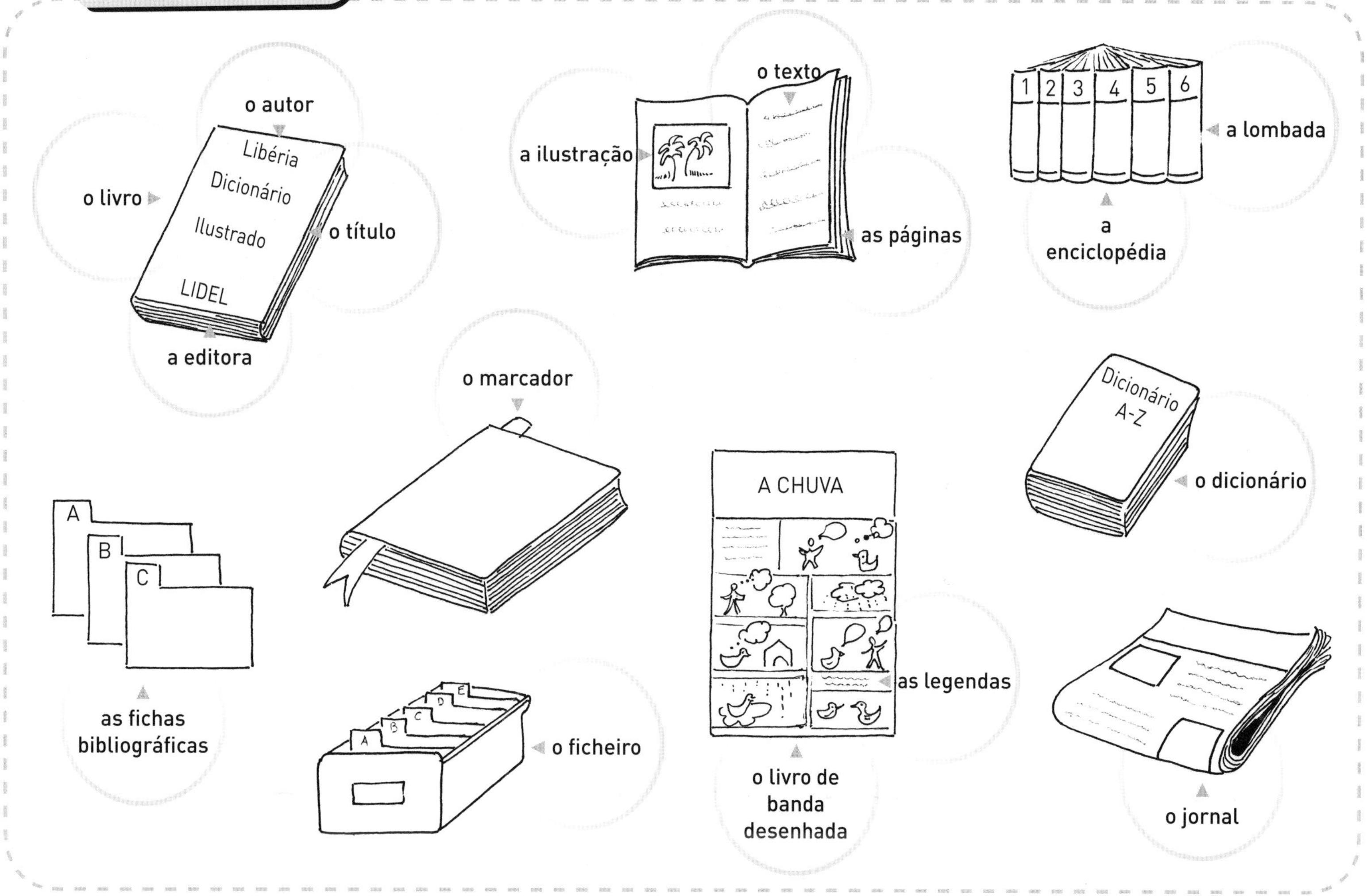
o autor
Libéria
Dicionário
Ilustrado
LIDEL
o livro
o título
a editora
o texto
a ilustração
as páginas
1 2 3 4 5 6
a lombada
a enciclopédia
o marcador
Dicionário
A-Z
o dicionário
A
B
C
as fichas bibliográficas
A
B
C
D
E
o ficheiro
A CHUVA
as legendas
o livro de banda desenhada
o jornal

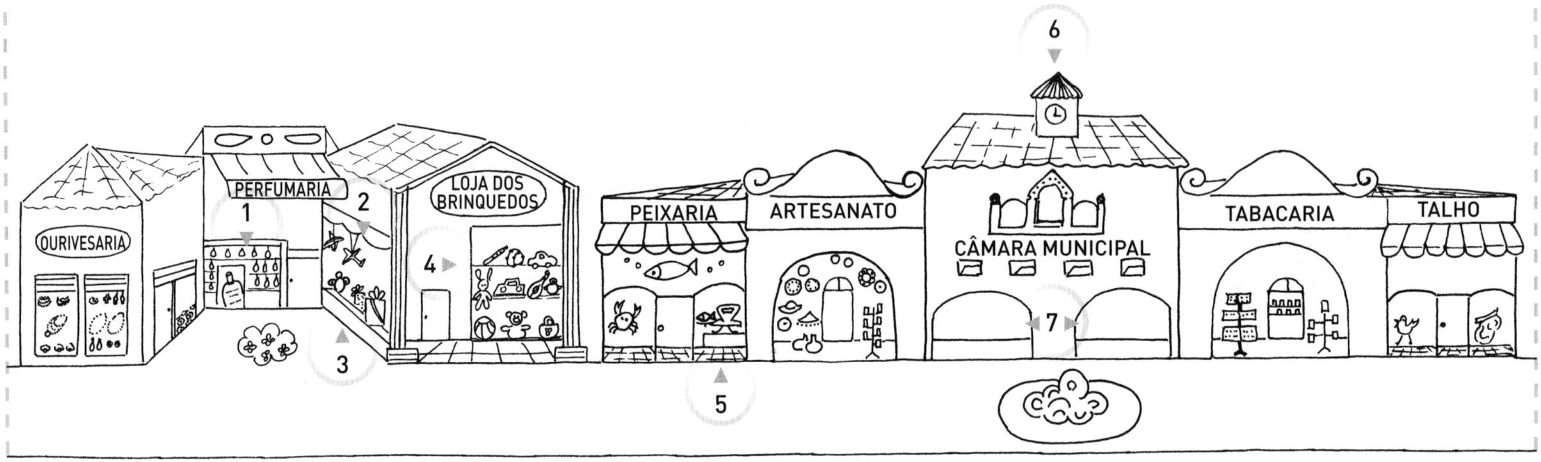

1. os perfumes
2. os aviões
3. os presentes
4. os brinquedos
5. a balança
6. o relógio
7. as arcadas

A ourivesaria

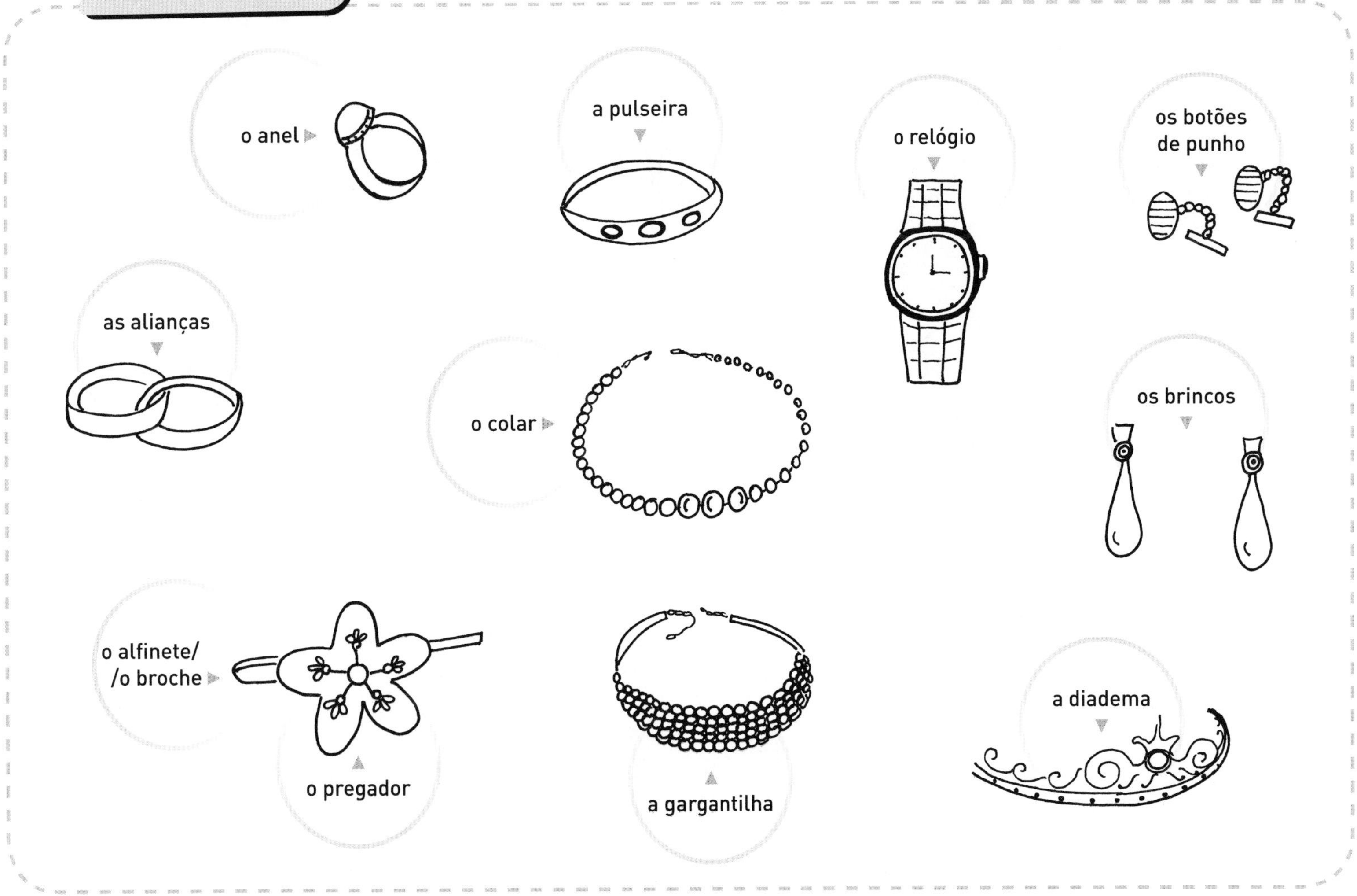
o anel
a pulseira
o relógio
os botões de punho
as alianças
o colar
os brincos
o alfinete/ /o broche
o pregador
a gargantilha
a diadema

A carpintaria

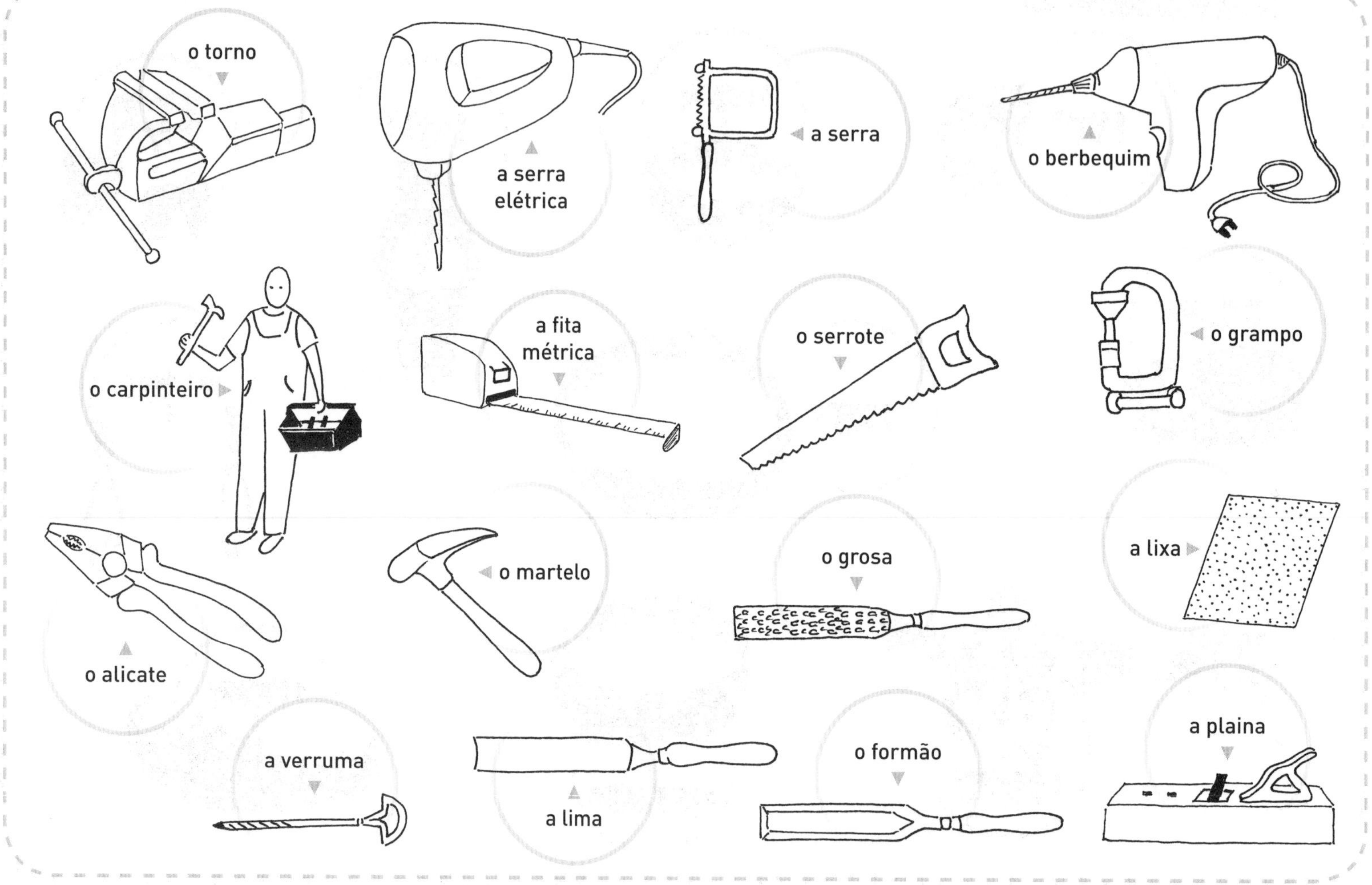
o torno
a serra elétrica
a serra
o berbequim
o carpinteiro
a fita métrica
o serrote
o grampo
o alicate
o martelo
o grosa
a lixa
a verruma
a lima
o formão
a plaina

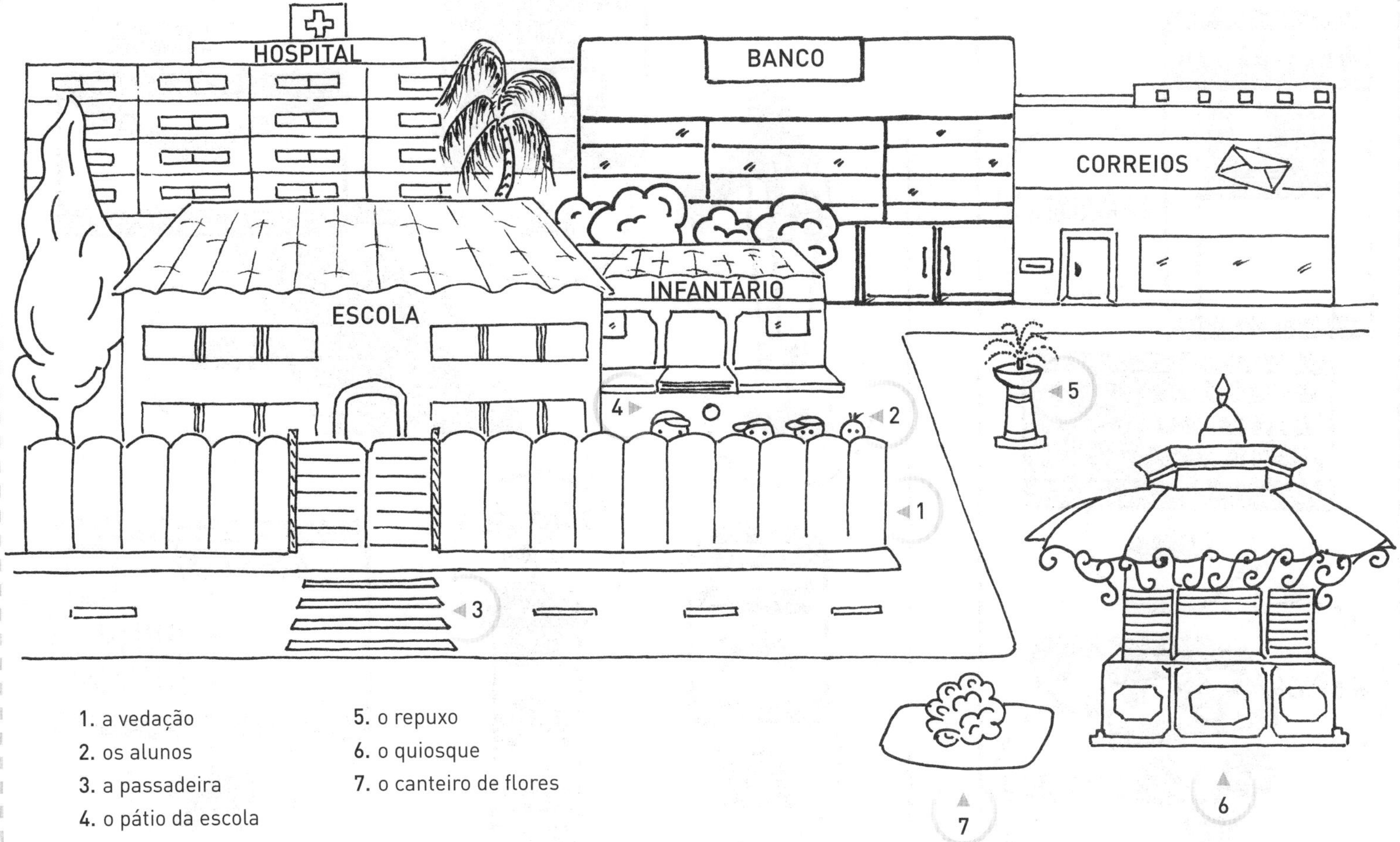

1. a vedação
2. os alunos
3. a passadeira
4. o pátio da escola
5. o repuxo
6. o quiosque
7. o canteiro de flores

O banco

o multibanco

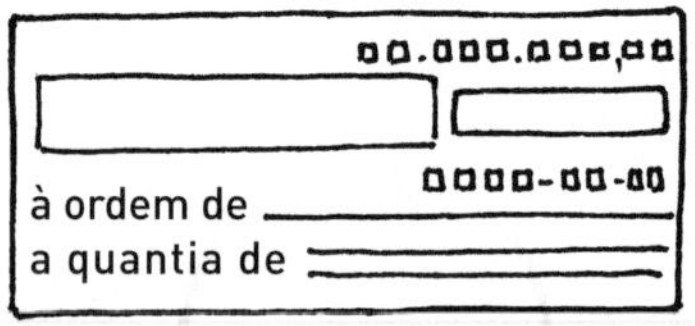

o cheque

as notas

as moedas

Os correios

o carteiro

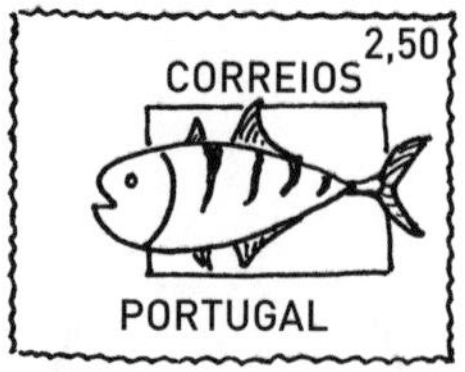

o selo

o envelope

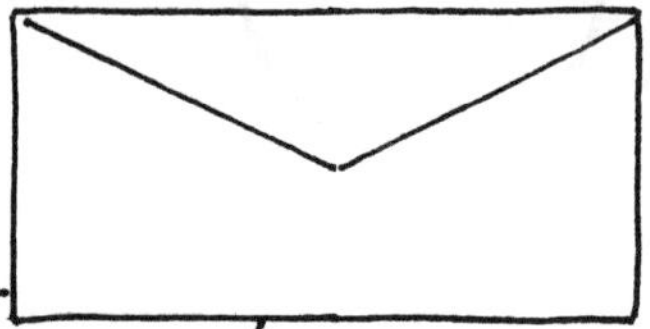

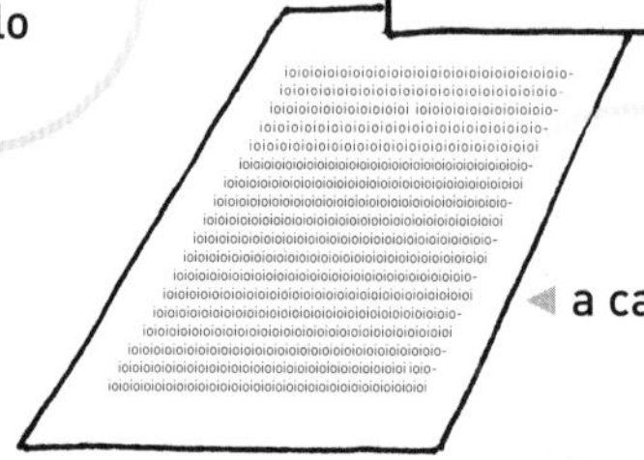

a carta

a caixa do correio

o marco do correio

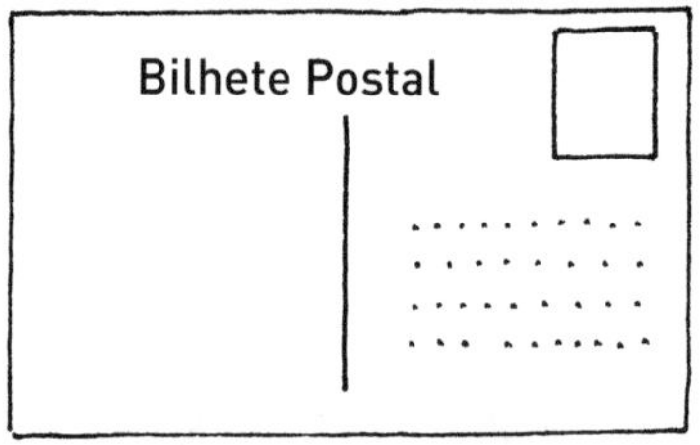

o bilhete postal

O hospital

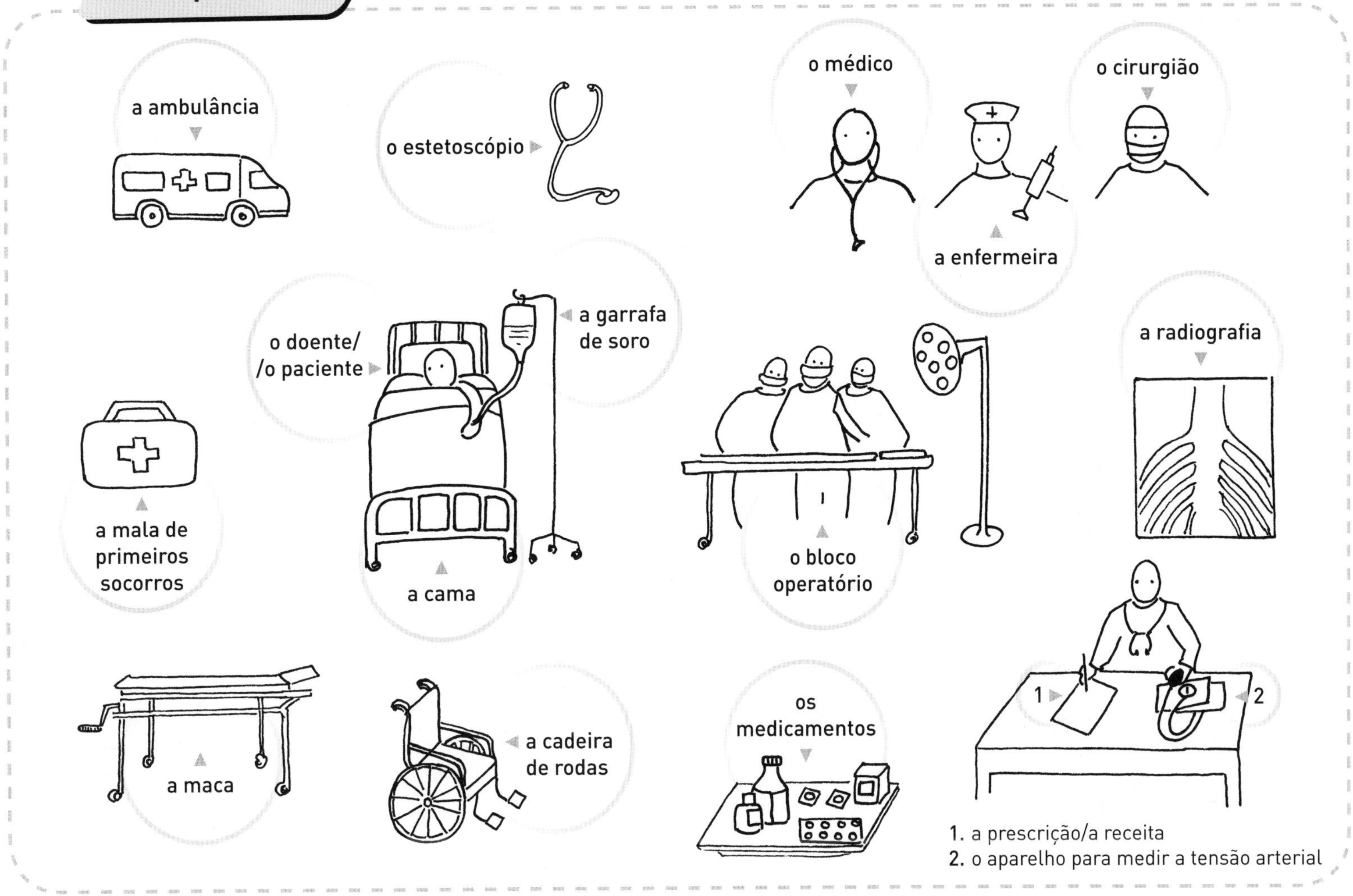
a ambulância
o estetoscópio
o médico
o cirurgião
a enfermeira
o doente/
/o paciente
a garrafa
de soro
a radiografia
a mala de
primeiros
socorros
a cama
o bloco
operatório
a maca
a cadeira
de rodas
os
medicamentos
1
2
1. a prescrição/a receita
2. o aparelho para medir a tensão arterial

O hospital

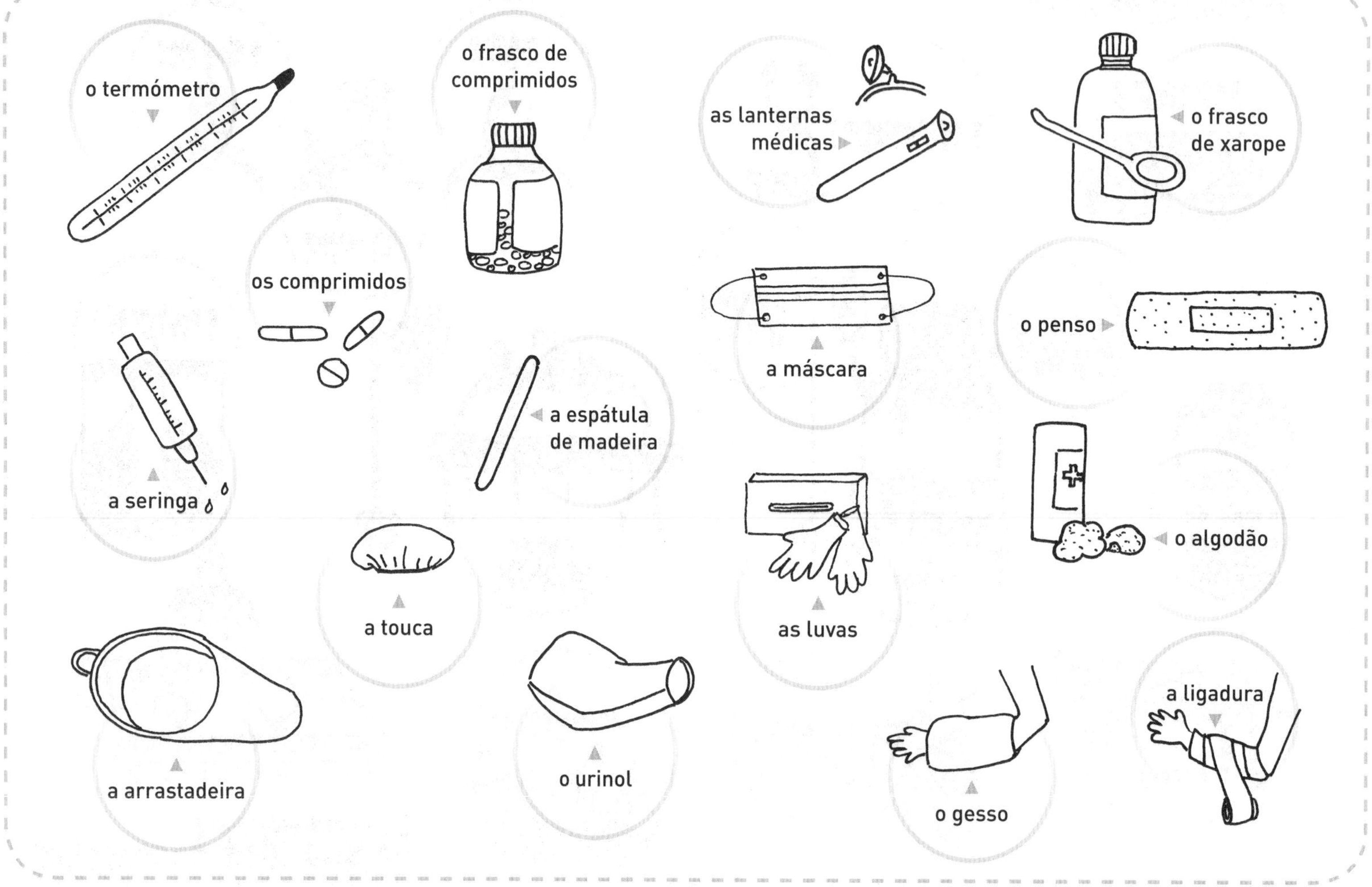
o termómetro
o frasco de comprimidos
as lanternas médicas
o frasco de xarope
os comprimidos
a máscara
o penso
a espátula de madeira
a seringa
o algodão
a touca
as luvas
a arrastadeira
o urinol
a ligadura
o gesso

A escola

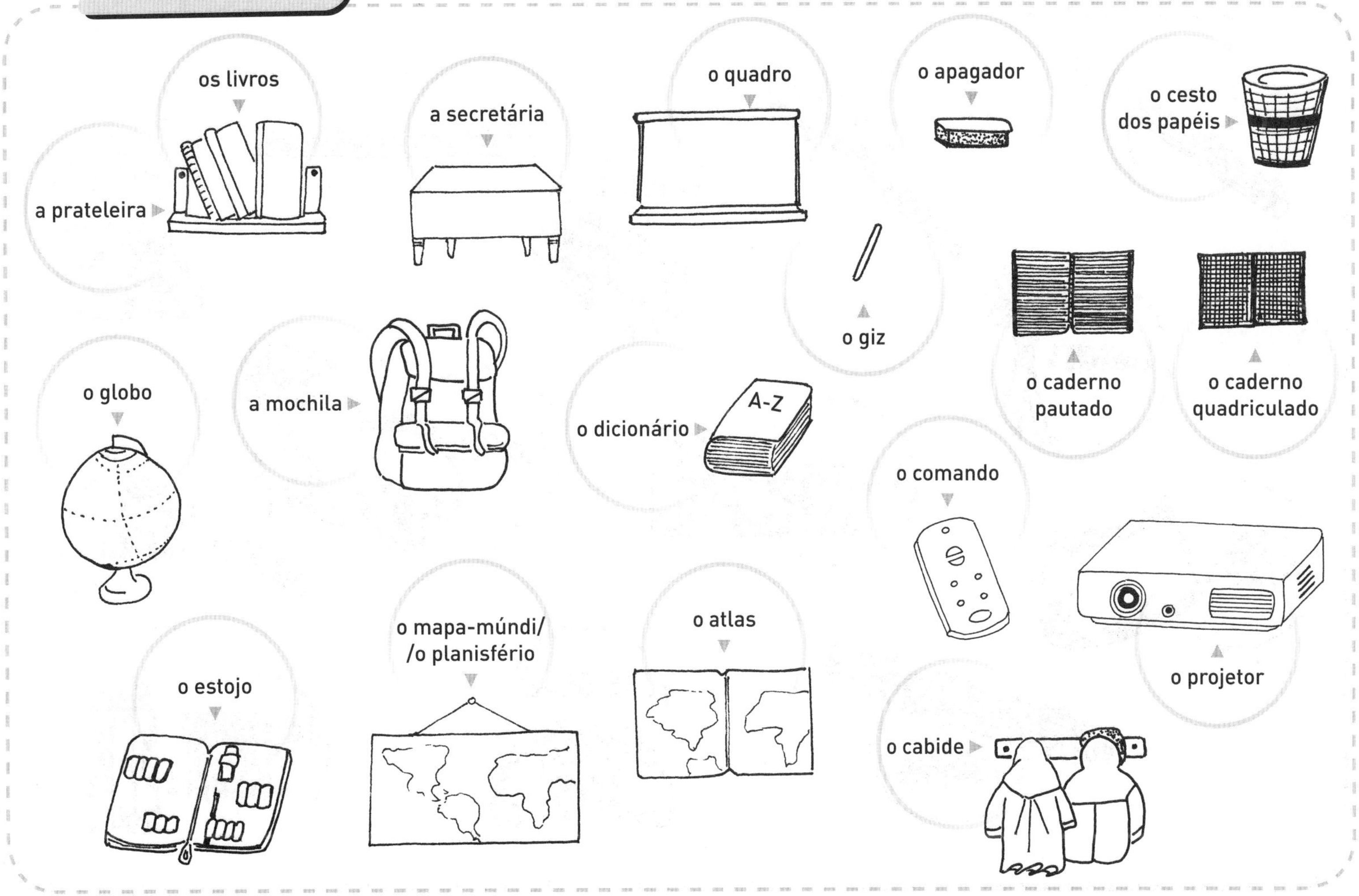
os livros
a prateleira
a secretária
o quadro
o apagador
o cesto dos papéis
o giz
o caderno pautado
o caderno quadriculado
o globo
a mochila
o dicionário
A-Z
o comando
o projetor
o estojo
o mapa-múndi/ /o planisfério
o atlas
o cabide

A escola

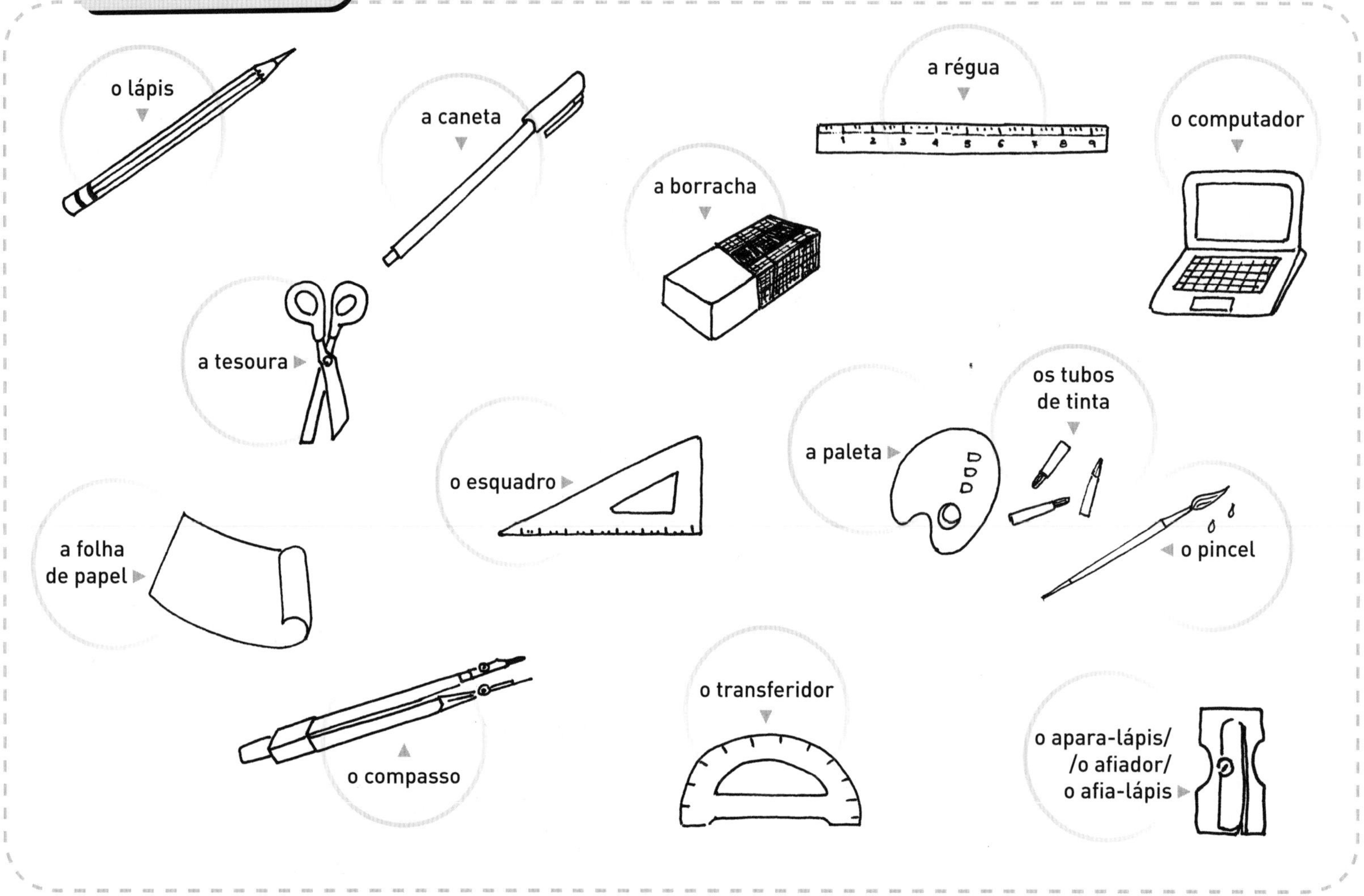
o lápis
a caneta
a régua
o computador
a borracha
a tesoura
os tubos de tinta
a paleta
o esquadro
o pincel
a folha de papel
o transferidor
o compasso
o apara-lápis/
/o afiador/
o afia-lápis

A escola

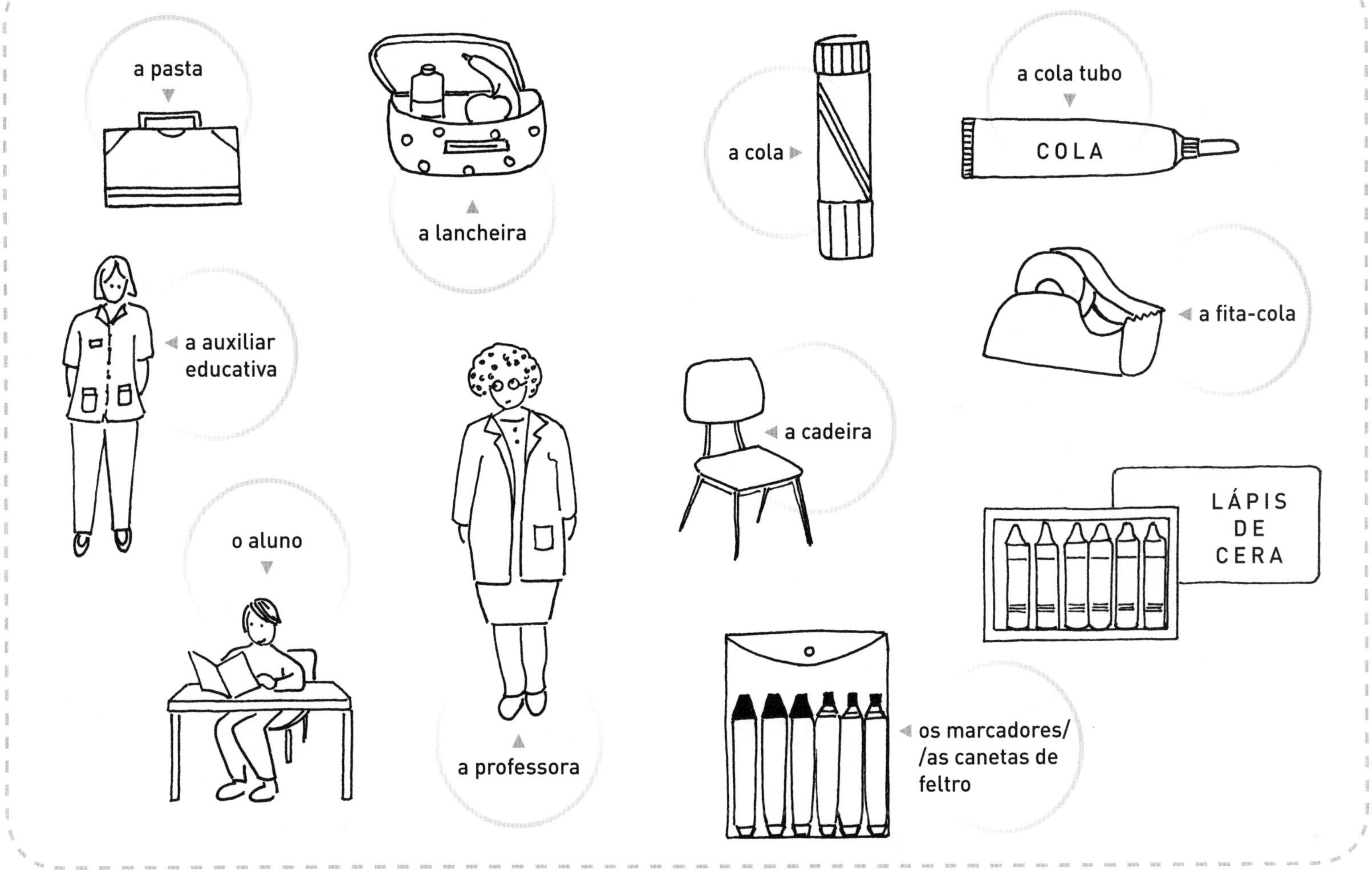
a pasta
a lancheira
a cola
a cola tubo
COLA
a fita-cola
a auxiliar educativa
a cadeira
LÁPIS DE CERA
o aluno
a professora
os marcadores/ /as canetas de feltro

O recreio

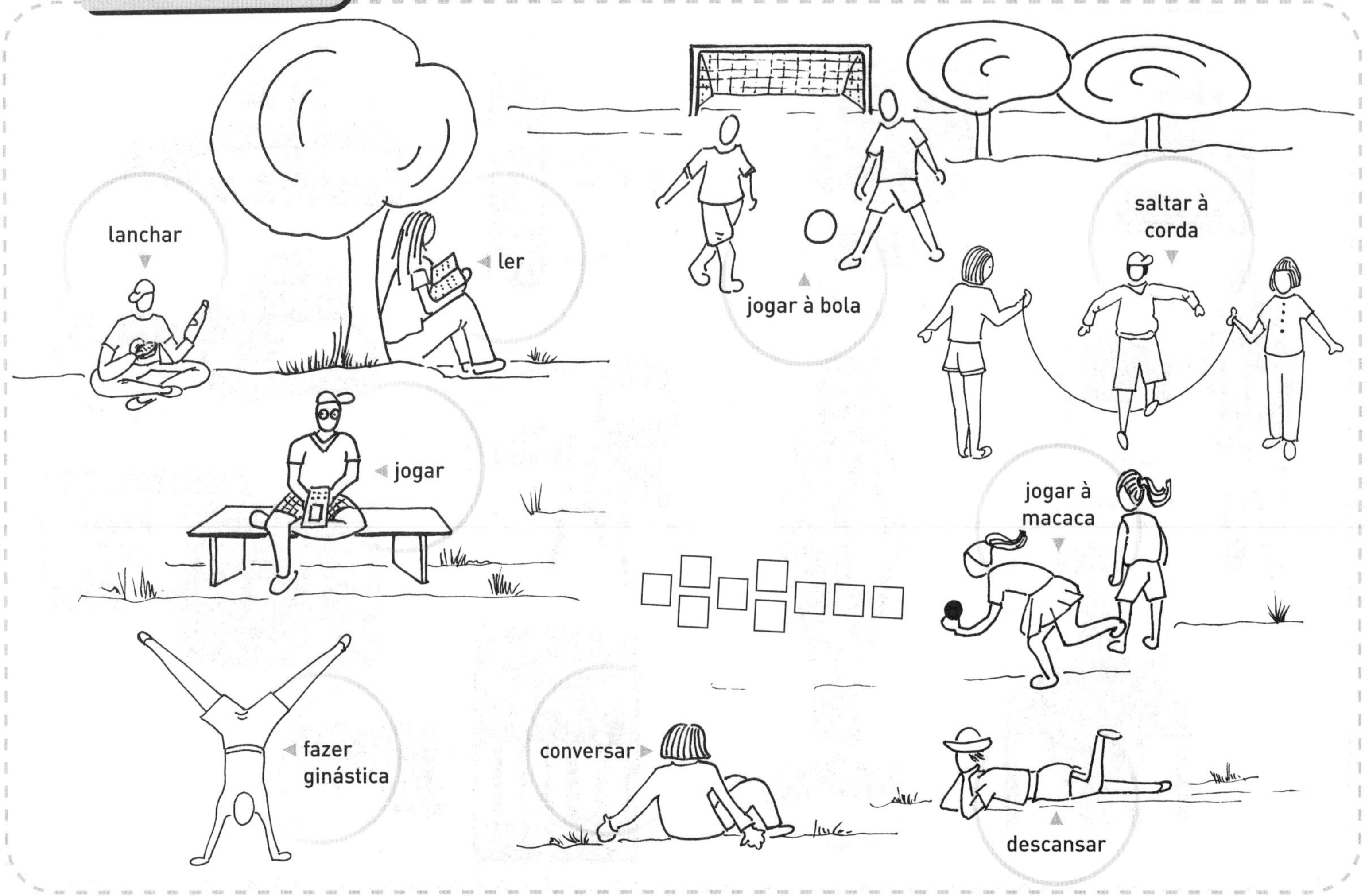
lanchar
ler
jogar à bola
saltar à corda
jogar
jogar à macaca
fazer ginástica
conversar
descansar

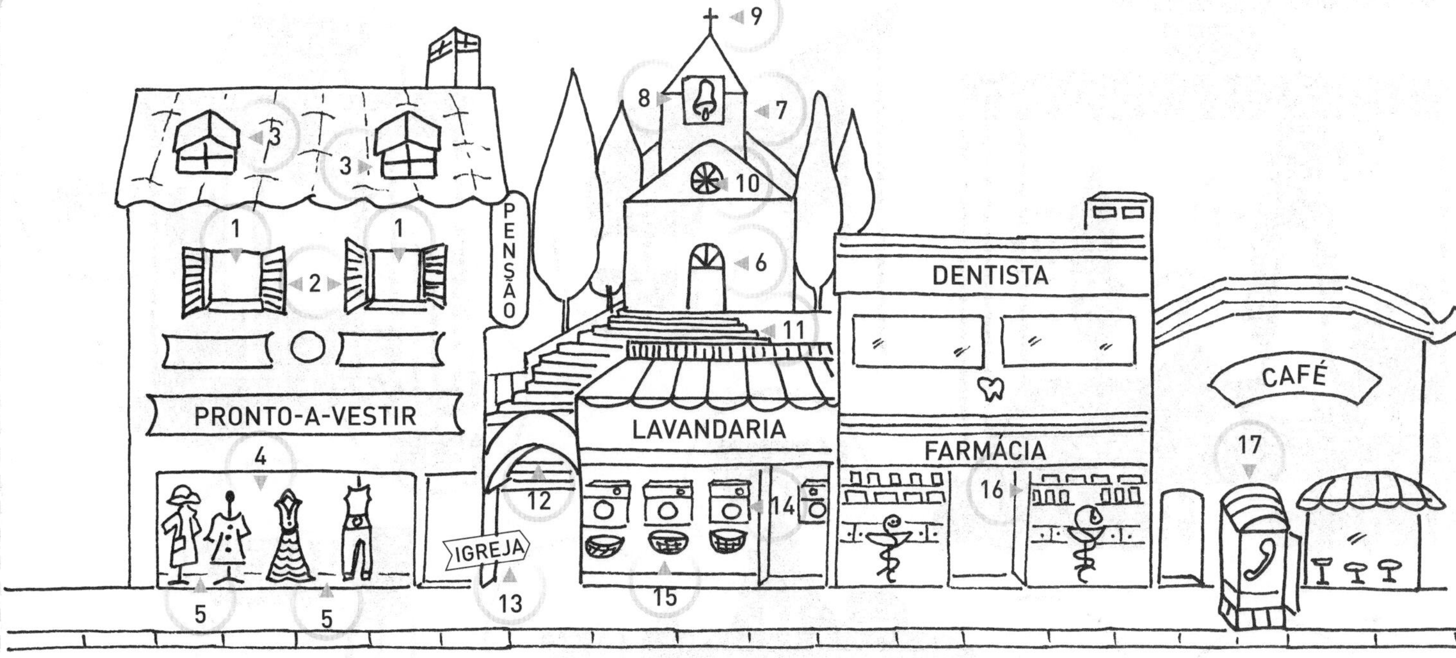

1. as janelas dos quartos
2. as portadas
3. as águas-furtadas
4. os manequins
5. as roupas
6. a igreja
7. a torre
8. o sino
9. a cruz
10. a rosácea
11. a escadaria
12. o arco
13. a placa de sinalização
14. as máquinas de lavar e de secar roupa
15. as cestas de roupa
16. os medicamentos
17. a cabina telefónica

O pronto-a-vestir

a montra
3
1
1
4
2

1. o manequim
2. o par de sapatos
3. o chapéu de cerimónia
4. o expositor de joalharia

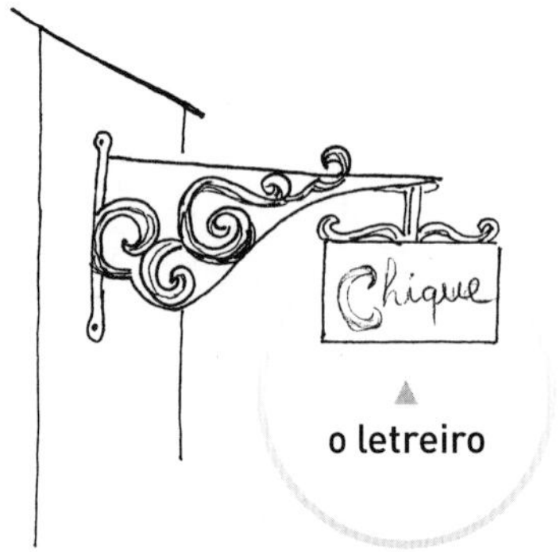
Chique
o letreiro

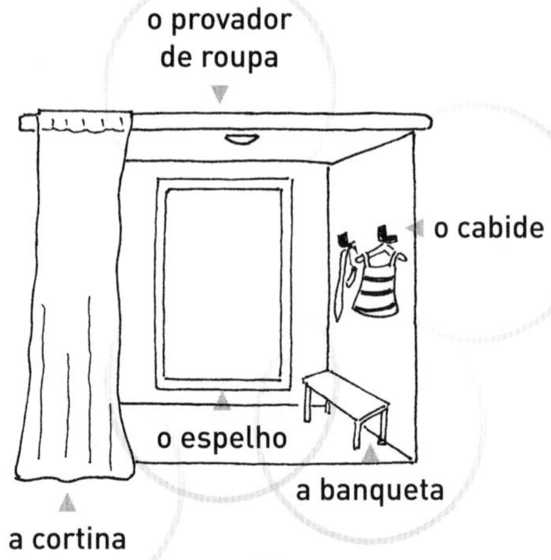
o provador
de roupa
o cabide
o espelho
a banqueta
a cortina

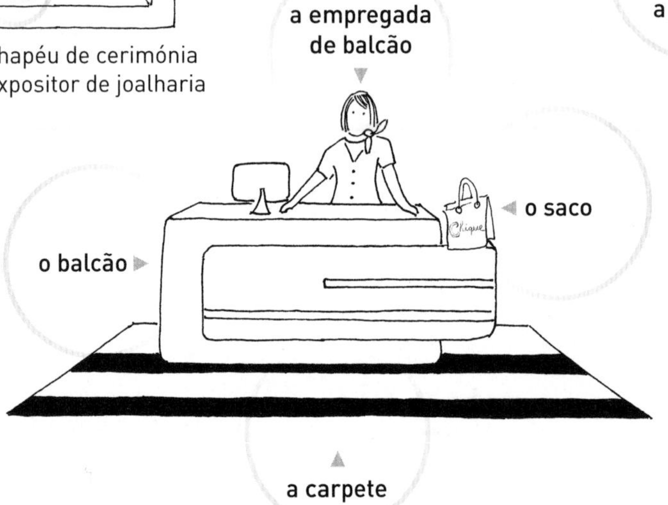
a empregada
de balcão
o saco
o balcão
a carpete

a etiqueta

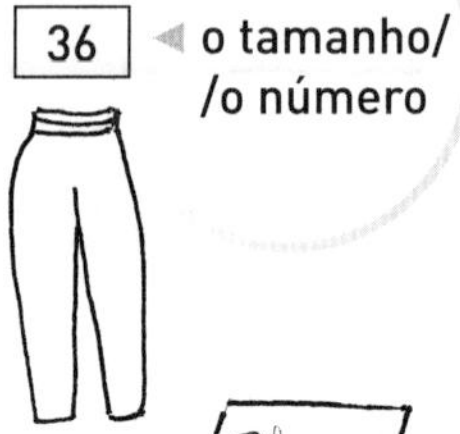
36
o tamanho/
/o número

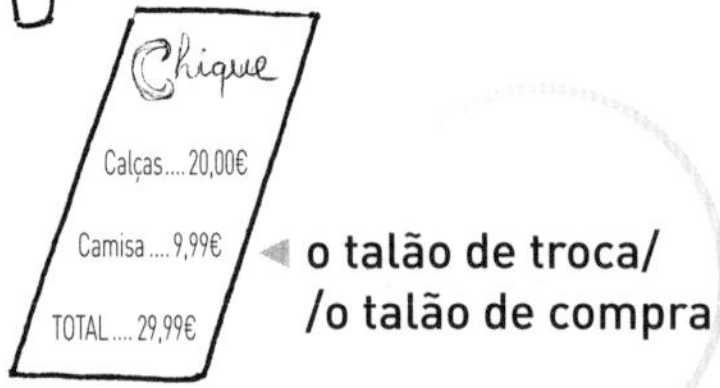
Chique
Calças.... 20,00€
Camisa .... 9,99€
TOTAL .... 29,99€
o talão de troca/
/o talão de compra

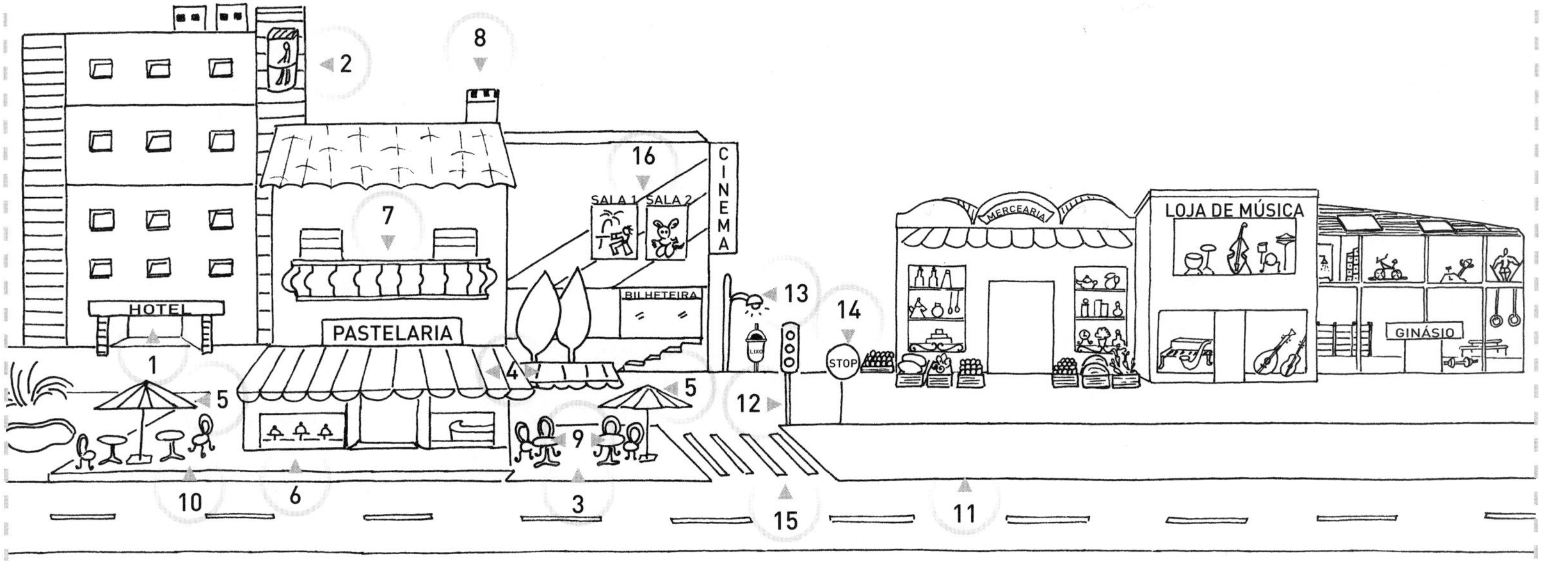

1. a entrada	5. o guarda-sol	9. as mesas	13. o candeeiro
2. o elevador	6. a montra	10. as cadeiras	14. o sinal de trânsito
3. a esplanada	7. a varanda	11. o passeio	15. a passadeira
4. os toldos	8. a chaminé	12. o semáforo	16. os cartazes dos filmes

O hotel

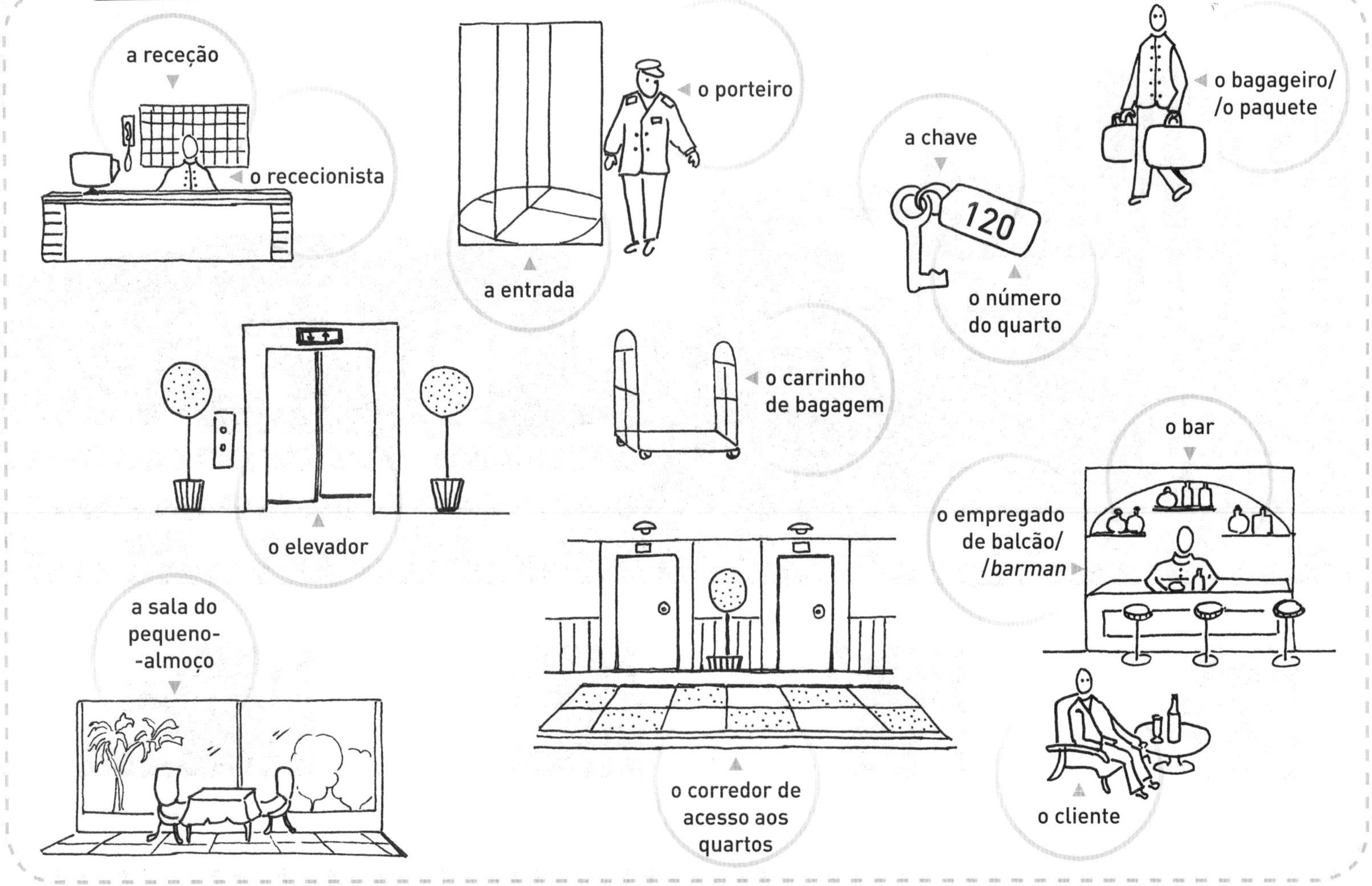

a receção
o rececionista
a entrada
o porteiro
a chave
120
o número do quarto
o bagageiro/
/o paquete
o elevador
o carrinho de bagagem
o bar
o empregado de balcão/
/*barman*
a sala do pequeno-
-almoço
o corredor de acesso aos quartos
o cliente

O hotel

a escada

o restaurante

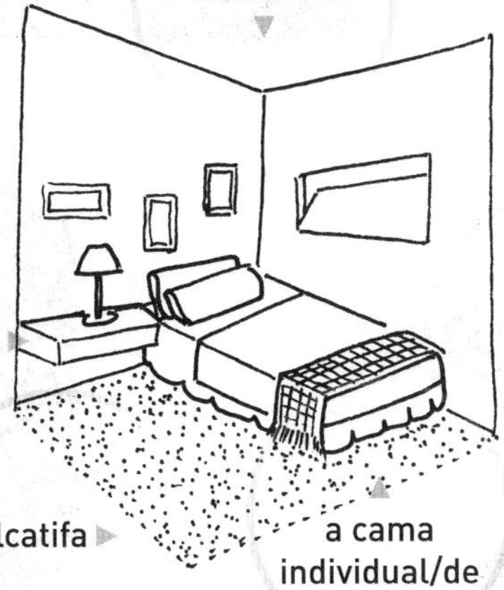
o quarto individual
a mesa de cabeceira
a alcatifa
a cama individual/de solteiro

o quarto duplo
o quadro
o tapete
a cama de casal

o quarto duplo
camas individuais

O hotel

o minibar

o ar condicionado

o roupeiro

o cofre

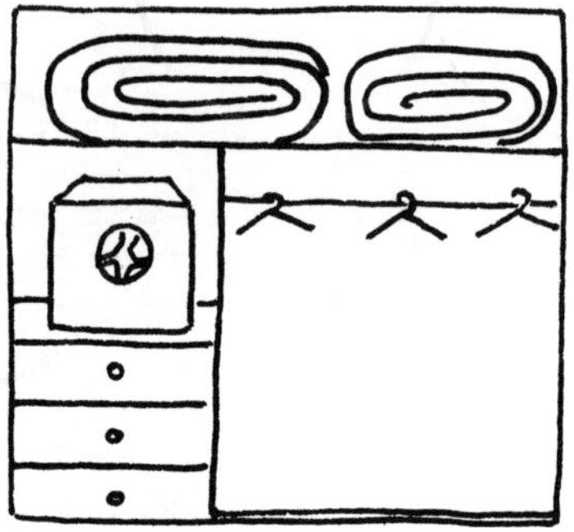

a empregada de quartos/ /a camareira

o telefone

o candeeiro de mesa

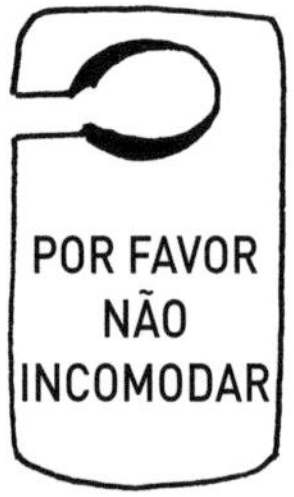
POR FAVOR
NÃO
INCOMODAR

O hotel

SERVIÇO DE LAVANDARIA

SERVIÇO DE DESPERTAR

SERVIÇO DE PEQUENO-ALMOÇO NO QUARTO

as diárias no hotel

Regime de Alojamento e Pequeno-Almoço (APA):
- Pequeno-almoço

Regime de Meia-Pensão (MP):
- Pequeno-almoço
- 1 refeição diária

Regime de Pensão Completa (PC):
- Pequeno-almoço
- Almoço
- Jantar

Regime de Tudo Incluído (TI):
- Pequeno-almoço
- Almoço
- *Snack*
- Jantar
- Bebidas

piscina

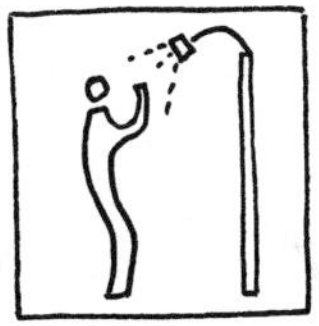

chuveiros

proibido jogar

piscina vigiada

proibido saltar

O hotel

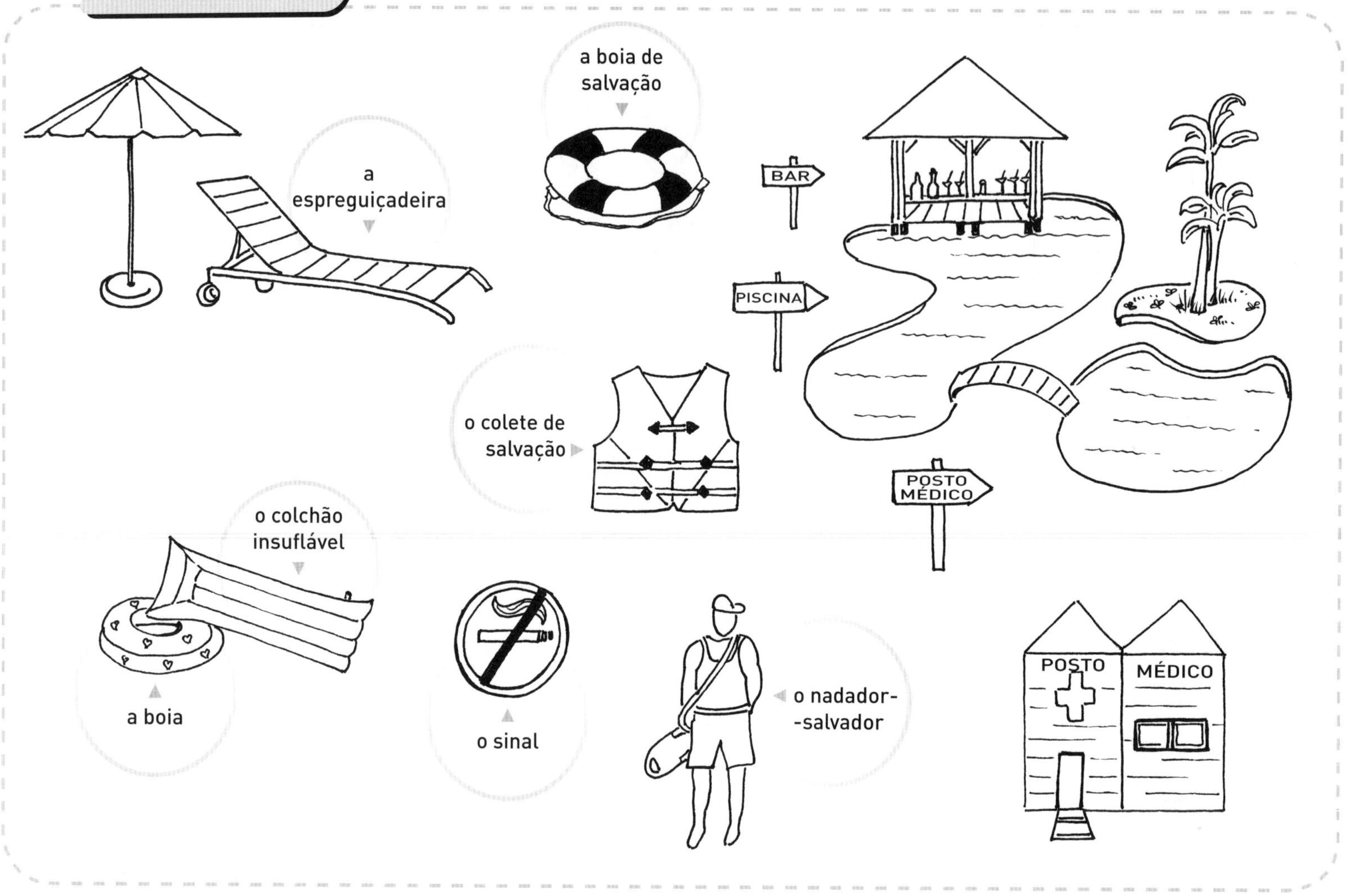
a espreguiçadeira
a boia de salvação
BAR
PISCINA
o colete de salvação
POSTO MÉDICO
o colchão insuflável
a boia
o sinal
o nadador-salvador
POSTO
MÉDICO

A mercearia

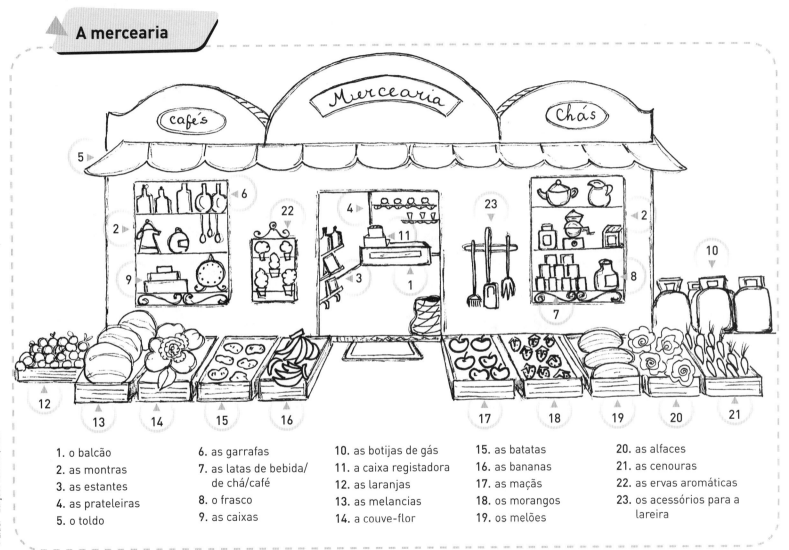

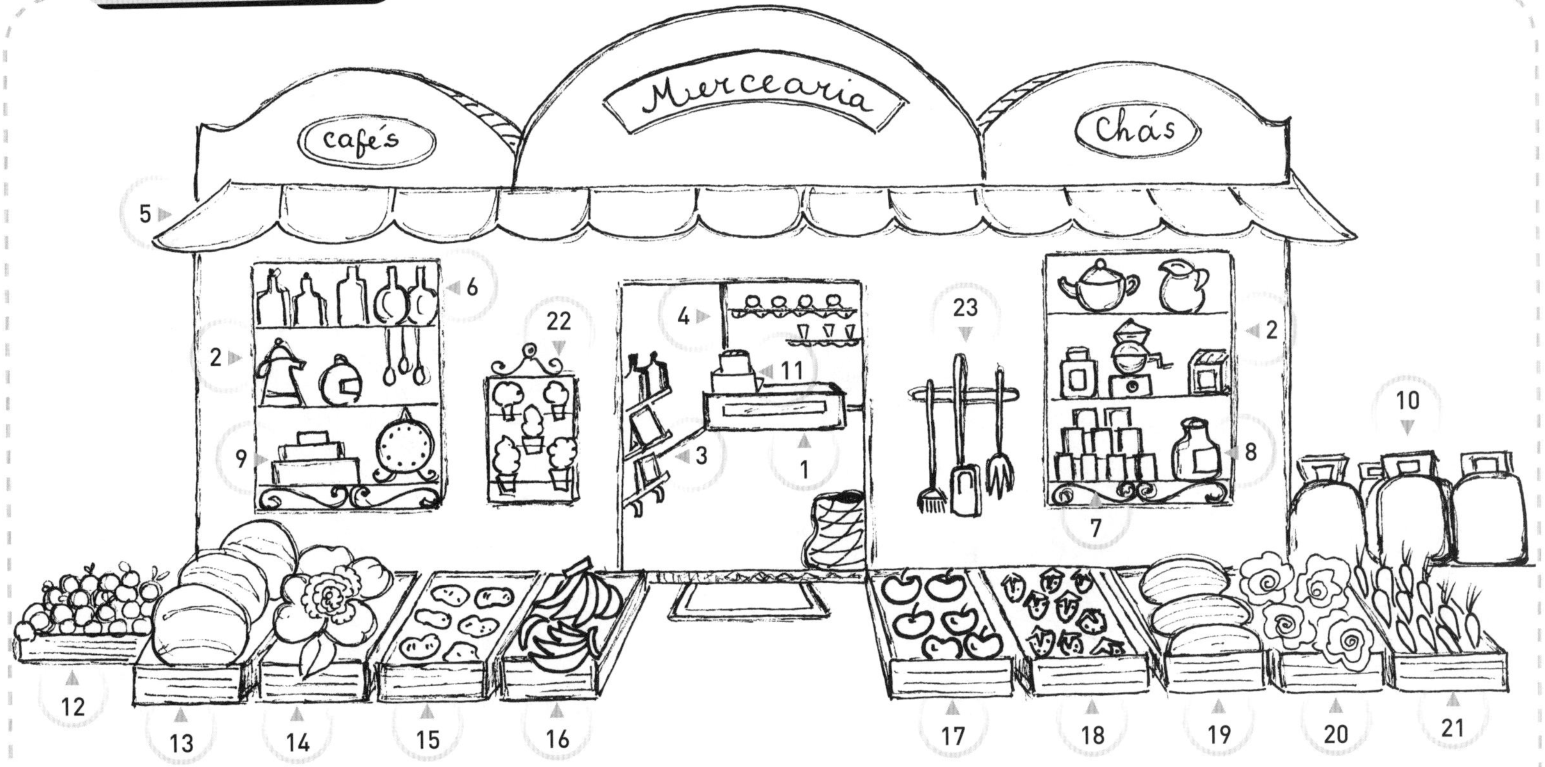

1. o balcão
2. as montras
3. as estantes
4. as prateleiras
5. o toldo
6. as garrafas
7. as latas de bebida/ de chá/café
8. o frasco
9. as caixas
10. as botijas de gás
11. a caixa registadora
12. as laranjas
13. as melancias
14. a couve-flor
15. as batatas
16. as bananas
17. as maçãs
18. os morangos
19. os melões
20. as alfaces
21. as cenouras
22. as ervas aromáticas
23. os acessórios para a lareira

A loja de música

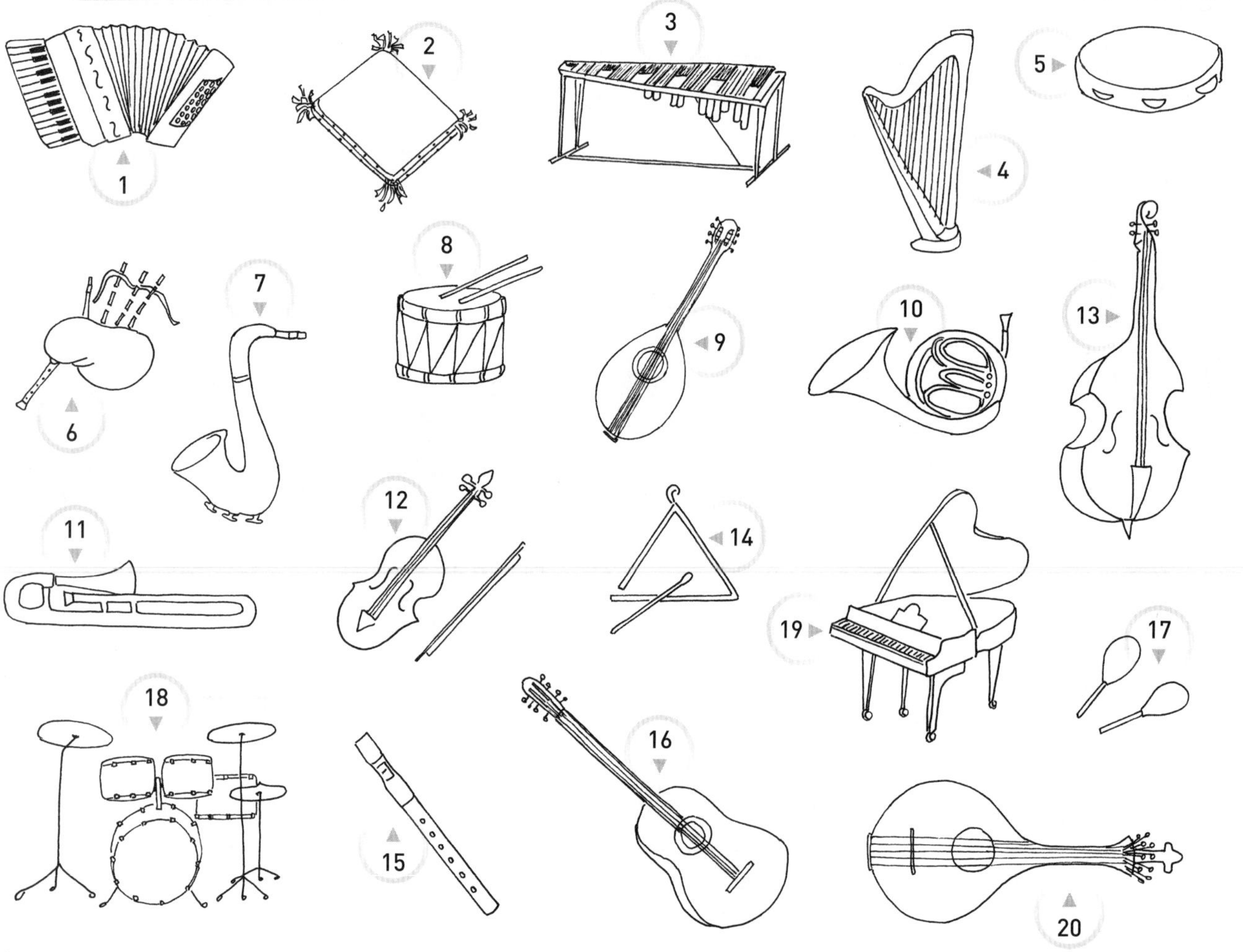

1. o acordeão
2. o adufe
3. o xilofone
4. a harpa
5. a pandeireta
6. a gaita de foles
7. o saxofone
8. o tambor
9. o bandolim
10. a trompa
11. o trombone
12. o violino
13. o violoncelo
14. o triângulo
15. a flauta
16. a viola
17. as maracas
18. a bateria
19. o piano
20. a guitarra portuguesa

O ginásio

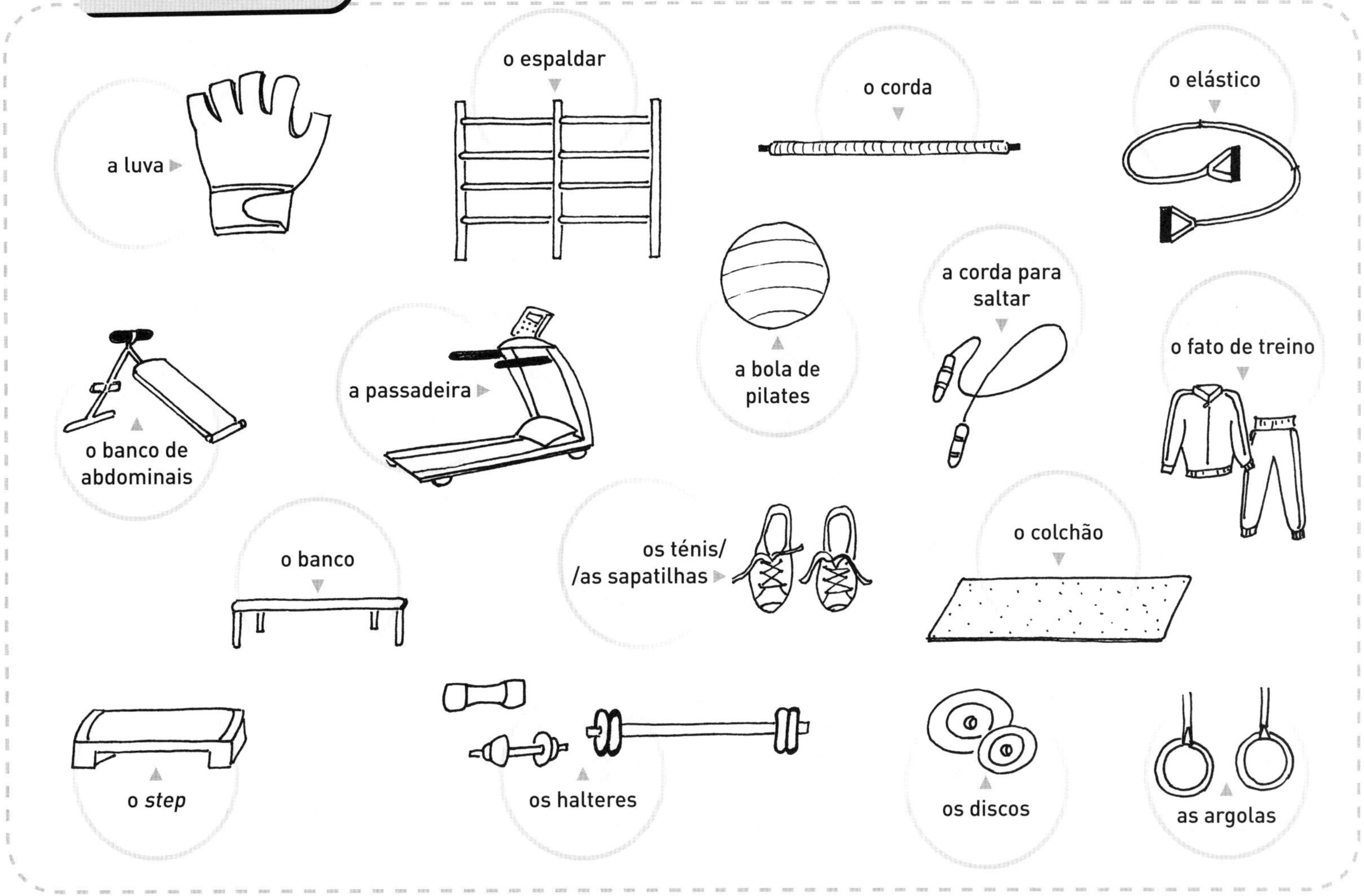

o espaldar
a luva
o corda
o elástico
a bola de pilates
a corda para saltar
a passadeira
o banco de abdominais
o fato de treino
o banco
os ténis/
/as sapatilhas
o colchão
o *step*
os halteres
os discos
as argolas

O mercado

a tenda dos doces

o carrinho das castanhas assadas

a tenda da cestaria

a tenda dos sapatos

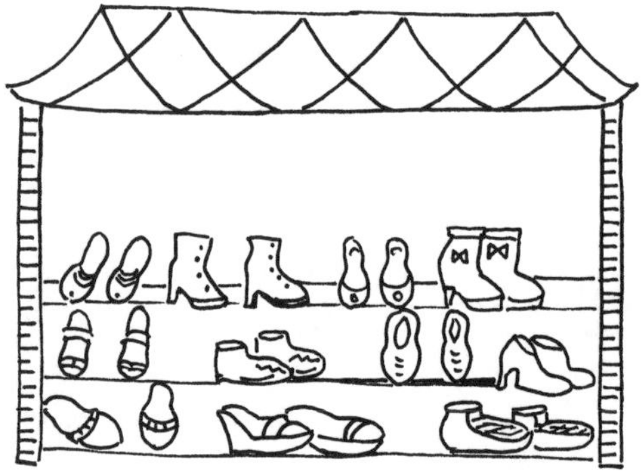

a tenda da bijuteria

O mercado

a tenda das roupas

a tenda da olaria

a tenda do pão e dos produtos regionais

a tenda das frutas

a tenda dos legumes

O mercado

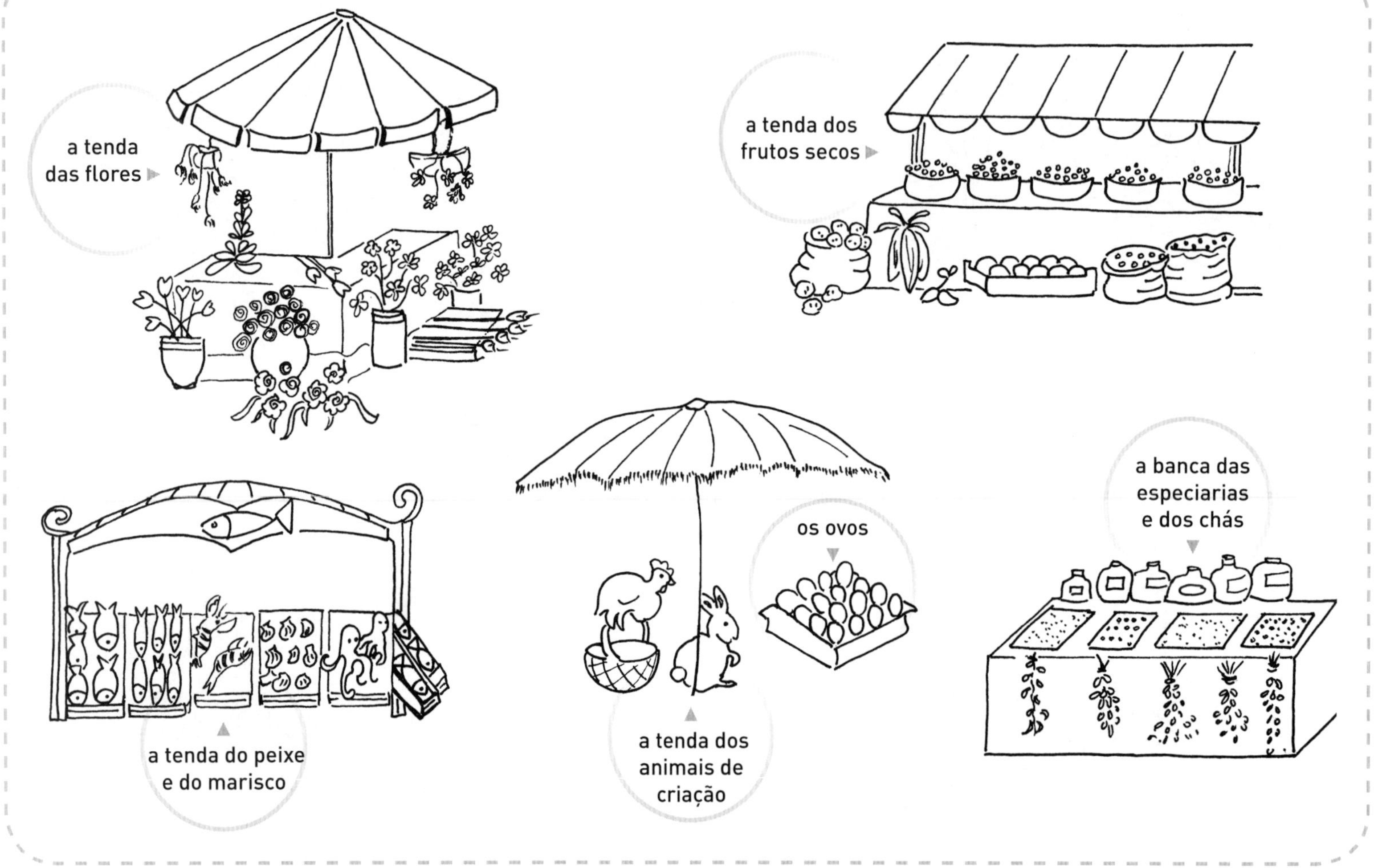
a tenda das flores
a tenda dos frutos secos
a tenda do peixe e do marisco
os ovos
a tenda dos animais de criação
a banca das especiarias e dos chás

O parque

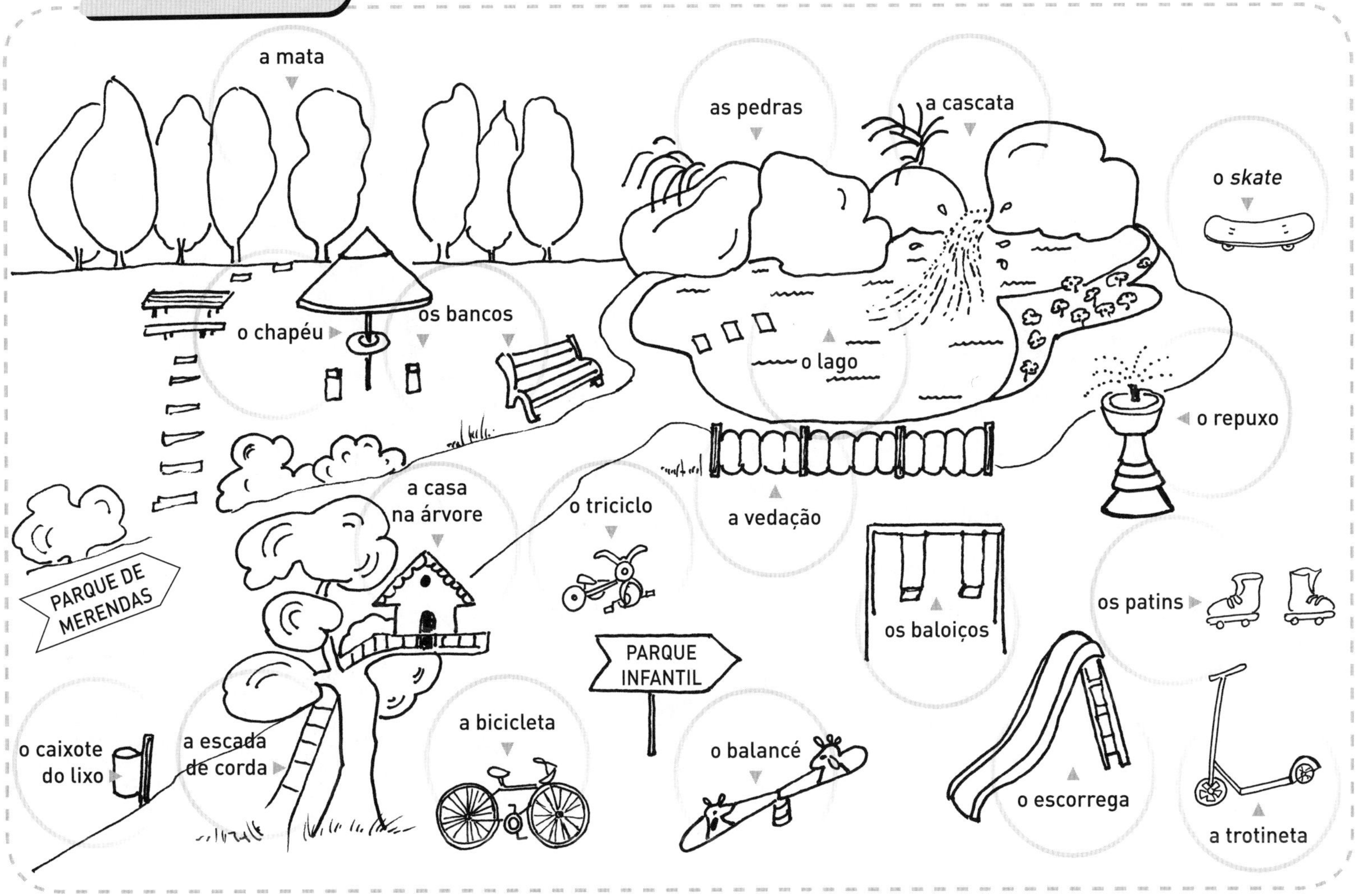
a mata
as pedras
a cascata
o *skate*
o chapéu
os bancos
o lago
o repuxo
a casa
na árvore
o triciclo
a vedação
PARQUE DE
MERENDAS
os baloiços
os patins
PARQUE
INFANTIL
o caixote
do lixo
a escada
de corda
a bicicleta
o balancé
o escorrega
a trotineta

O circo

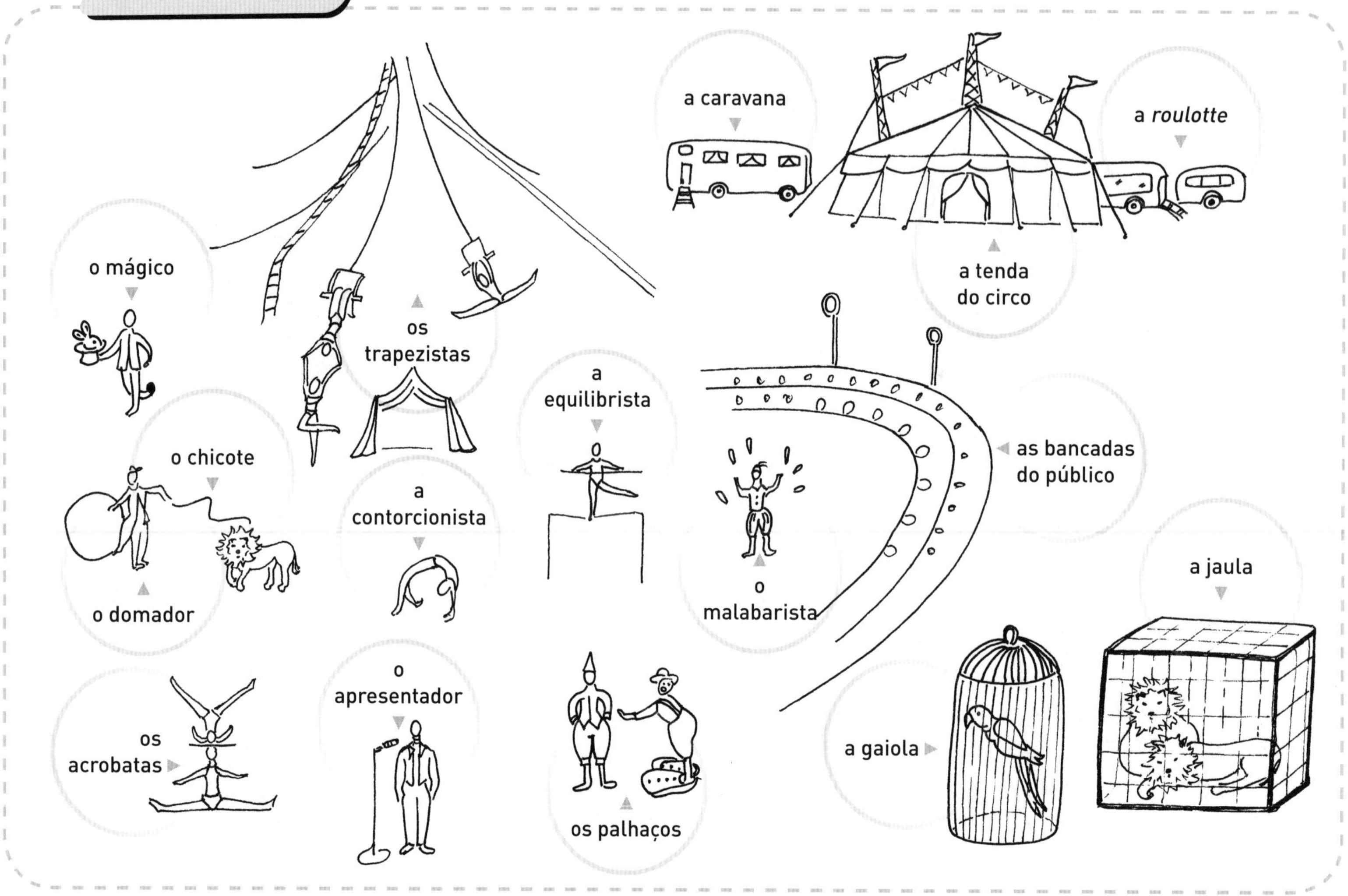
a caravana
a *roulotte*
a tenda do circo
o mágico
os trapezistas
a equilibrista
as bancadas do público
o chicote
a contorcionista
o domador
o malabarista
a jaula
o apresentador
os acrobatas
os palhaços
a gaiola

O parque de diversões

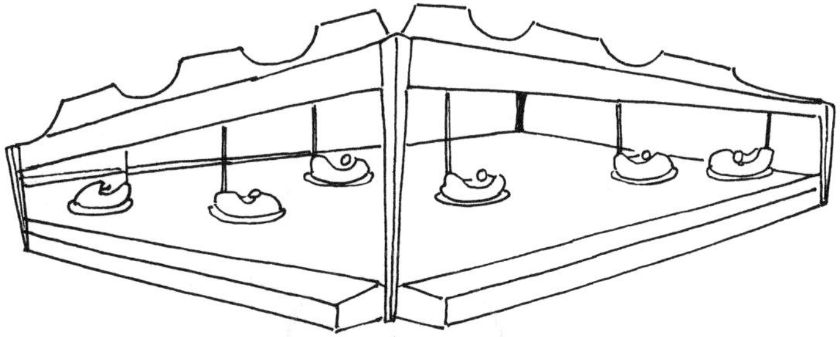

os carrinhos de choque

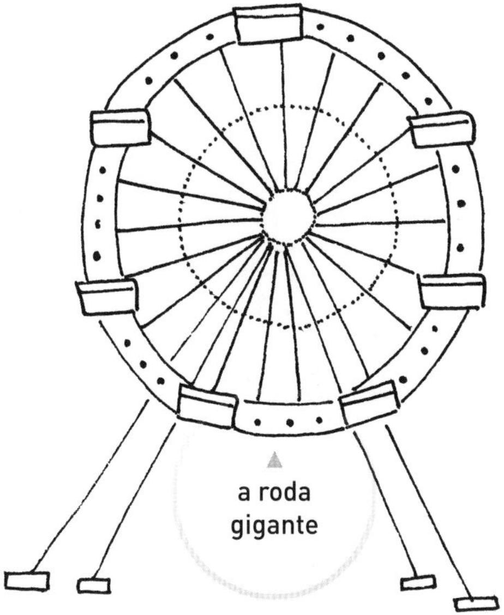

a roda gigante

o carrossel

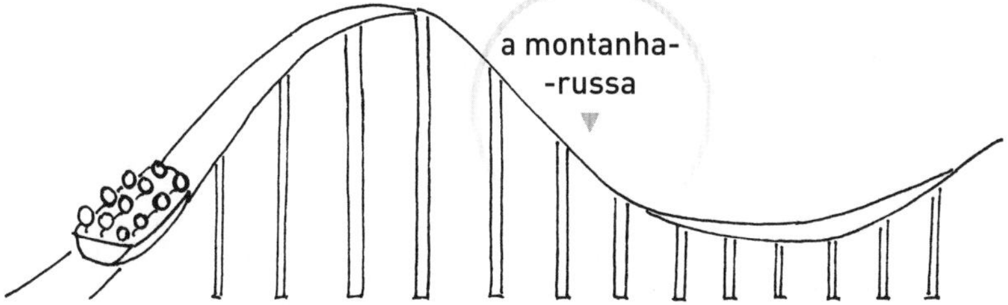

a montanha--russa

A obra

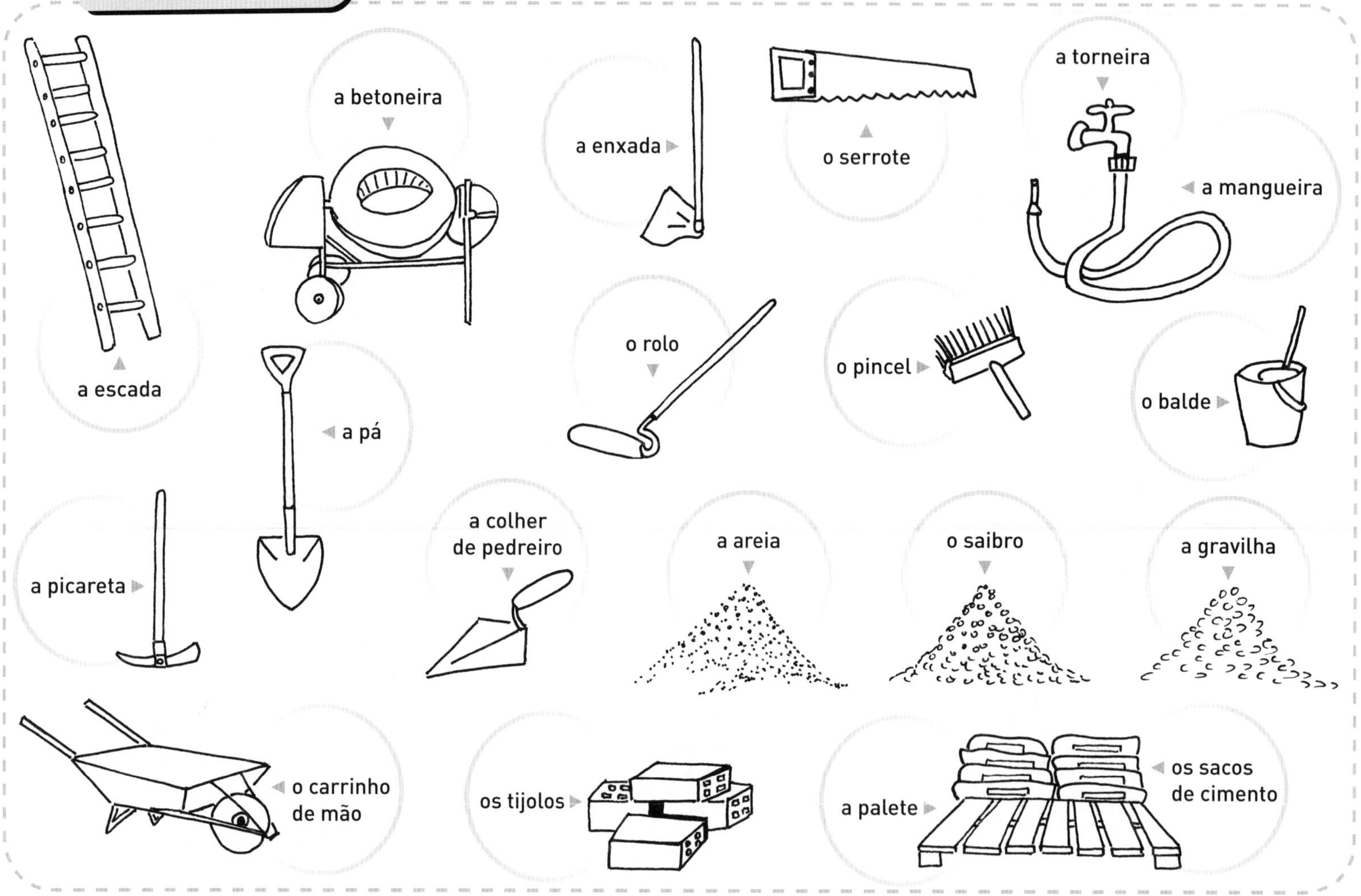
a escada
a betoneira
a enxada
o serrote
a torneira
a mangueira
a pá
o rolo
o pincel
o balde
a picareta
a colher
de pedreiro
a areia
o saibro
a gravilha
o carrinho
de mão
os tijolos
a palete
os sacos
de cimento

A obra

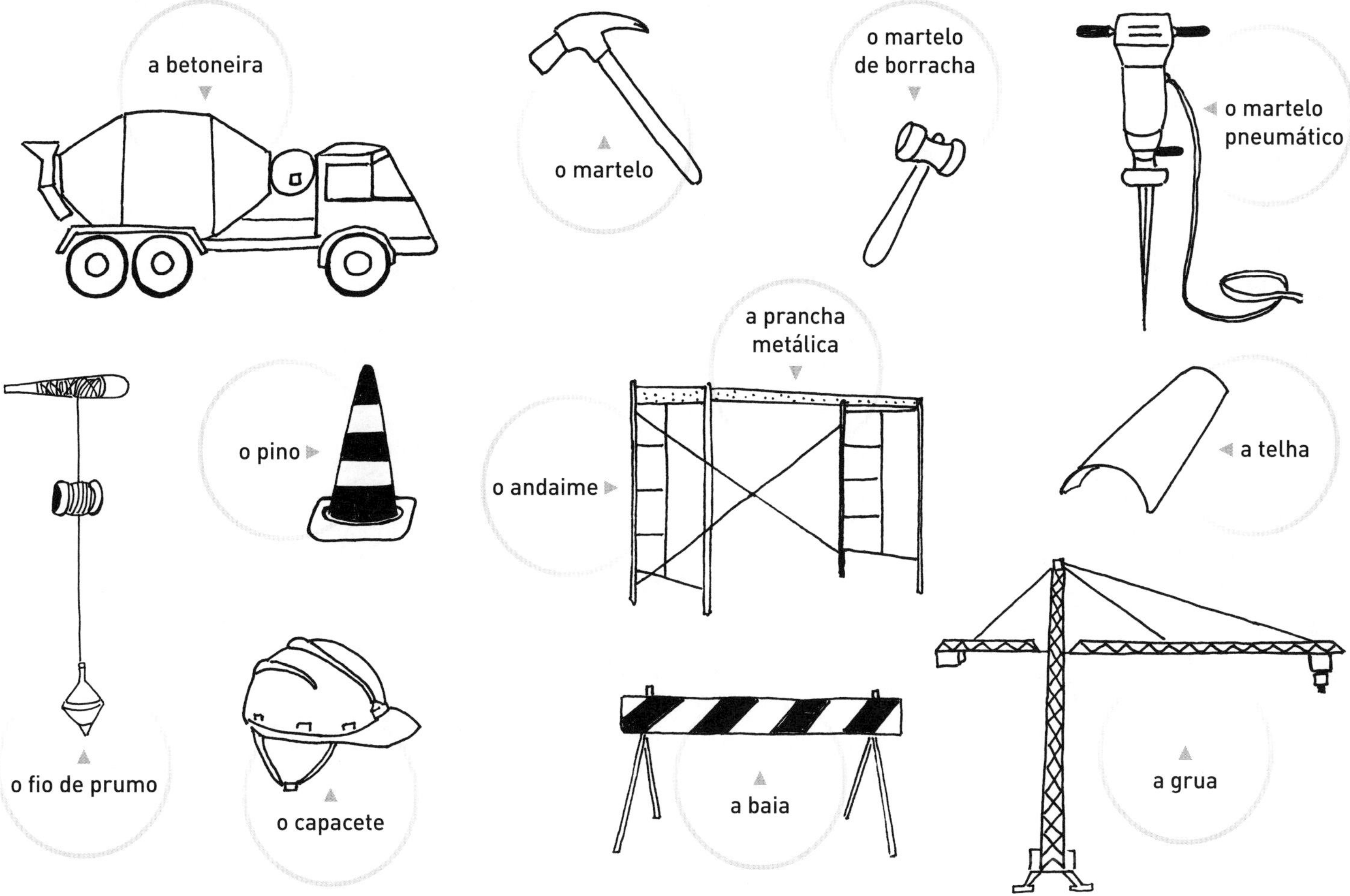
a betoneira
o martelo
o martelo de borracha
o martelo pneumático
a prancha metálica
o pino
o andaime
a telha
o fio de prumo
o capacete
a baia
a grua

A autoestrada

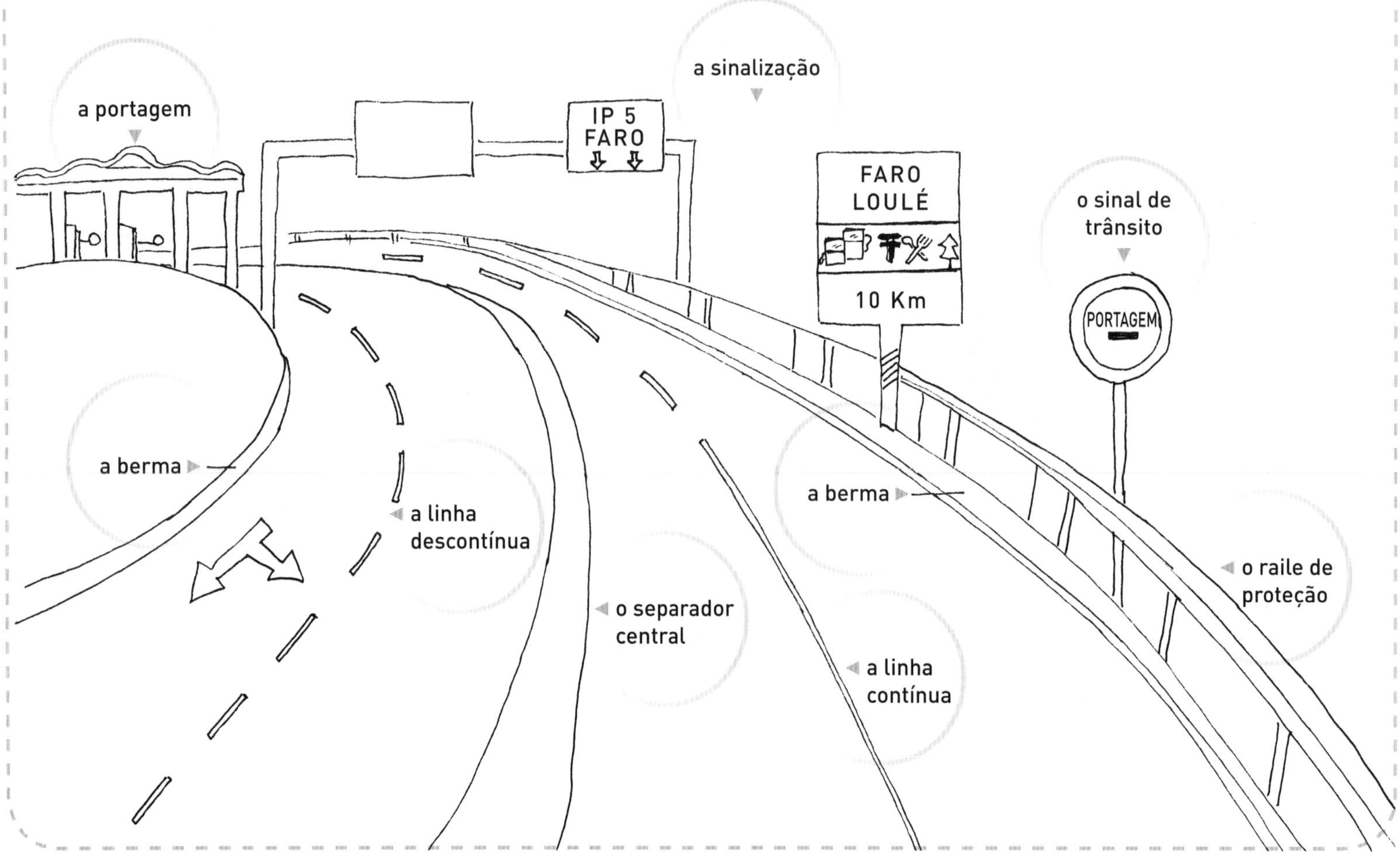
a portagem
a sinalização
IP 5
FARO
FARO
LOULÉ
10 Km
o sinal de trânsito
PORTAGEM
a berma
a linha descontínua
o separador central
a berma
a linha contínua
o raile de proteção

O aeroporto

a pista ▶

o bilhete

os passageiros

o passaporte

PERU
ITÁLIA
USA
FRANÇA
CANADÁ

TERMINAL

1 2 3 4

a asa
a saída de emergência
os "flaps"
o leme
a escada ▶
a turbina
a hospedeira de bordo
a cabine de pilotagem
o piloto
o trem de aterragem

a mala ▶

a bagagem

◀ o saco

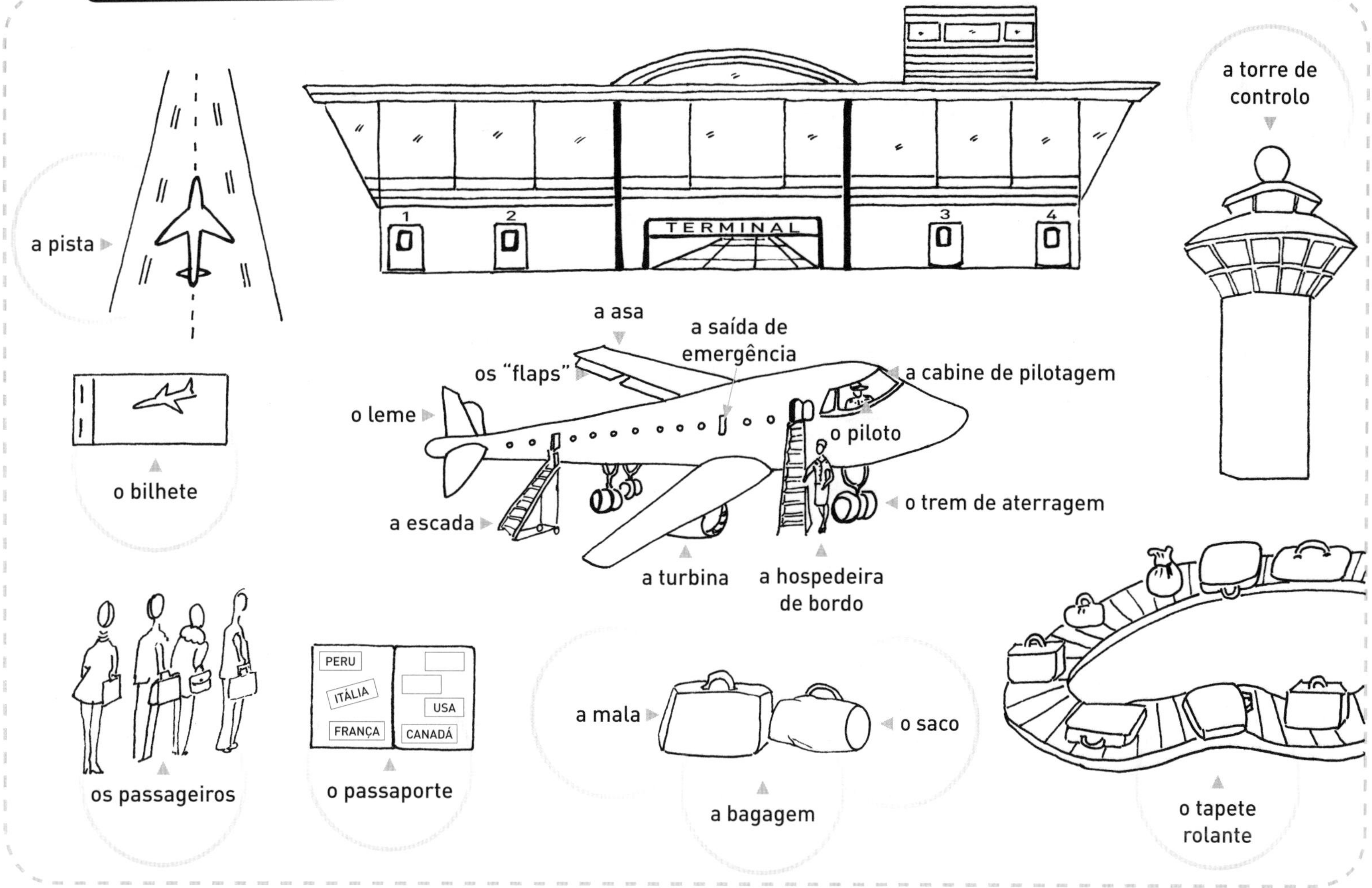

a torre de controlo

o tapete rolante

Os serviços no aeroporto

controlo de segurança

bagagem não reclamada

bagagem fora de formato

check-in

aluguer de viaturas

polícia

internet

alfândega

câmbio

SEF (Serviço de Estrangeiros e Fronteiras)

controlo de passaportes (partidas)

informação

ponto de encontro

perdidos e achados

portas de embarque ou desembarque

green way

elevadores

telefone

multibanco

depósito de bagagens

Os serviços no aeroporto

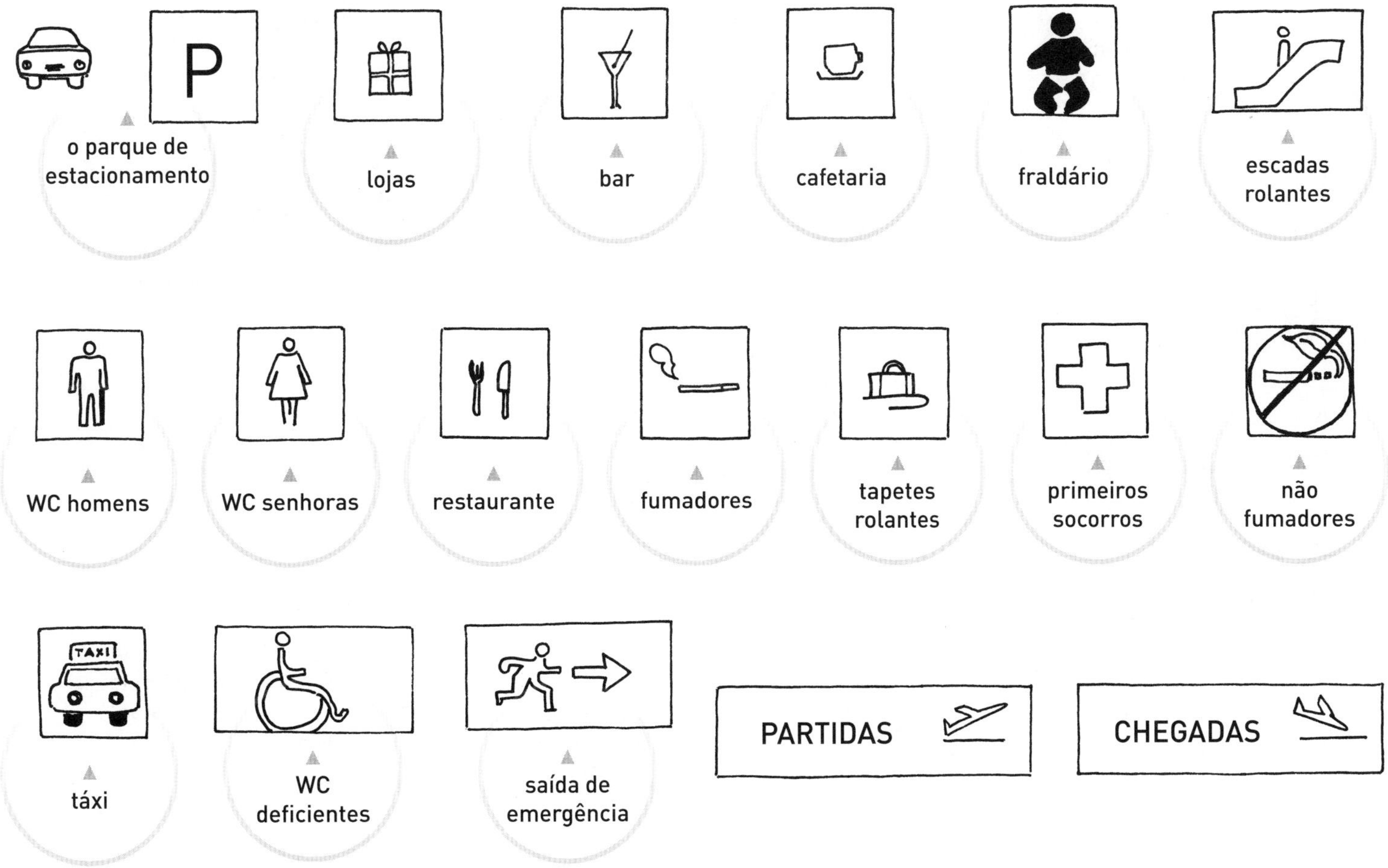
P
o parque de estacionamento
lojas
bar
cafetaria
fraldário
escadas rolantes
WC homens
WC senhoras
restaurante
fumadores
tapetes rolantes
primeiros socorros
não fumadores
TAXI
táxi
WC deficientes
saída de emergência
PARTIDAS
CHEGADAS

Os templos religiosos

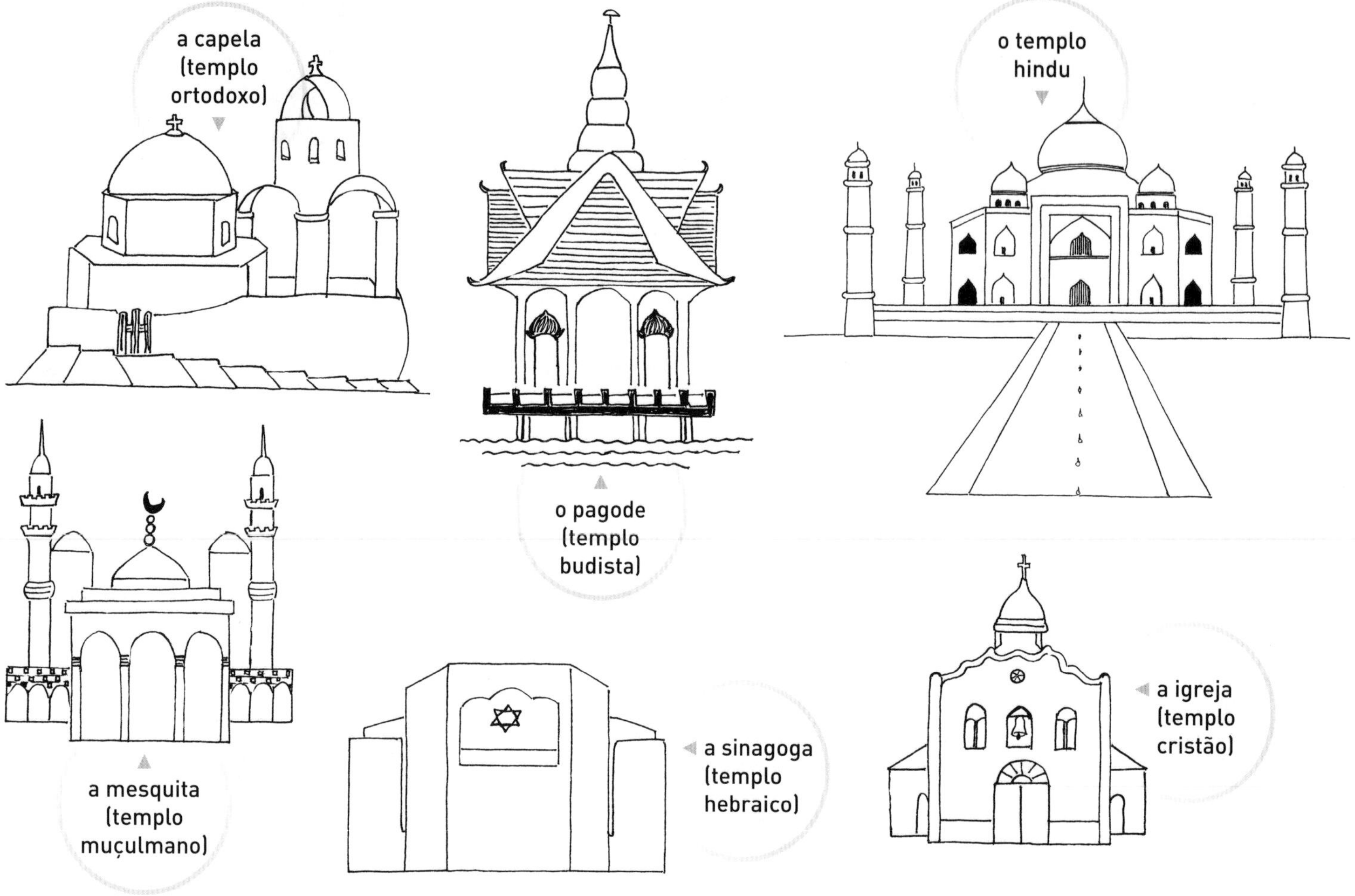

A SINALIZAÇÃO

As indicações turísticas

1. hotel/motel/residencial
2. restaurante
3. bar
4. zoo
5. turismo rural
6. cabo
7. posto de informações
8. termas
9. aquário
10. artesanato
11. praça de touros
12. marina
13. casino
14. alojamento particular
15. centro de exposições
16. parque de campismo
17. pousada/estalagem
18. pousada de juventude
19. parque de campismo/ caravanismo
20. parque de caravanismo
21. albergue

As indicações geográficas e ecológicas

1

2

3

4

5

6

7

8

9

10

11

12

13

1. rio/lago/albufeira
2. serra
3. gruta
4. parque/jardim
5. praia
6. pinhal
7. parque de merendas
8. percursos pedestres
9. miradouro/ponto de vista
10. zona agrícola
11. zona vinícola
12. área protegida/parque rural/reserva natural
13. parque nacional

As indicações culturais

1

2

3

4

5

6

7

8

9

10

11

12

1. monumento/castelo
2. museu
3. biblioteca
4. ruínas
5. monumento pré-histórico
6. teatro
7. património mundial
8. aldeia preservada
9. pelourinho/cruzeiro
10. ponte
11. solar
12. aldeia histórica

As indicações desportivas

1. vela
2. estádio
3. hipódromo
4. campo de golfe
5. ténis
6. piscina
7. pesca desportiva
8. centro desportivo
9. campo de tiro
10. esqui
11. parque aquático
12. kartódromo
13. centro hípico
14. remo
15. montanhismo
16. *windsurf*
17. caça
18. motonáutica
19. canoagem
20. atletismo
21. autódromo

As indicações industriais

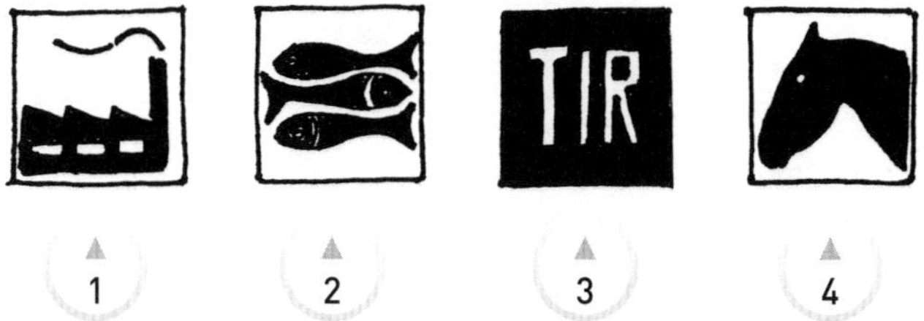

1. fábrica/zona industrial
2. indústria pesqueira
3. terminal rodoviário pesados
4. coudelaria nacional

Outras indicações

1

2

3

4

5

6

7

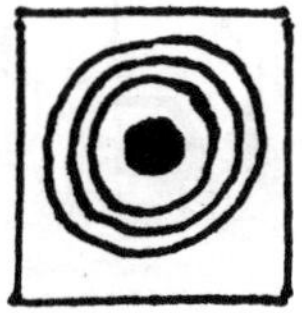

8

9

10

11

12

13

14

15

1. parque de estacionamento
2. parque de estacionamento coberto
3. igreja/santuário
4. cemitério
5. mercado
6. escola
7. correios
8. centro
9. zona pedonal
10. bairro
11. metro
12. estação ferroviária
13. estação rodoviária
14. táxis
15. aluguer de viaturas

Outras indicações

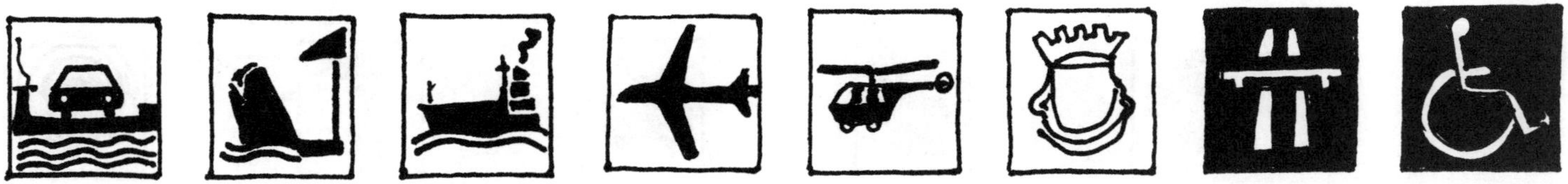

1 2 3 4 5 6 7 8

9 10 11 12 13 14 15

1. *ferryboat*
2. cais de embarque
3. porto
4. aeroporto/aeródromo
5. heliporto
6. município
7. autoestrada
8. deficiente
9. passagem desnivelada para peões com rampa
10. passagem desnivelada para peões com escada
11. sanitários
12. sanitários
13. centro de inspeções
14. via reservada a automóveis e motociclos
15. fontanário

Apoio ao cliente

1

2

3

4

5

6

7

8

9

10

11

1. hospital
2. posto de socorro
3. farmácia
4. bombeiros
5. GNR – Guarda Nacional Republicana
6. hospital com urgência médica
7. PSP – Polícia Segurança Pública
8. oficina
9. posto de combustível com GPL (gás de petróleo liquefeito)
10. posto de combustível
11. telefone

NA CASA

As divisões da casa

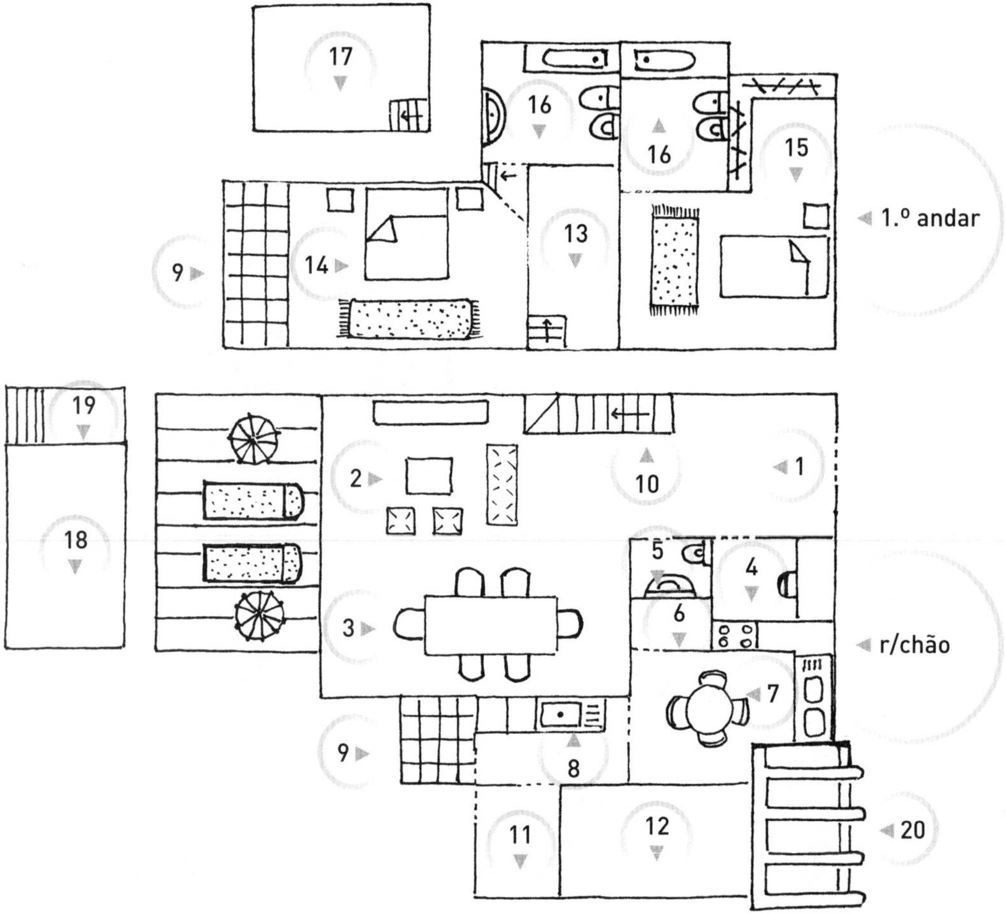

Rés do Chão:

1. o *hall* de entrada
2. a sala de estar
3. a sala de jantar
4. o escritório
5. a casa de banho social
6. a despensa
7. a cozinha
8. a lavandaria
9. a varanda
10. a escada de acesso ao 1.º andar
11. os arrumos
12. a garagem

1.º andar:

13. o corredor
14. o quarto de casal
15. o quarto individual
16. a casa de banho
17. o sótão
18. a piscina
19. a banheira de hidromassagem/ /o jacúzi
20. a pérgula

O quarto

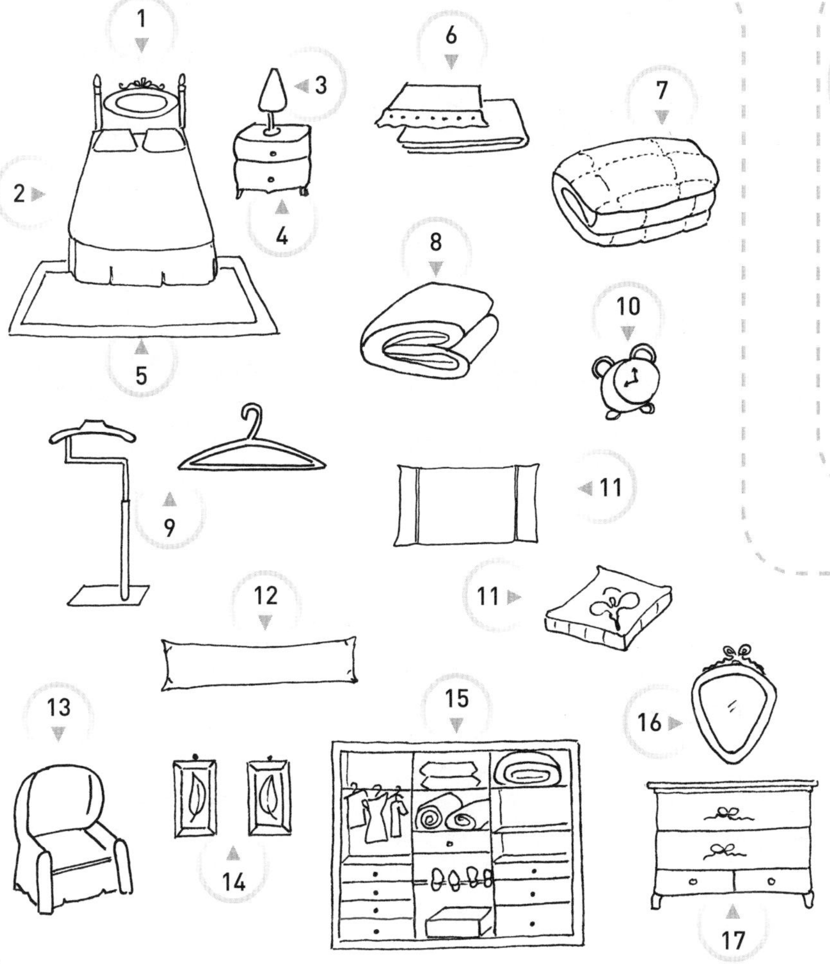

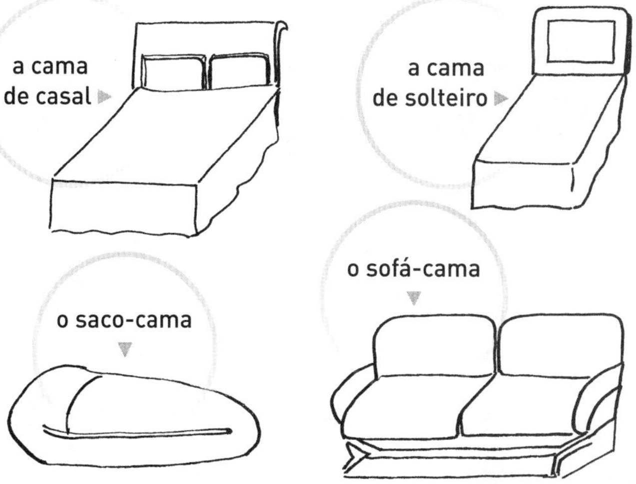

1. a cama de casal
2. a colcha
3. o candeeiro
4. a mesa de cabeceira
5. o tapete
6. os lençóis
7. o edredão
8. o cobertor
9. o cabide
10. o despertador
11. as almofadas
12. o travesseiro
13. a poltrona/o cadeirão
14. os quadros
15. o roupeiro/o guarda-roupa
16. o espelho
17. a cómoda

O quarto das crianças

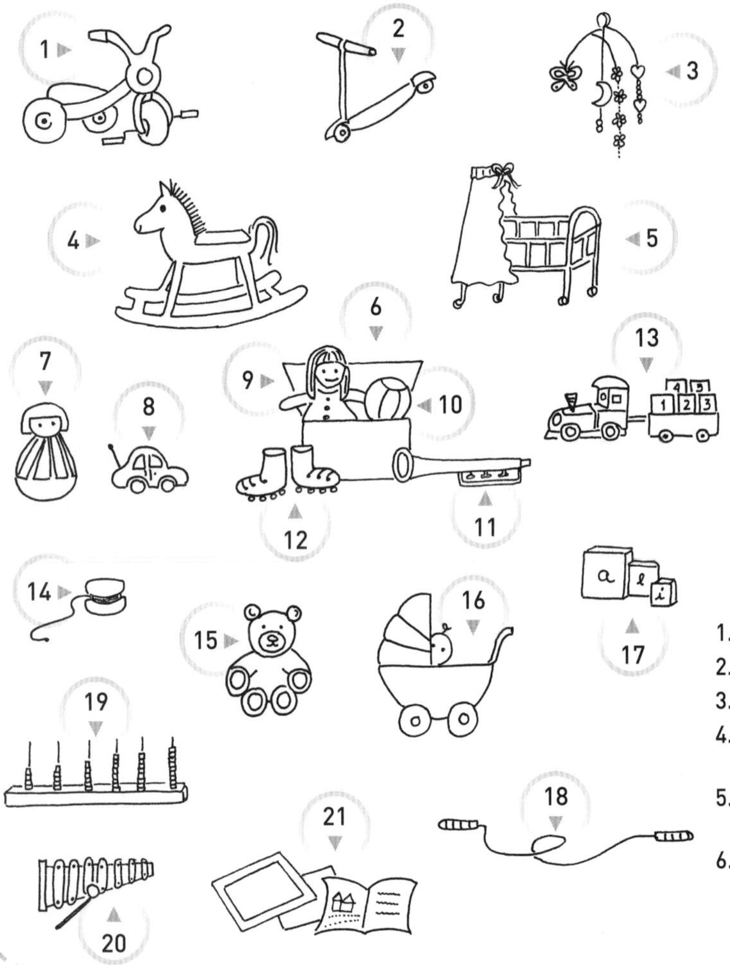

1. o triciclo
2. a trotineta
3. o móbil
4. o cavalo de madeira
5. a cama das bonecas
6. a caixa dos brinquedos
7. a boneca sempre-em-pé
8. o carrinho
9. a boneca de trapos
10. a bola
11. a corneta
12. os patins
13. o comboio
14. o ioiô
15. o peluche
16. o carro das bonecas
17. os cubos
18. a corda para saltar
19. o ábaco
20. o xilofone
21. os livros de histórias infantis

A sala de estar

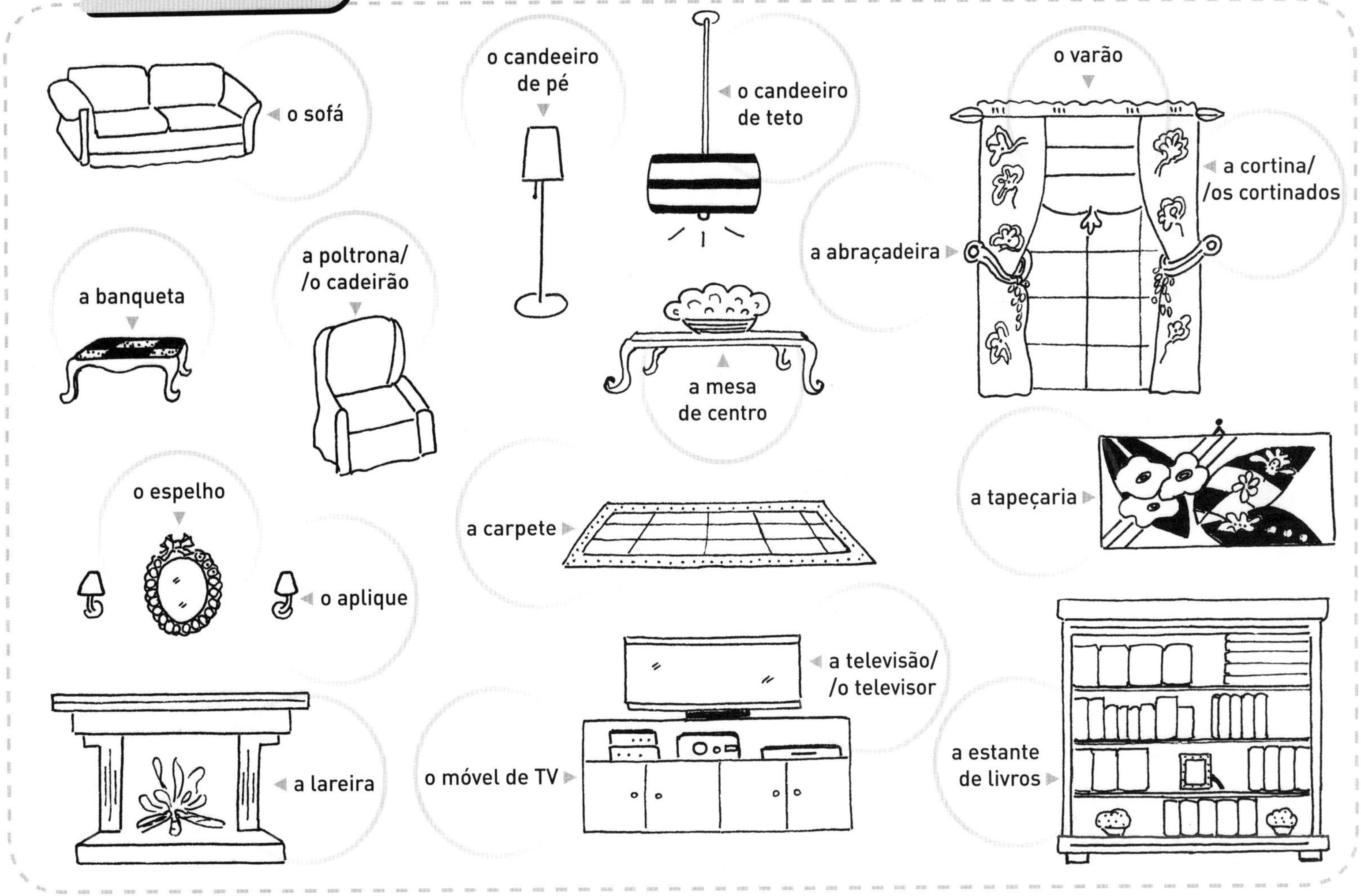
o sofá
o candeeiro de pé
o candeeiro de teto
o varão
a cortina/ /os cortinados
a abraçadeira
a banqueta
a poltrona/ /o cadeirão
a mesa de centro
a tapeçaria
o espelho
a carpete
o aplique
a televisão/ /o televisor
a lareira
o móvel de TV
a estante de livros

A sala de jantar

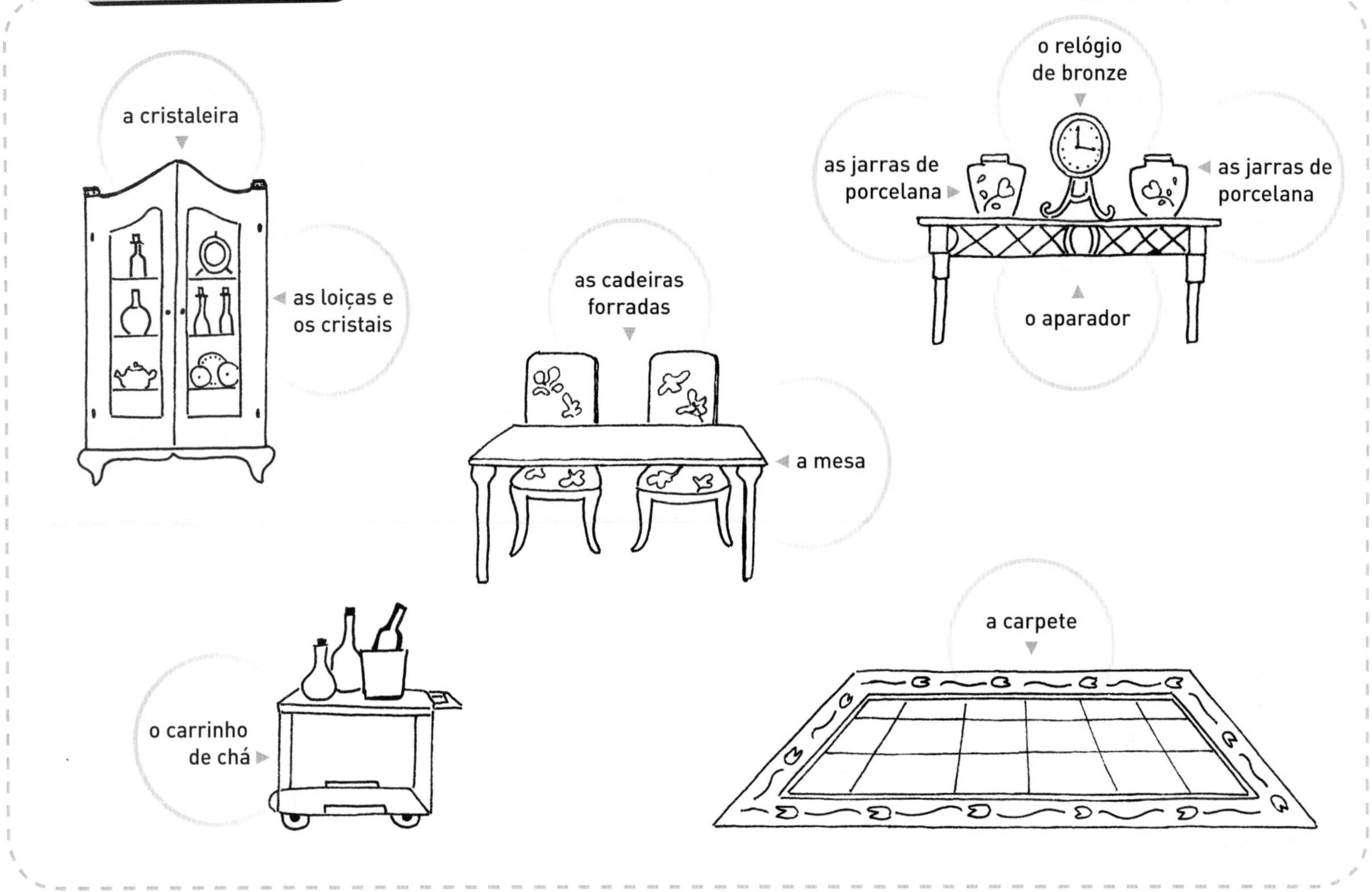
a cristaleira
as loiças e os cristais
as cadeiras forradas
a mesa
o relógio de bronze
as jarras de porcelana
as jarras de porcelana
o aparador
o carrinho de chá
a carpete

O escritório

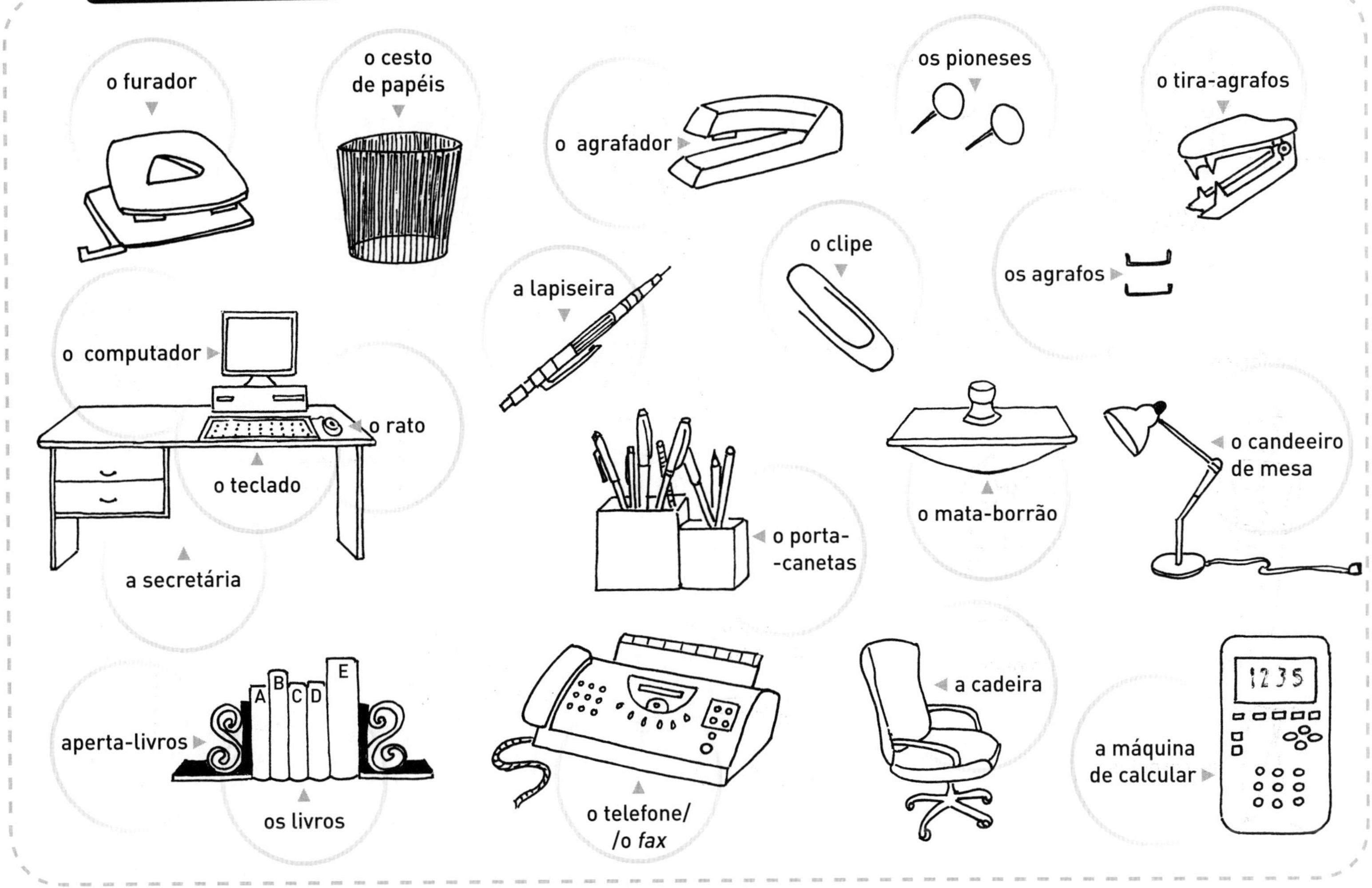

o furador
o cesto de papéis
o agrafador
os pioneses
o tira-agrafos
o clipe
os agrafos
a lapiseira
o computador
o rato
o teclado
a secretária
o porta-canetas
o mata-borrão
o candeeiro de mesa
a cadeira
aperta-livros
A B C D E
os livros
o telefone/ /o *fax*
a máquina de calcular
1235

A casa de banho

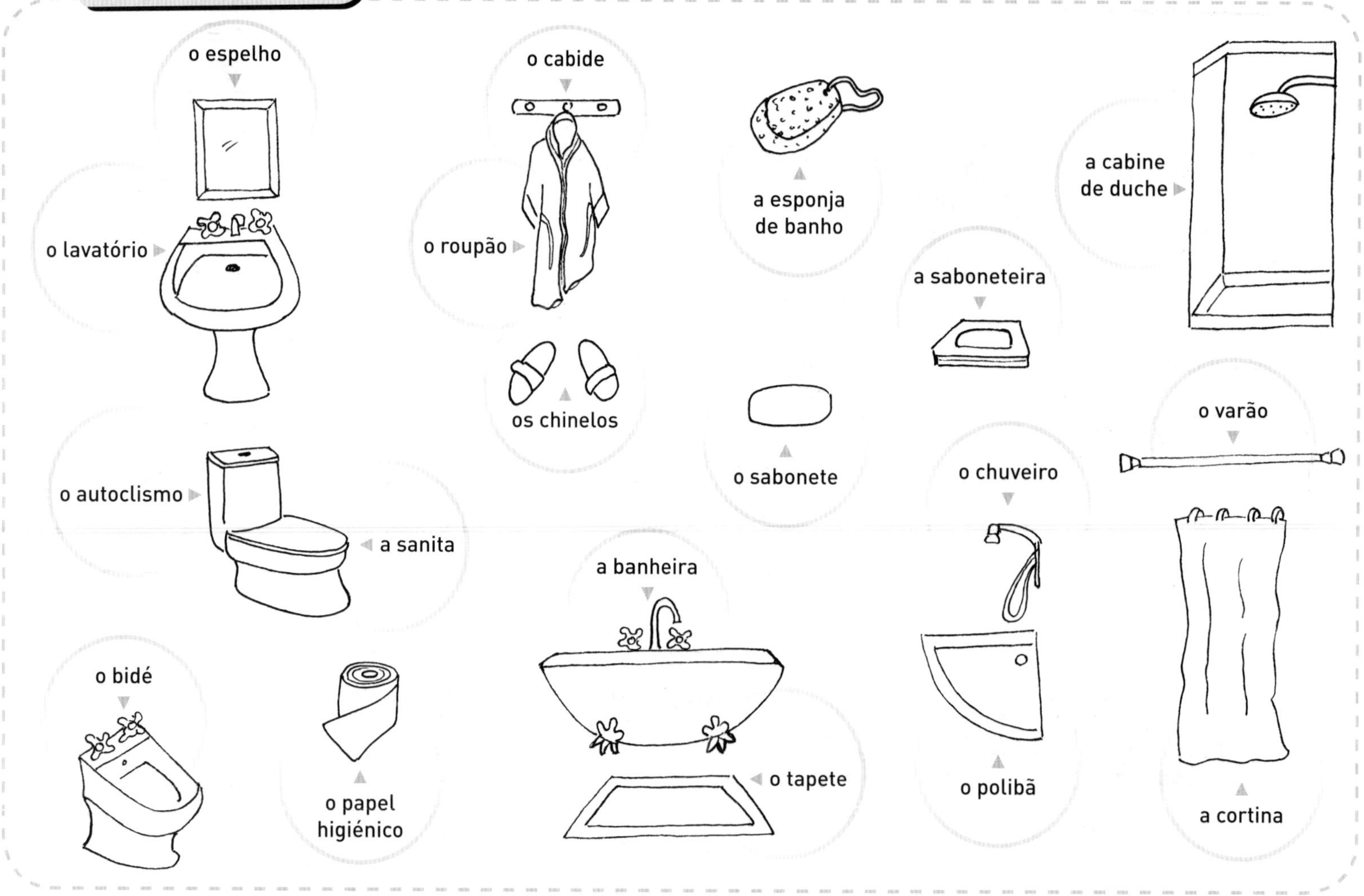
o espelho
o lavatório
o autoclismo
a sanita
o bidé
o papel higiénico
o cabide
o roupão
os chinelos
a esponja de banho
o sabonete
a banheira
o tapete
a saboneteira
o chuveiro
o polibã
a cabine de duche
o varão
a cortina

A casa de banho

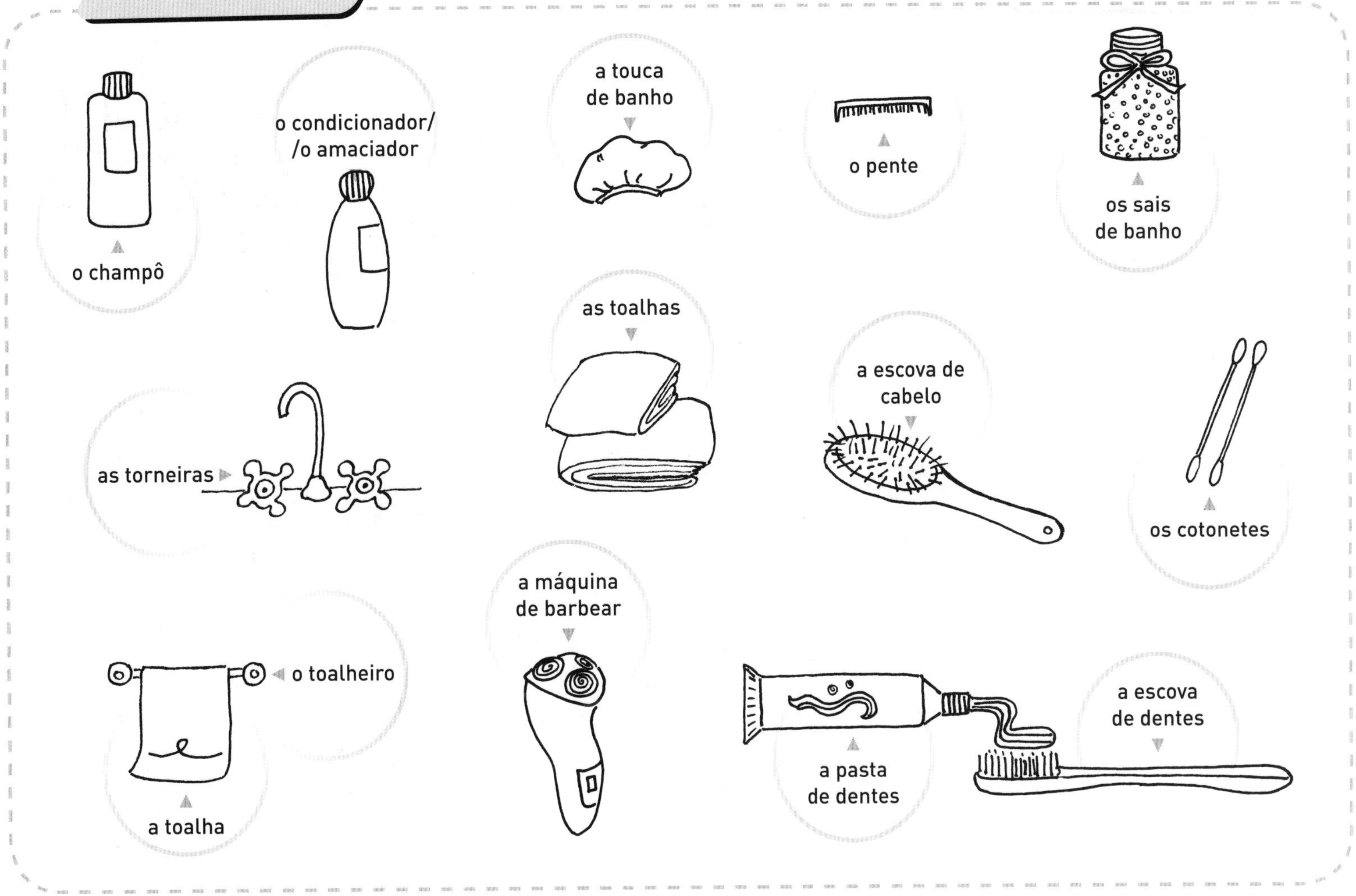
o champô
o condicionador/
/o amaciador
a touca
de banho
o pente
os sais
de banho
as toalhas
a escova de
cabelo
os cotonetes
as torneiras
a máquina
de barbear
o toalheiro
a toalha
a pasta
de dentes
a escova
de dentes

A cozinha

1. a bancada
2. o lava-louça
3. a torneira
4. o escorredor
5. a máquina de lavar louça
6. o exaustor
7. o frigorífico
8. o congelador
9. o forno
10. o micro-ondas
11. o fogão
12. os mosaicos

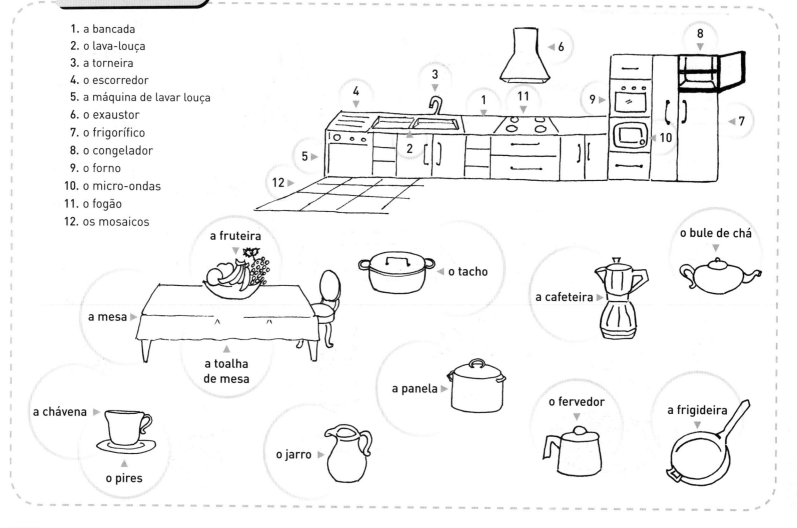

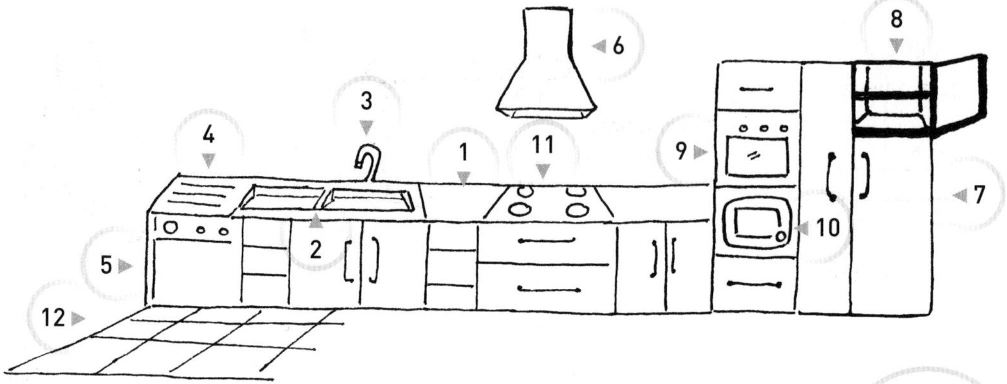

a fruteira
o tacho
o bule de chá
a cafeteira
a mesa
a toalha de mesa
a panela
a chávena
o pires
o jarro
o fervedor
a frigideira

A cozinha

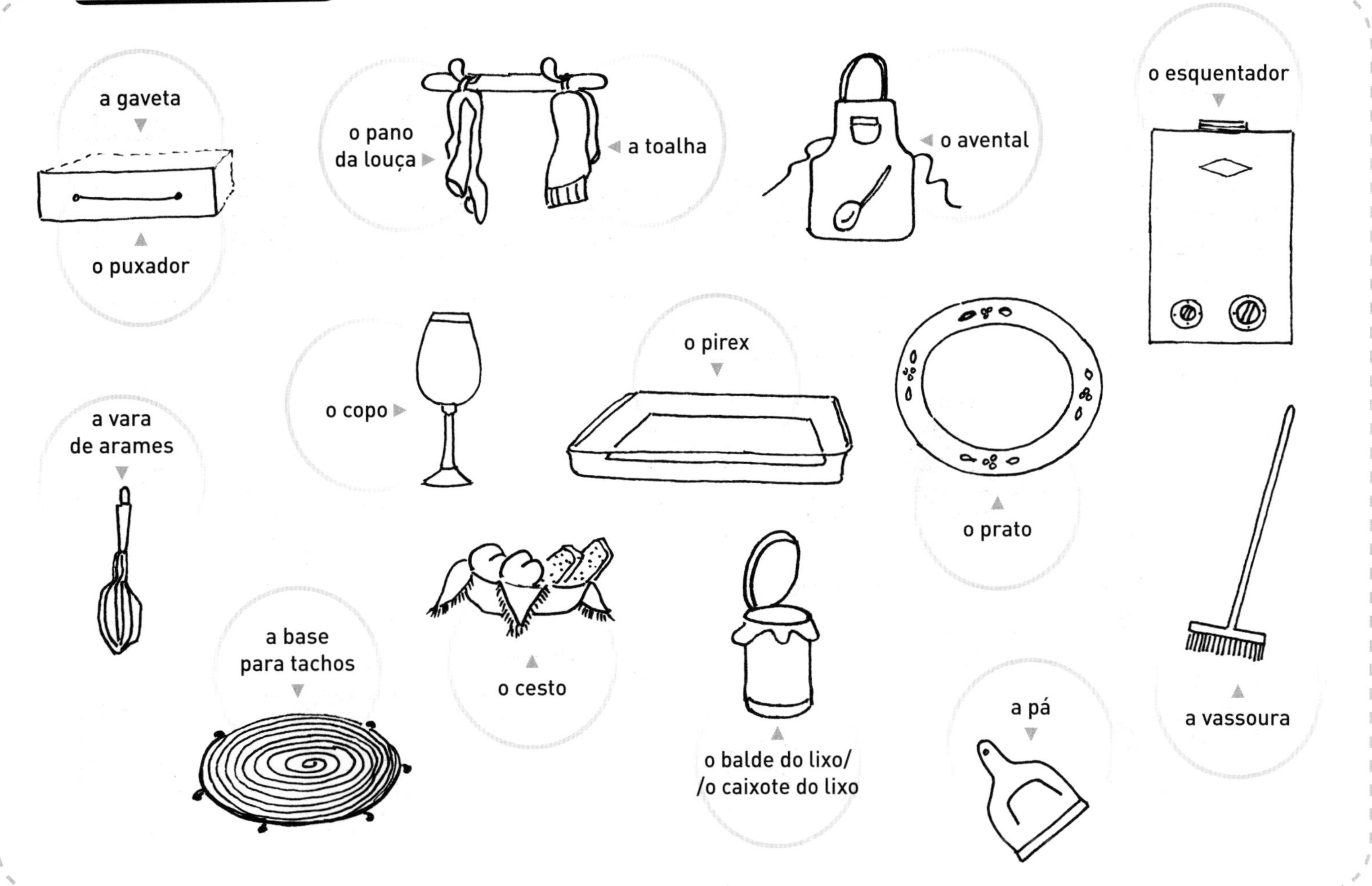

a gaveta
o puxador
o pano da louça
a toalha
o avental
o esquentador
o copo
o pirex
o prato
a vara de arames
a base para tachos
o cesto
o balde do lixo/
/o caixote do lixo
a pá
a vassoura

Os eletrodomésticos

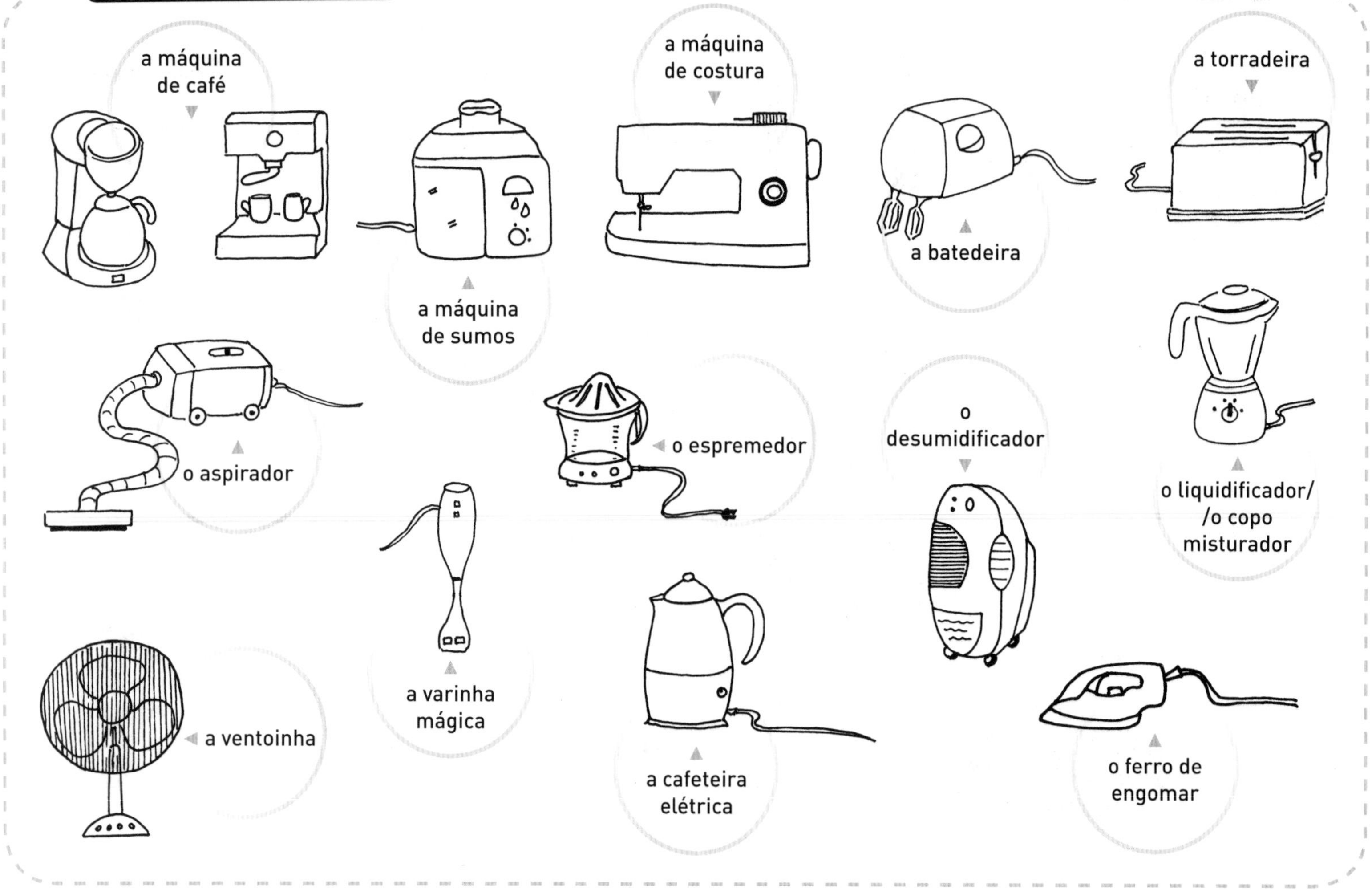
a máquina de café
a máquina de costura
a torradeira
a batedeira
a máquina de sumos
o aspirador
o espremedor
o desumidificador
o liquidificador/ /o copo misturador
a varinha mágica
a ventoinha
a cafeteira elétrica
o ferro de engomar

Os eletrodomésticos

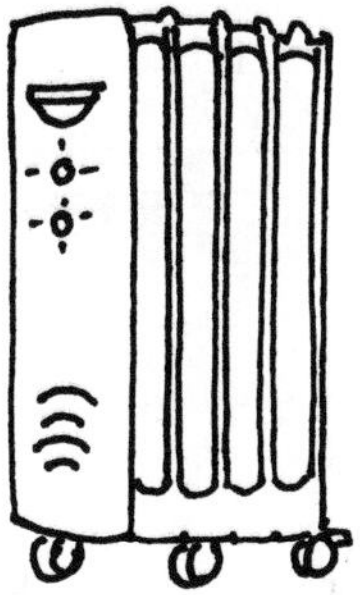

o radiador/
/o aquecedor

a máquina
de lavar louça

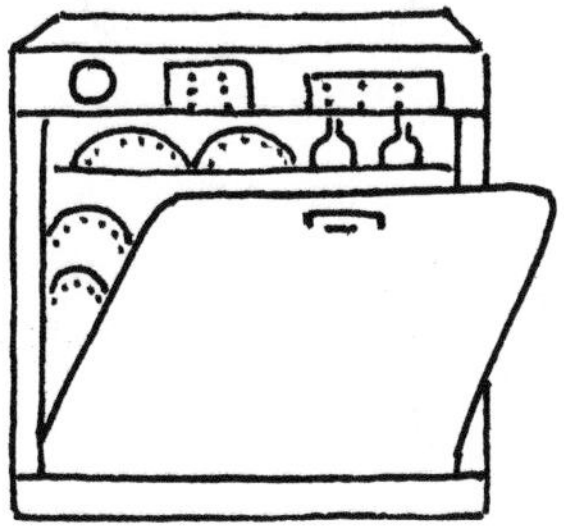

a máquina
de lavar roupa

o fogão

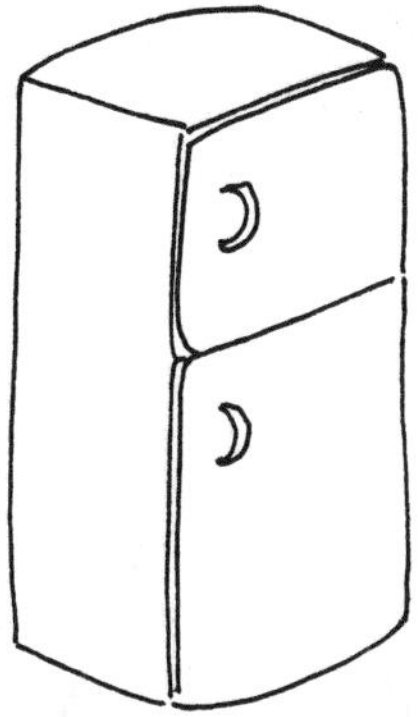

o frigorífico

a fritadeira

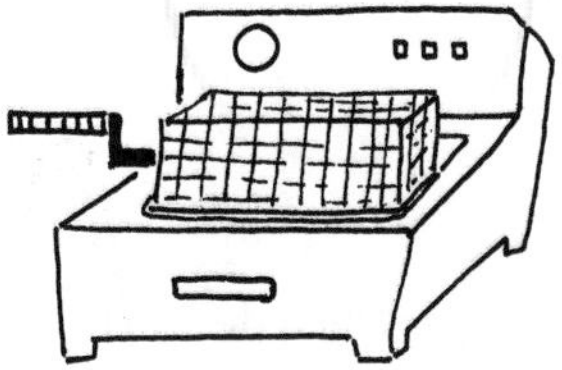

o micro-ondas

a tomada

as fichas

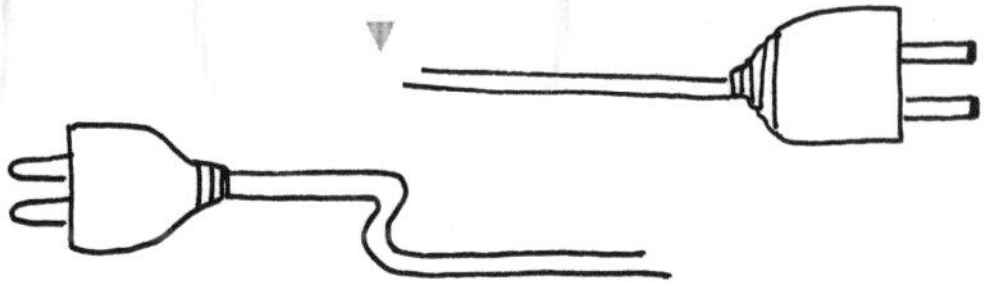

Os talheres

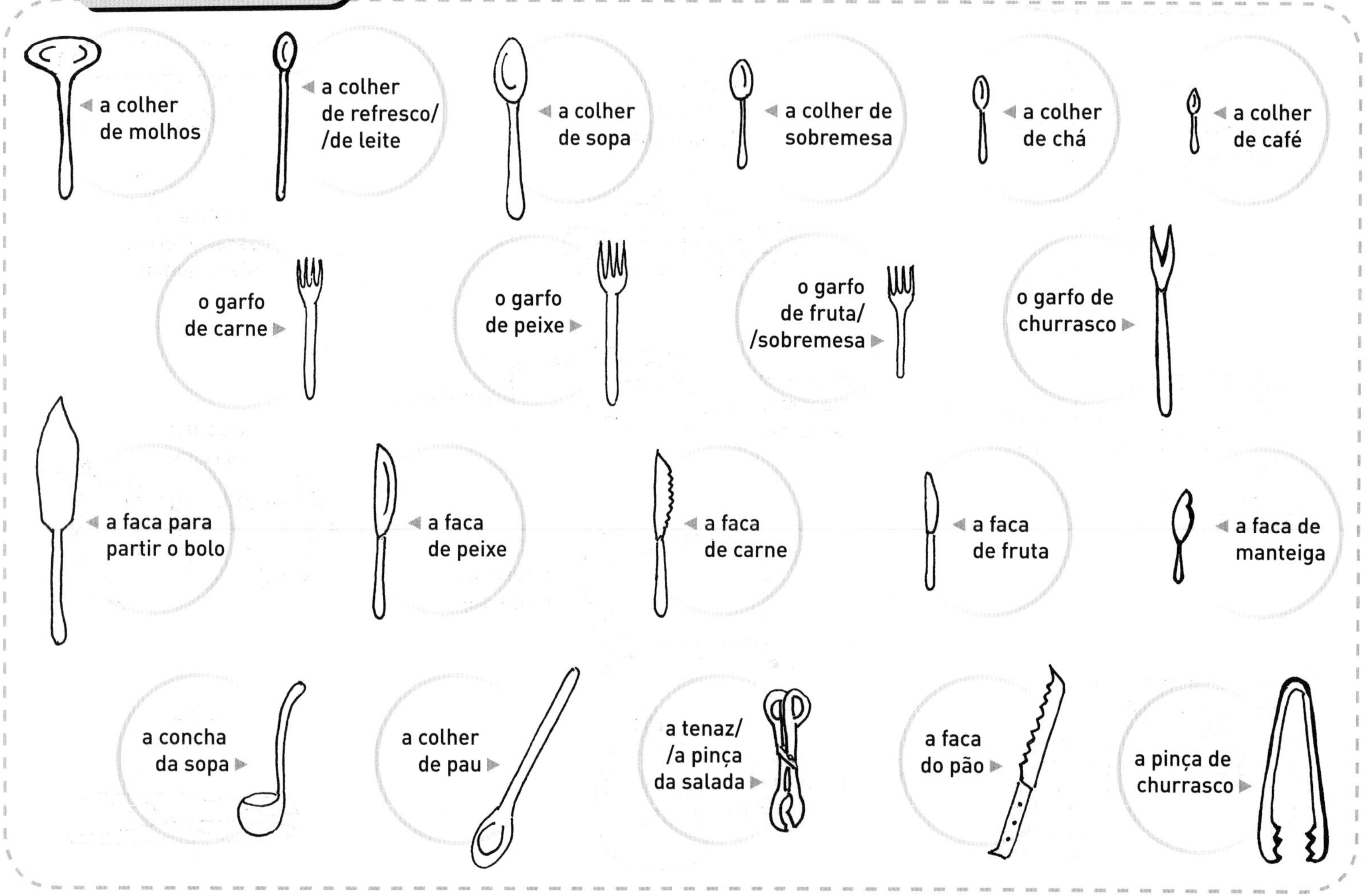
a colher de molhos
a colher de refresco/ /de leite
a colher de sopa
a colher de sobremesa
a colher de chá
a colher de café
o garfo de carne
o garfo de peixe
o garfo de fruta/ /sobremesa
o garfo de churrasco
a faca para partir o bolo
a faca de peixe
a faca de carne
a faca de fruta
a faca de manteiga
a concha da sopa
a colher de pau
a tenaz/ /a pinça da salada
a faca do pão
a pinça de churrasco

A lavandaria

a máquina de lavar roupa ▶

o cesto da roupa passada a ferro/ /engomada ▼

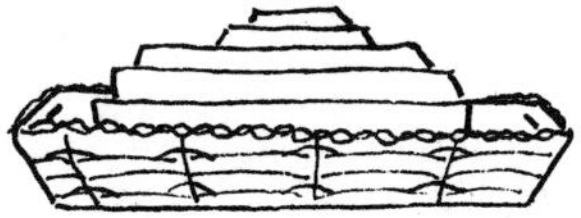

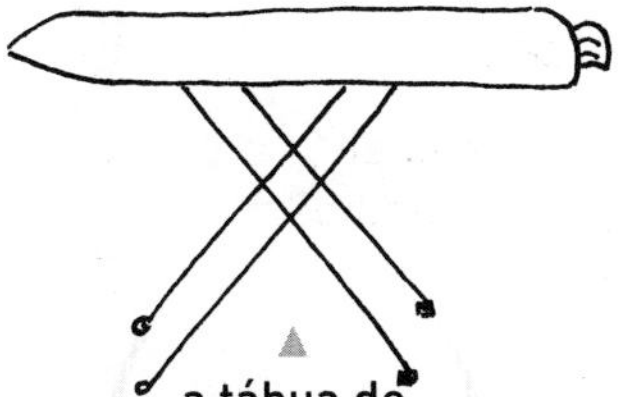

▲ a tábua de passar a ferro/ /de engomar

◀ a máquina de secar roupa

o ferro de passar/ /engomar ▶

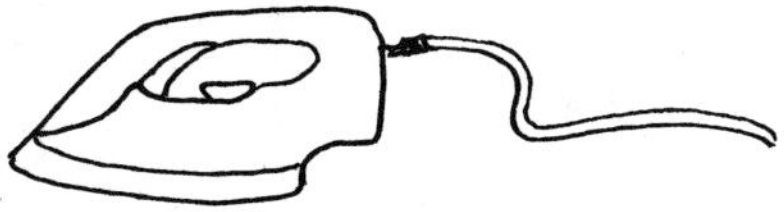

o cordel da roupa ▼

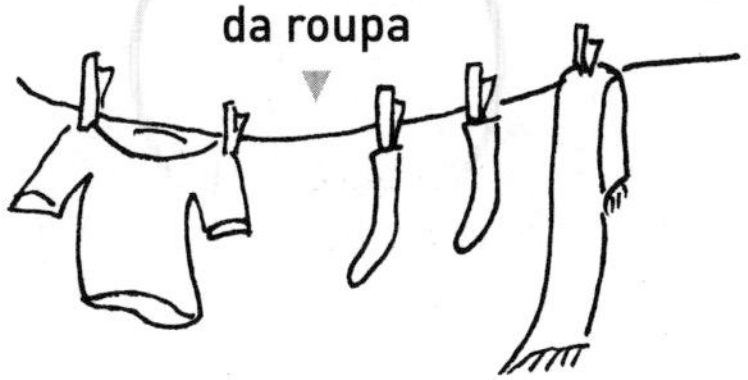

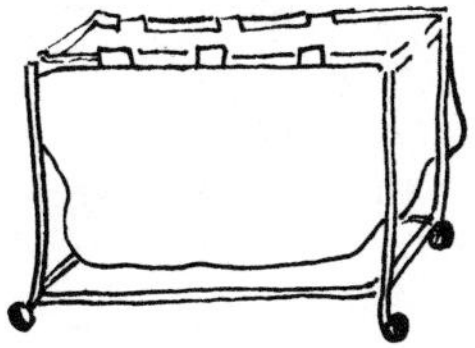

◀ o cesto da roupa suja

os detergentes em pó ▼

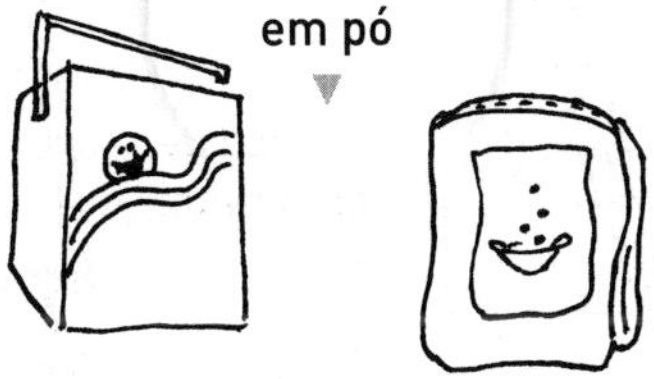

o amaciador da roupa ▶

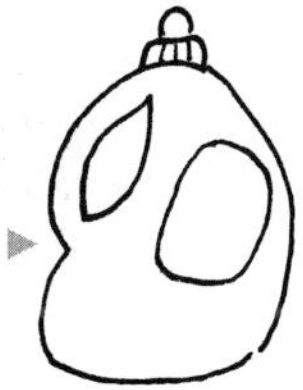

a mola da roupa ▼

O jardim

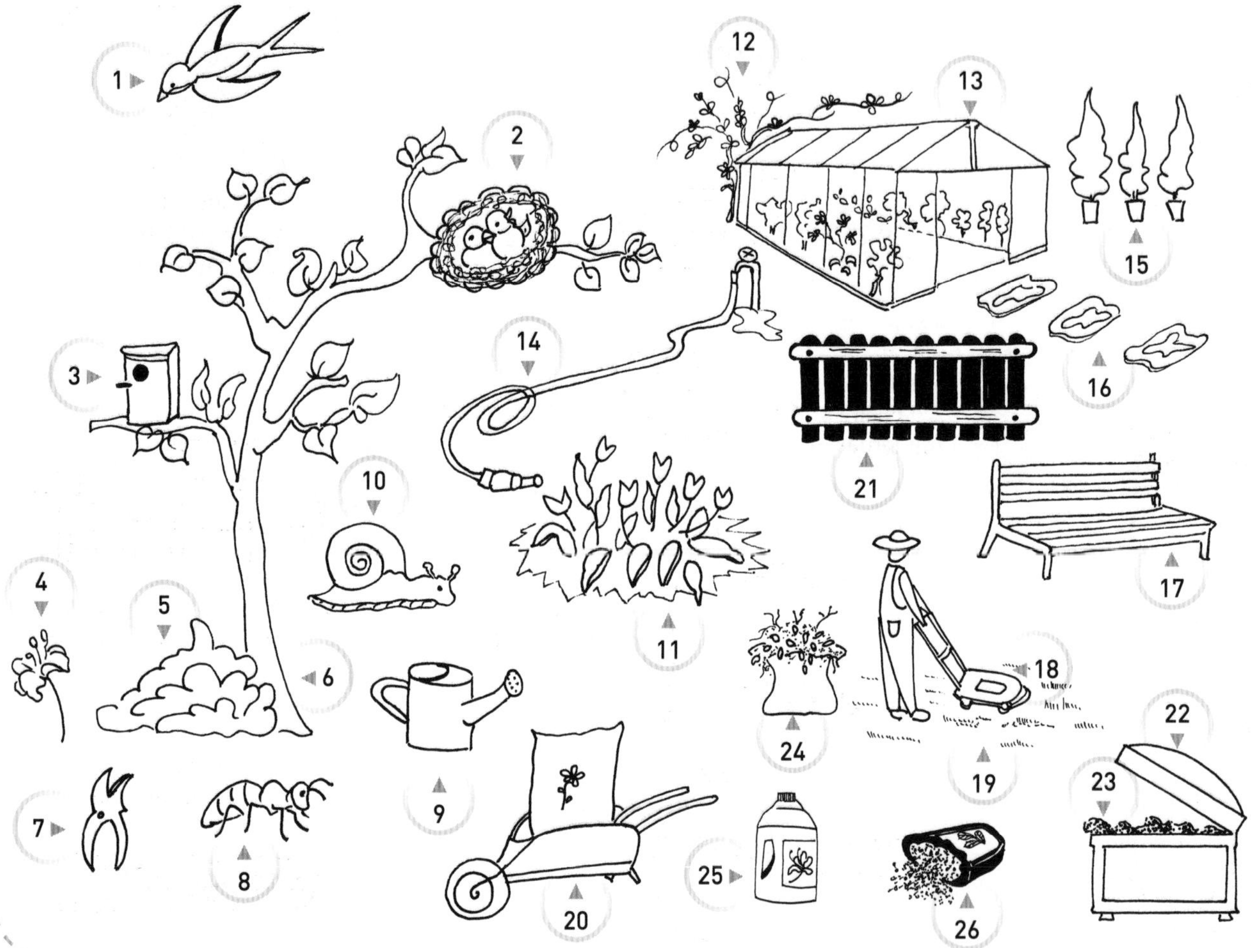

1. a andorinha
2. o ninho
3. a casa dos pássaros
4. a flor
5. o arbusto
6. a árvore
7. a tesoura de podar
8. a formiga
9. o regador
10. o caracol
11. o canteiro de túlipas
12. a trepadeira
13. a estufa
14. a mangueira
15. os vasos
16. as pedras
17. o banco de jardim
18. o corta-relva
19. a relva
20. o carrinho de mão
21. a cerca
22. a compostagem
23. o composto orgânico
24. o saco de lixo
25. o fertilizante
26. o saco de terra

Tipos de casa

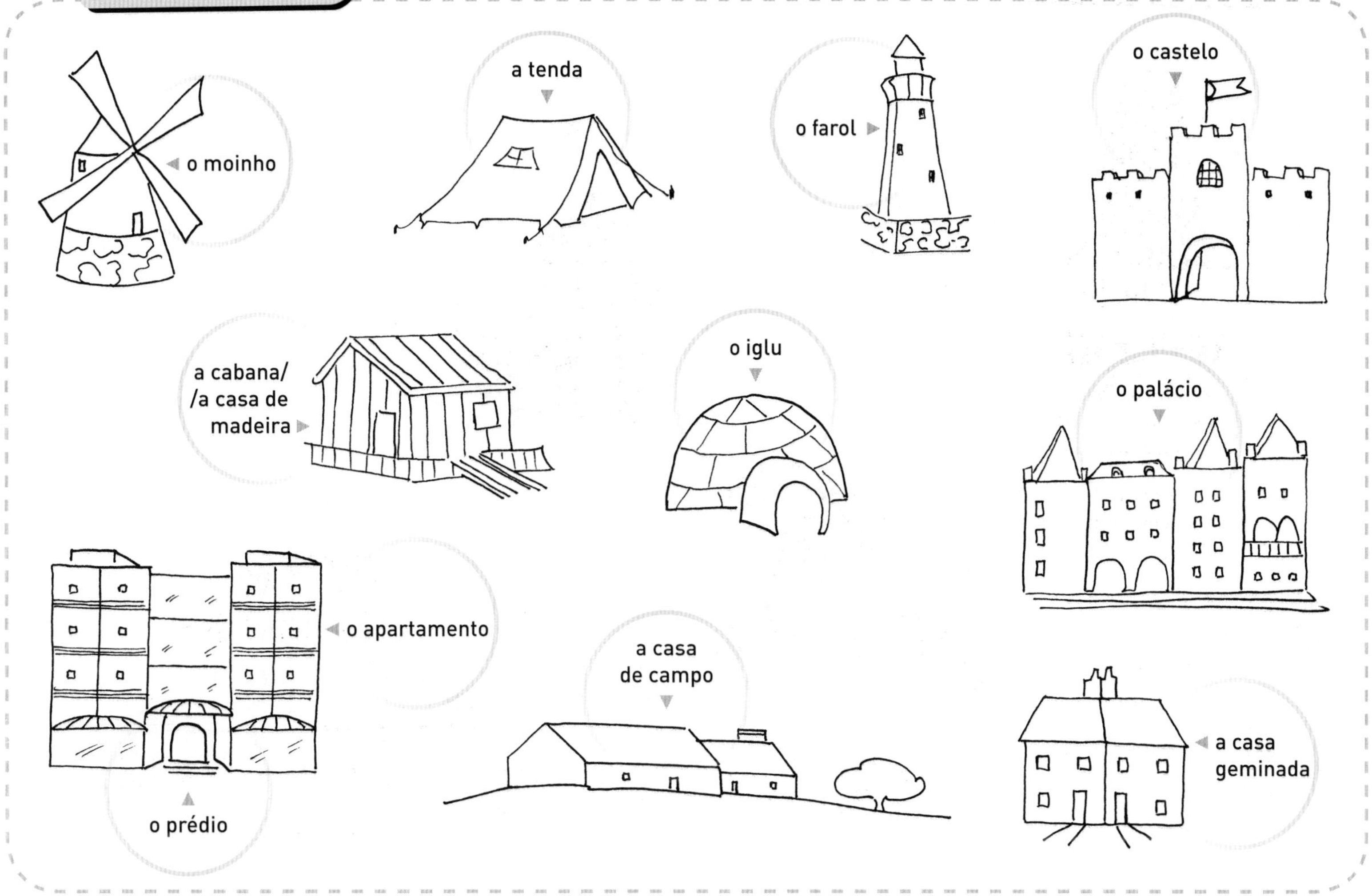

o moinho
a tenda
o farol
o castelo
a cabana/
/a casa de
madeira
o iglu
o palácio
o apartamento
o prédio
a casa
de campo
a casa
geminada

Tipos de casa

a casa tradicional de Timor-Leste

a palhota

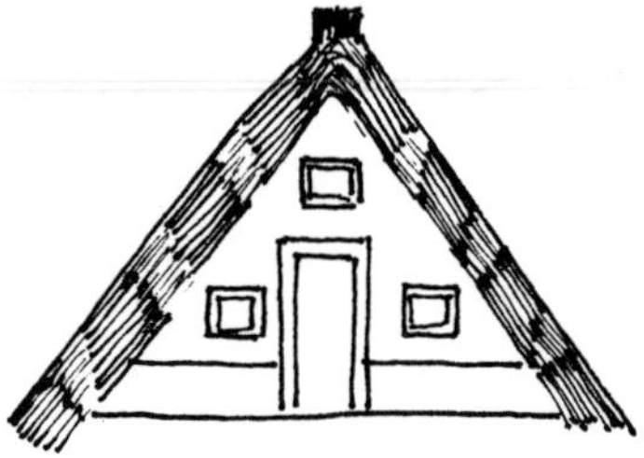

a casa típica da ilha da Madeira

a casa lacustre

O VESTUÁRIO

Peças de vestuário

o vestido curto
o vestido comprido
o vestido de noiva
o saia-casaco/ /o *tailleur*
o fato
a saia
o bolso
as calças
os calções
as bermudas
o sobretudo
o casaco comprido
a camisola de malha
o colarinho
a camisa
a *t-shirt*
a manga
o casaco

Peças de vestuário

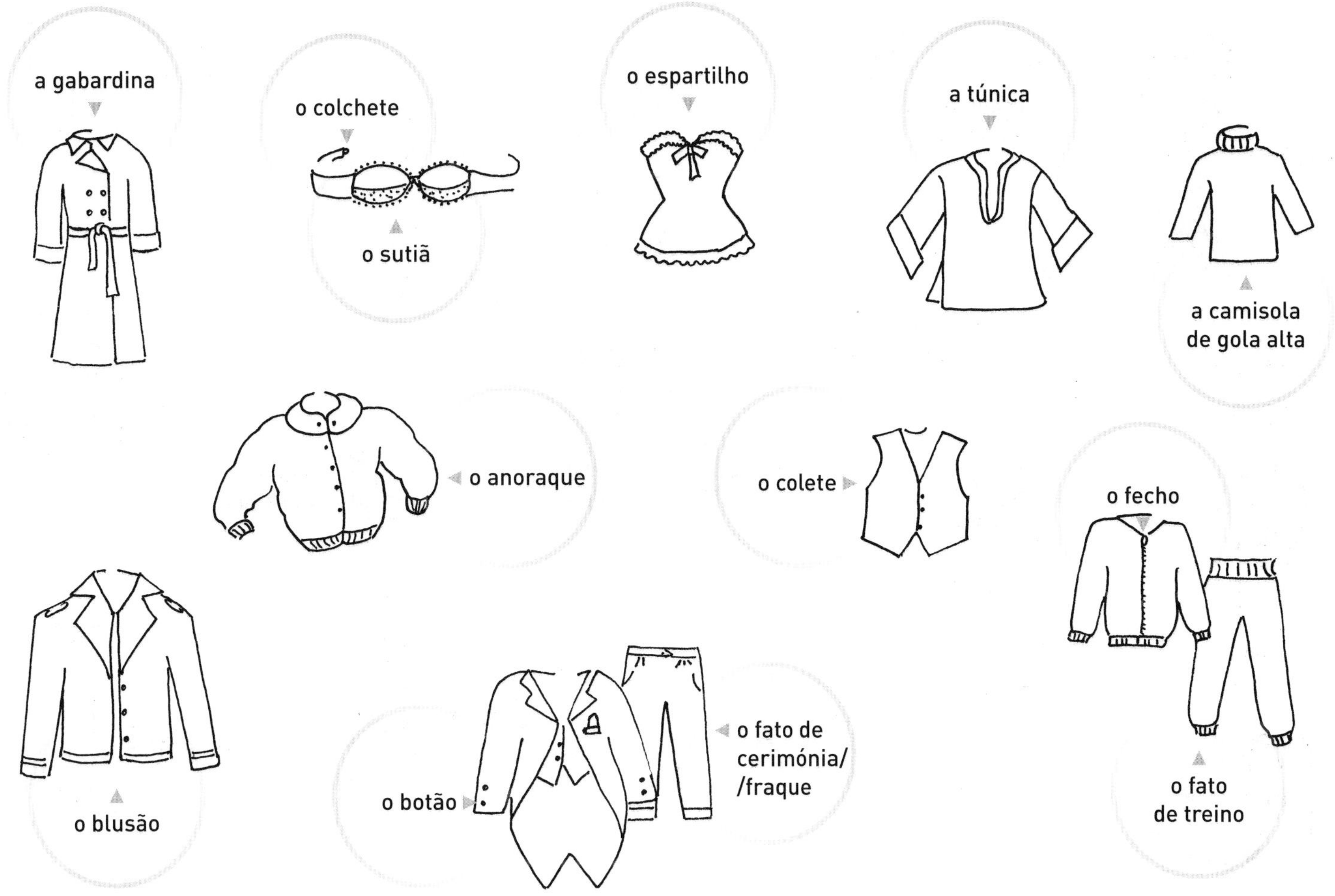
a gabardina
o colchete
o sutiã
o espartilho
a túnica
a camisola de gola alta
o anoraque
o colete
o fecho
o fato de treino
o blusão
o botão
o fato de cerimónia/ /fraque

Peças de vestuário

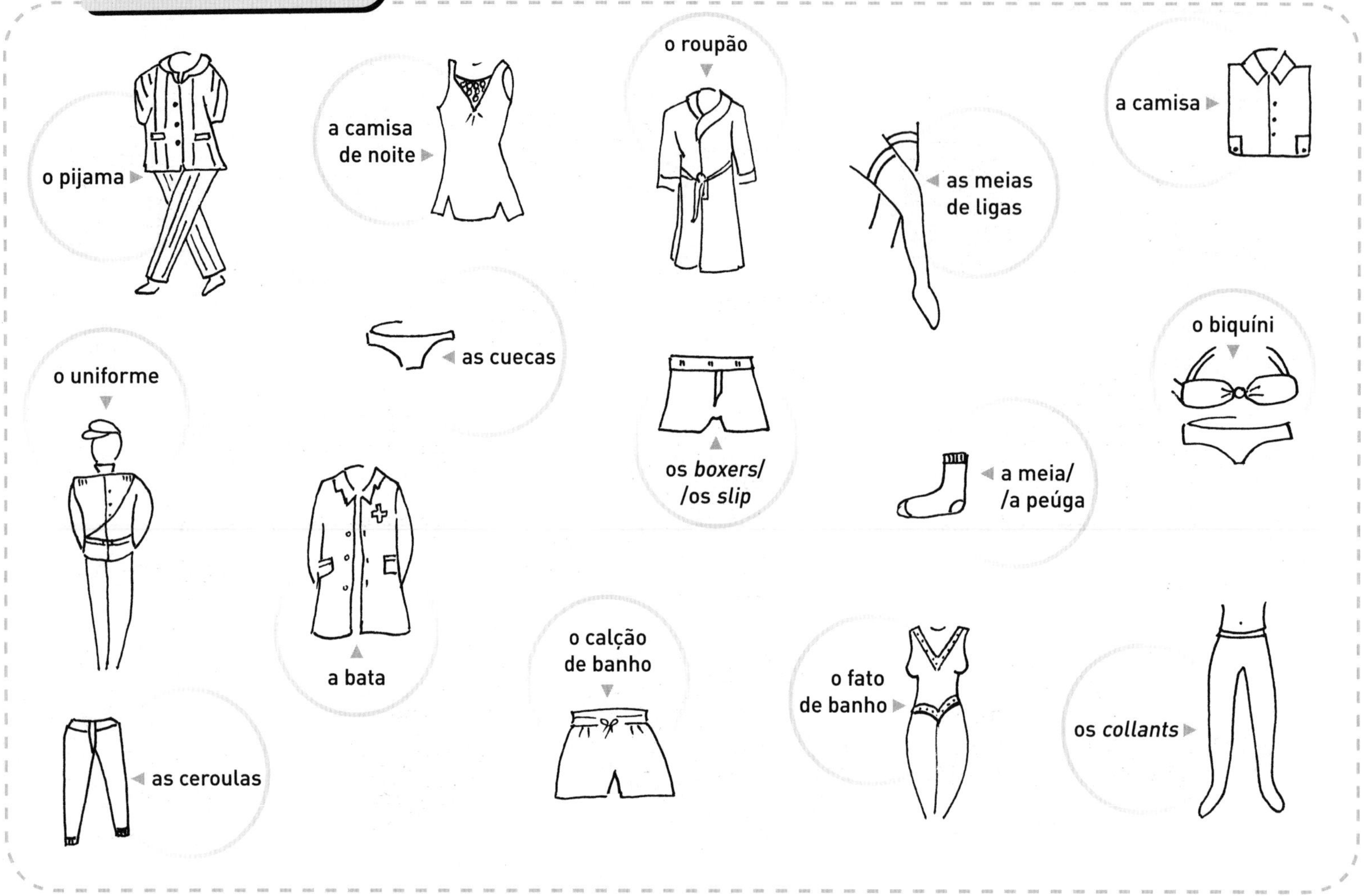
o pijama
a camisa de noite
o roupão
as meias de ligas
a camisa
as cuecas
os *boxers*/ /os *slip*
o biquíni
a meia/ /a peúga
o uniforme
a bata
o calção de banho
o fato de banho
os *collants*
as ceroulas

Acessórios

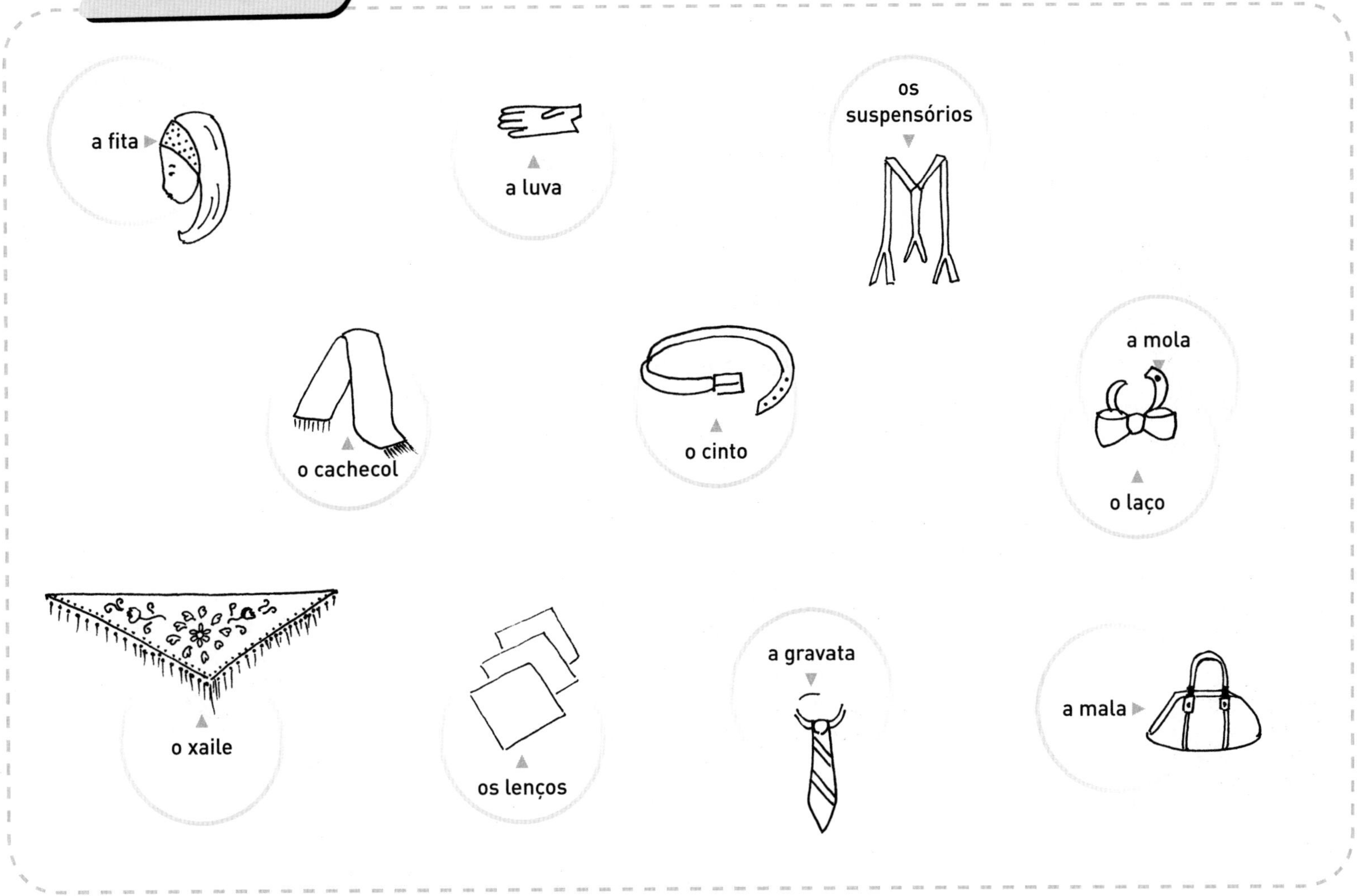
a fita
a luva
os suspensórios
o cachecol
o cinto
a mola
o laço
o xaile
os lenços
a gravata
a mala

Calçado

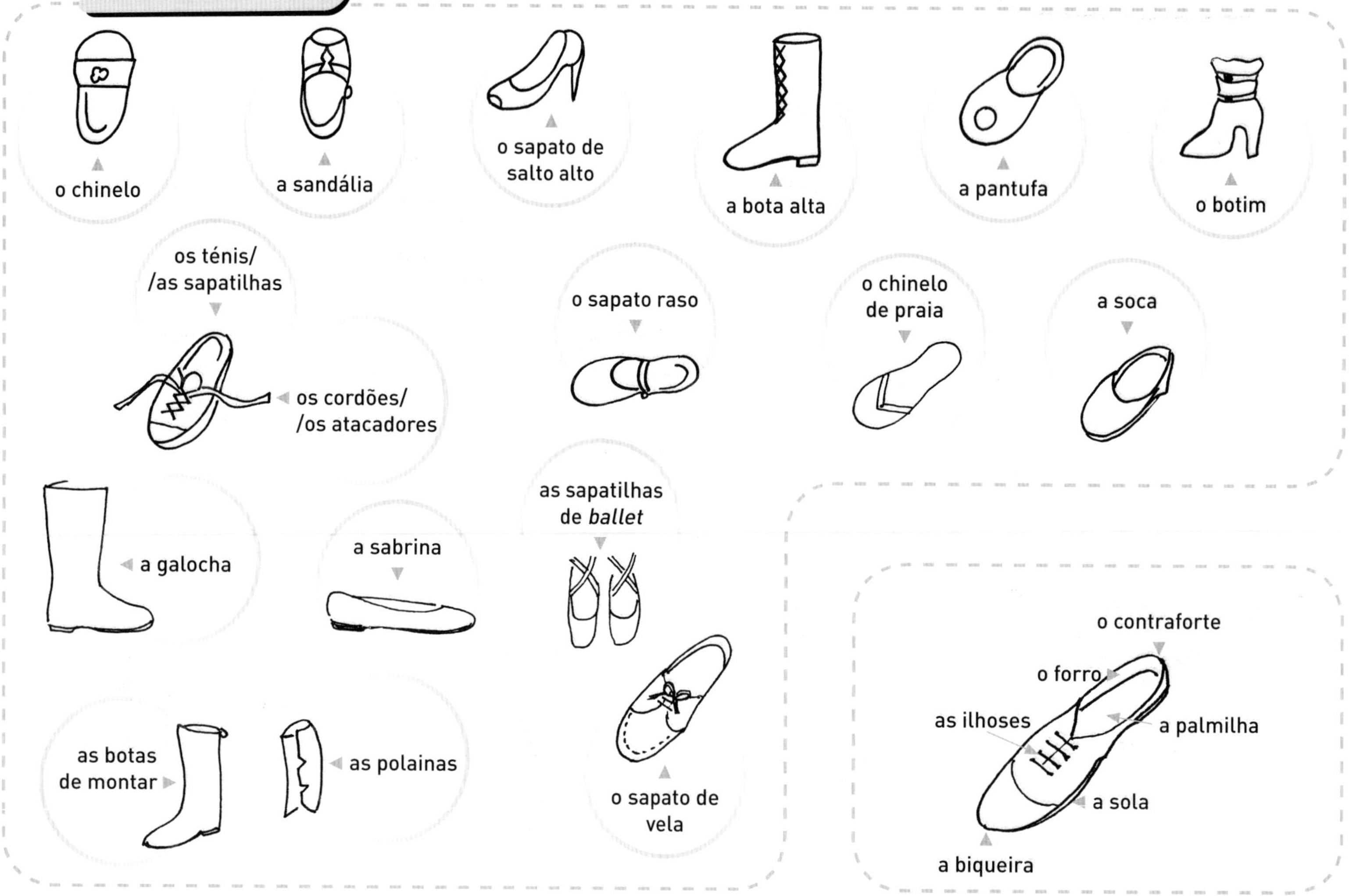
o chinelo
a sandália
o sapato de salto alto
a bota alta
a pantufa
o botim
os ténis/ /as sapatilhas
os cordões/ /os atacadores
o sapato raso
o chinelo de praia
a soca
a galocha
a sabrina
as sapatilhas de *ballet*
o contraforte
o forro
as ilhoses
a palmilha
a sola
a biqueira
as botas de montar
as polainas
o sapato de vela

Chapéus

o chapéu de feltro

o chapéu de palha

o boné

a touca

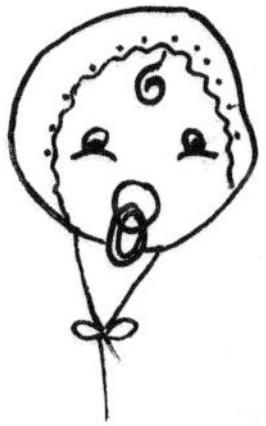

a cartola

o barrete

a touca

a touca

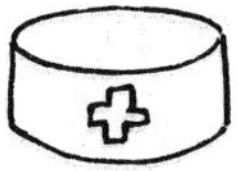

o chapéu de coco

a boina

o gorro

Padrões

às riscas
às pintas
às bolas
aos quadrados
aos corações
às flores
às cornucópias
liso
xadrez

AS CORES

As cores

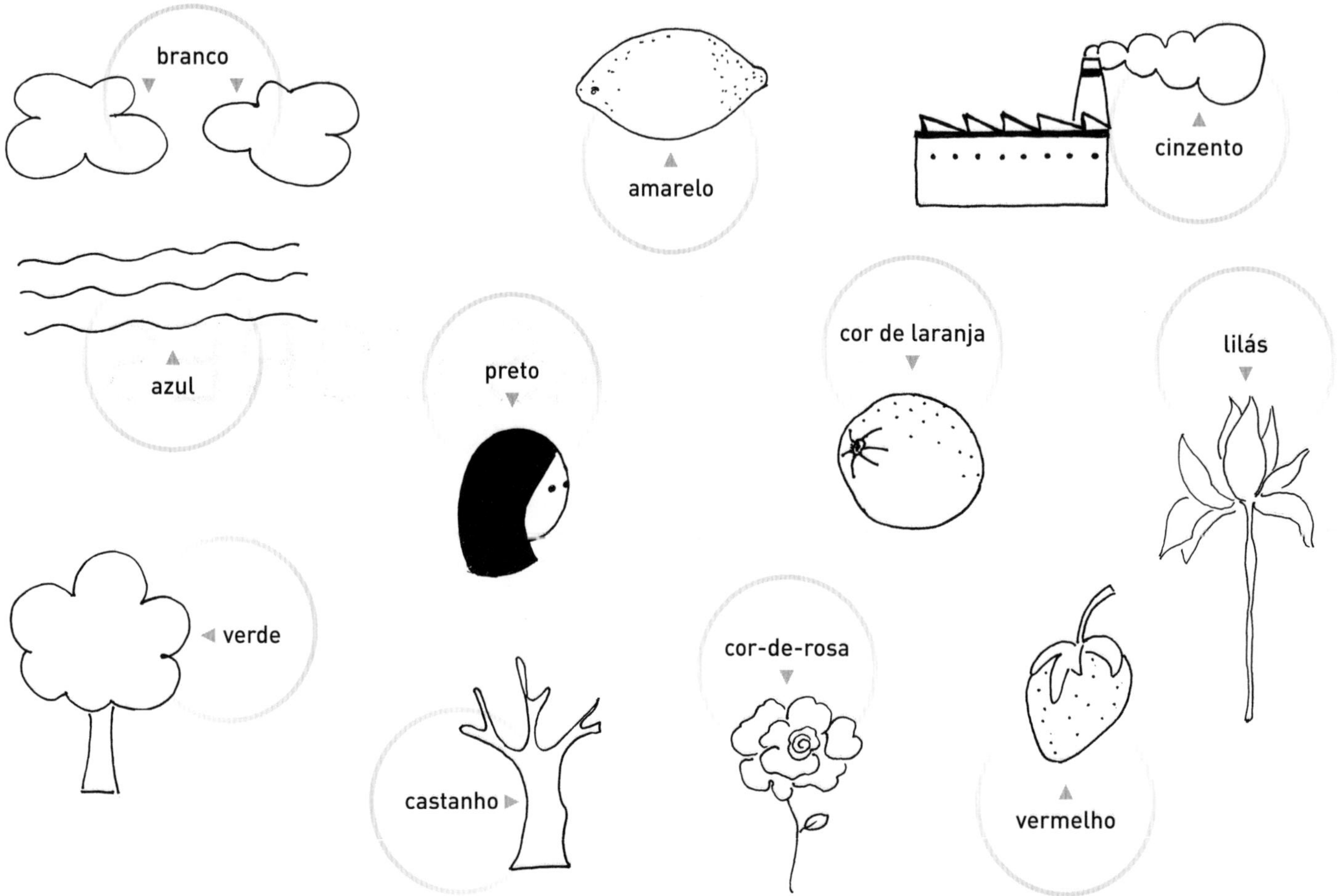
branco
amarelo
cinzento
azul
preto
cor de laranja
lilás
verde
cor-de-rosa
castanho
vermelho

AS PROFISSÕES

As profissões

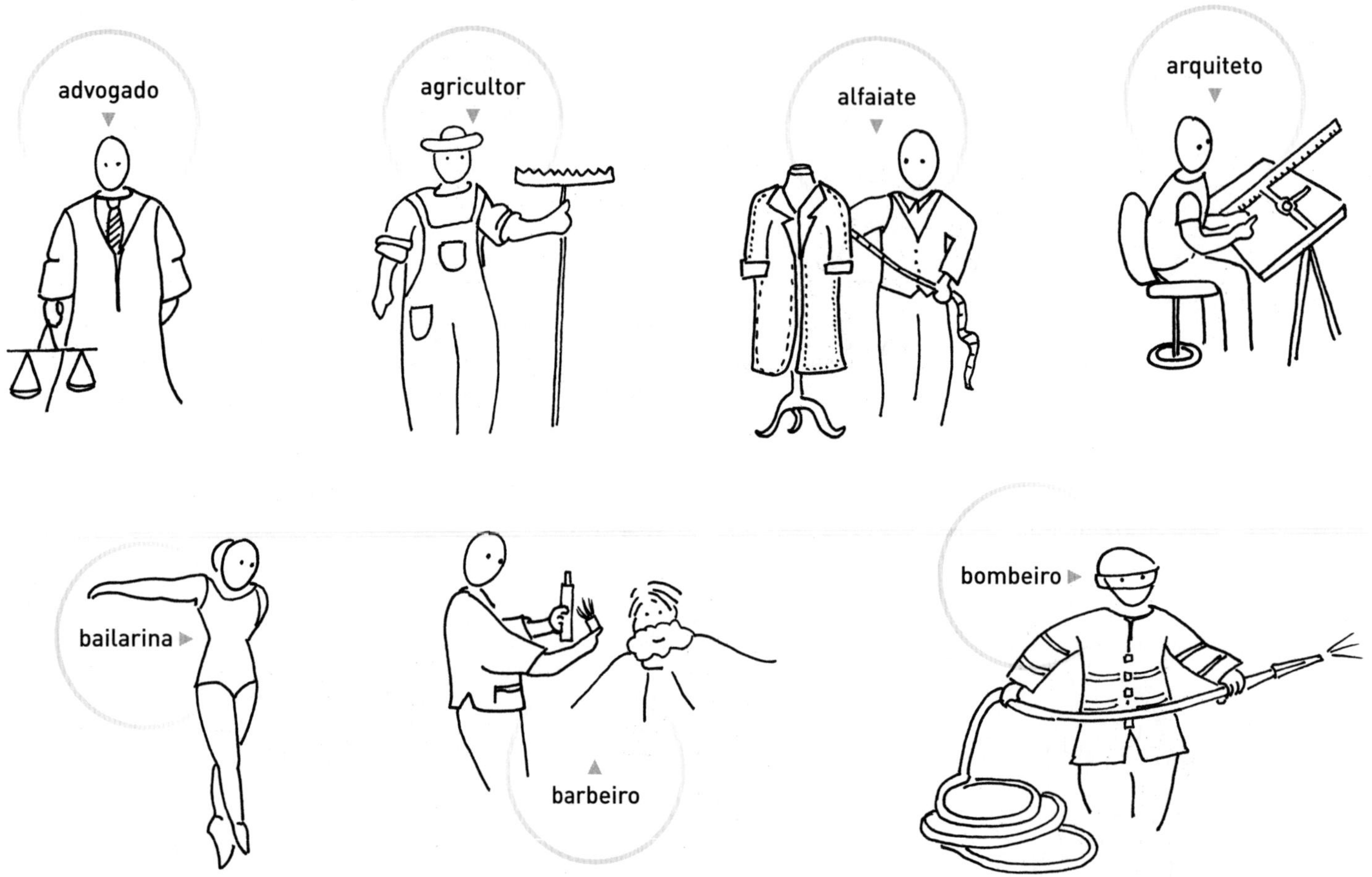

As profissões

cabeleireira

camareira

canalizador

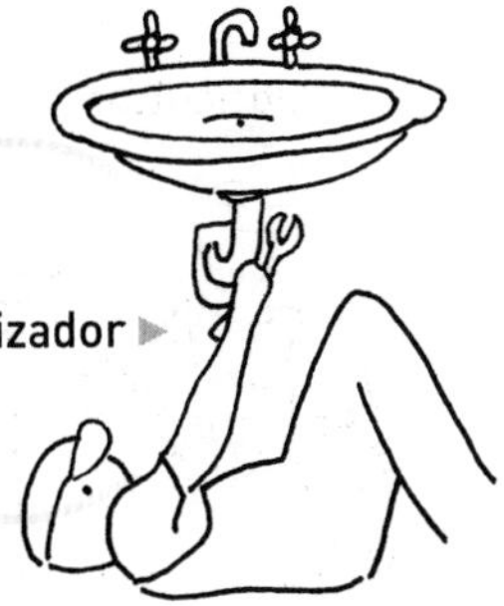

cantor

carpinteiro

carteiro

cientista

As profissões

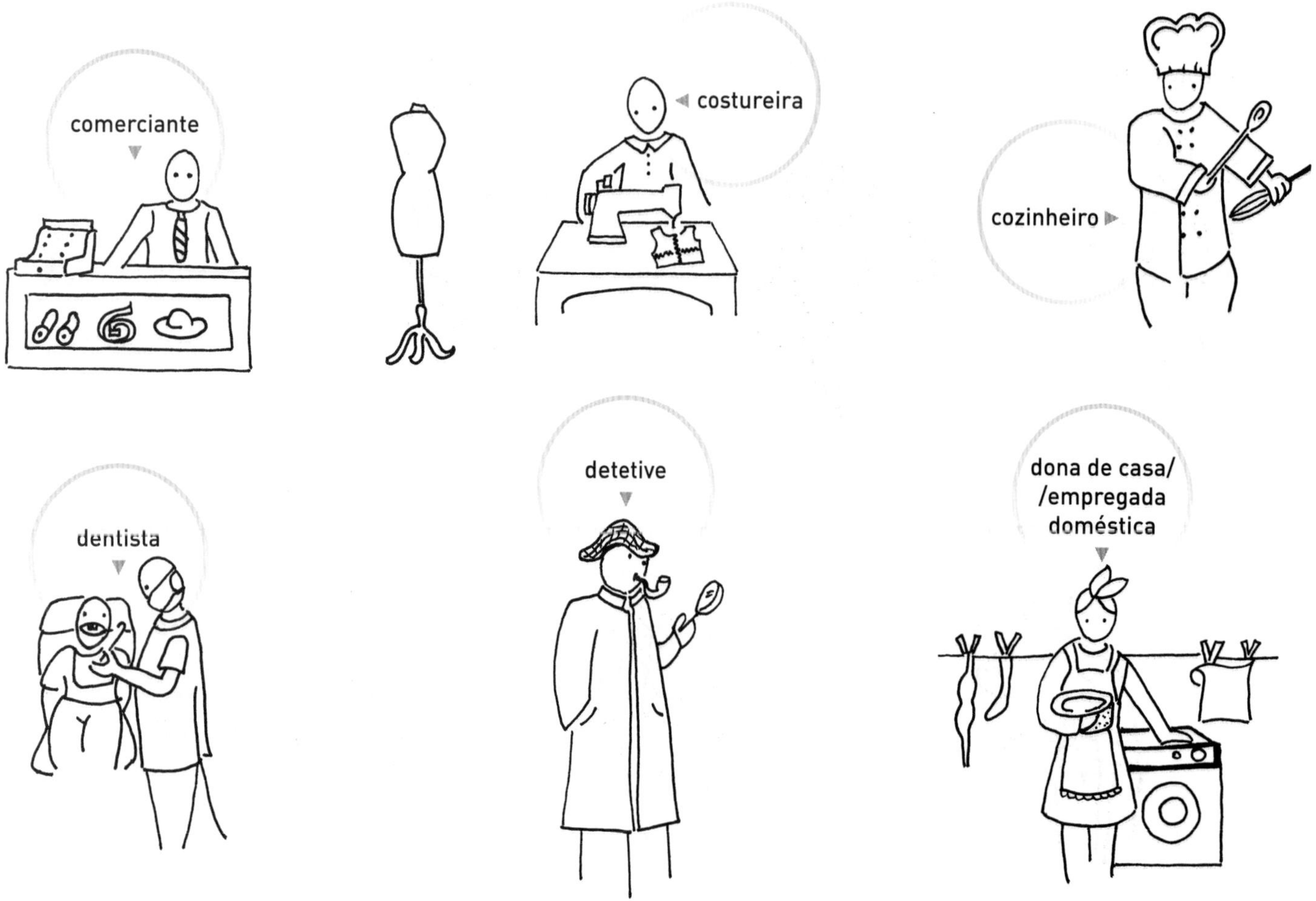

As profissões

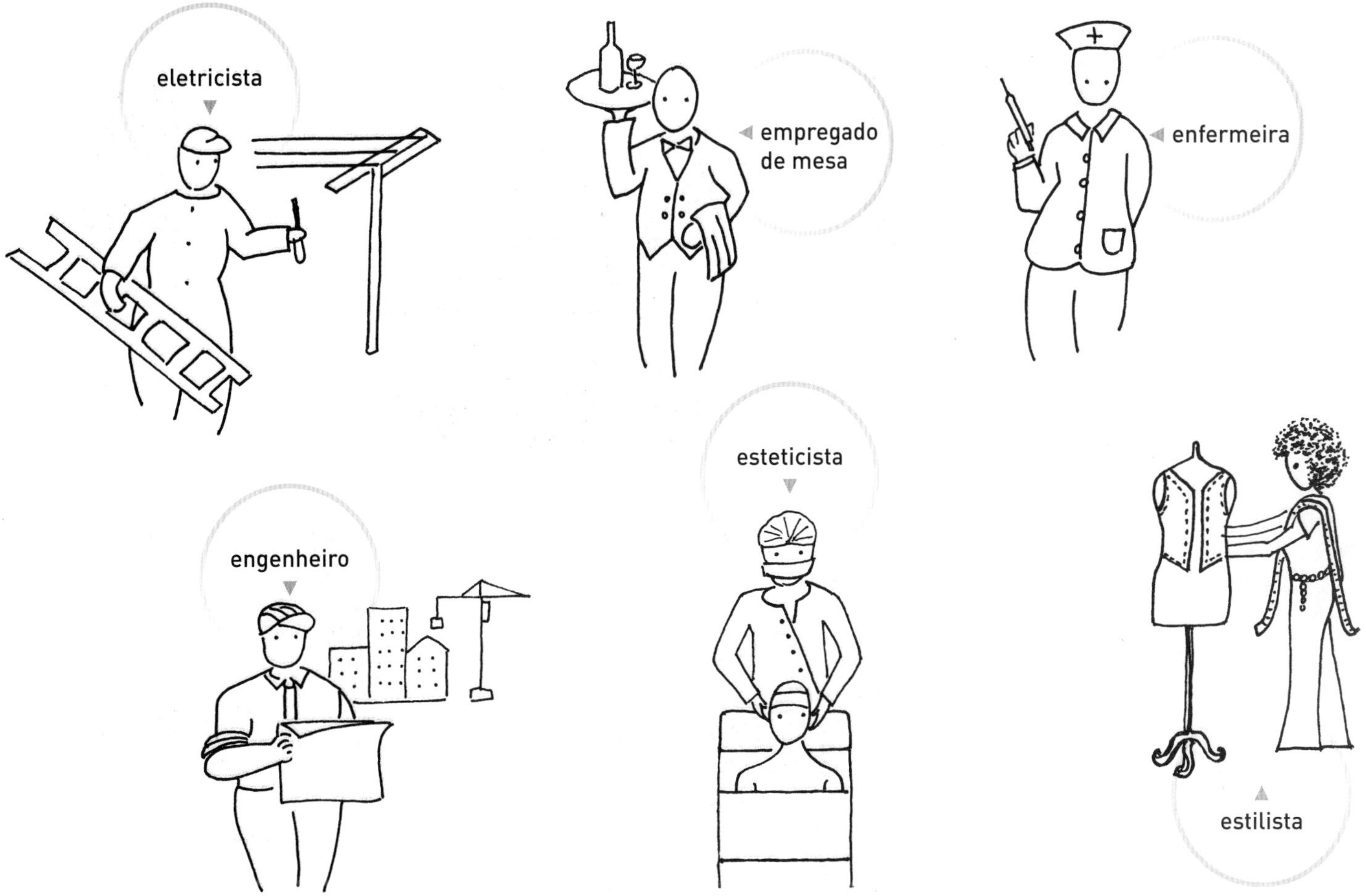

As profissões

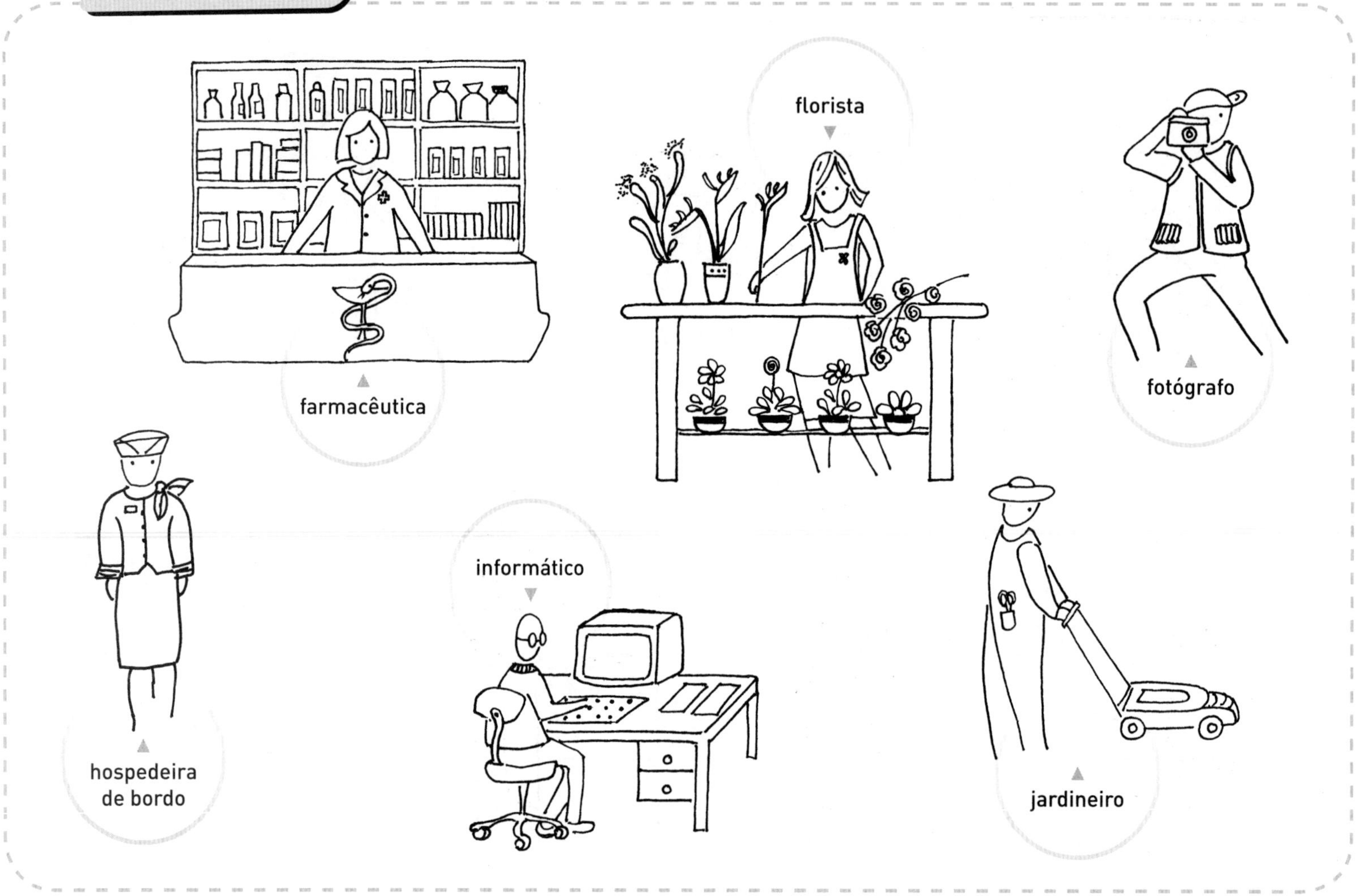

As profissões

As profissões

motorista

músico

oleiro

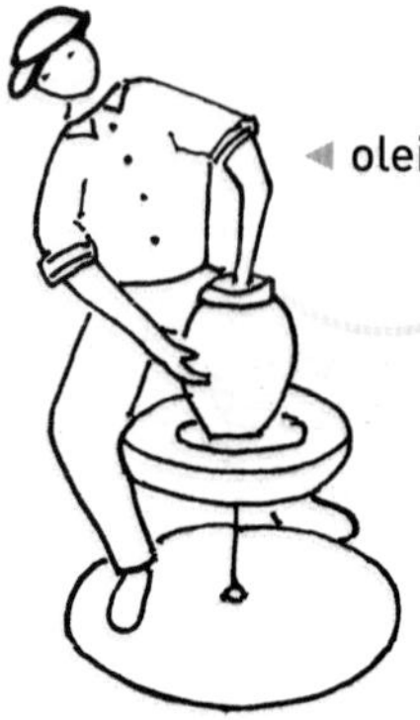

padeiro

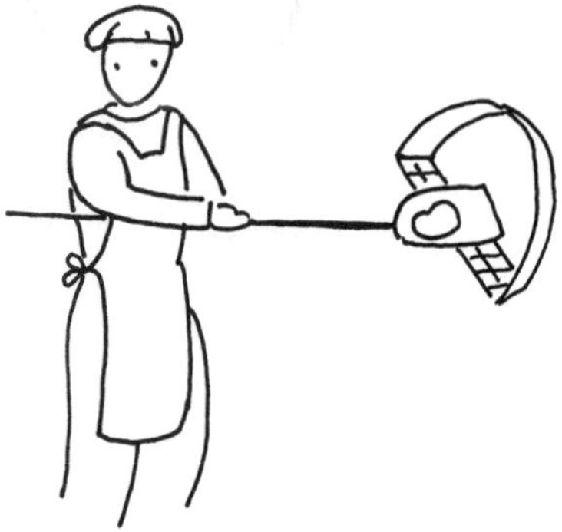

pasteleiro

pedreiro

As profissões

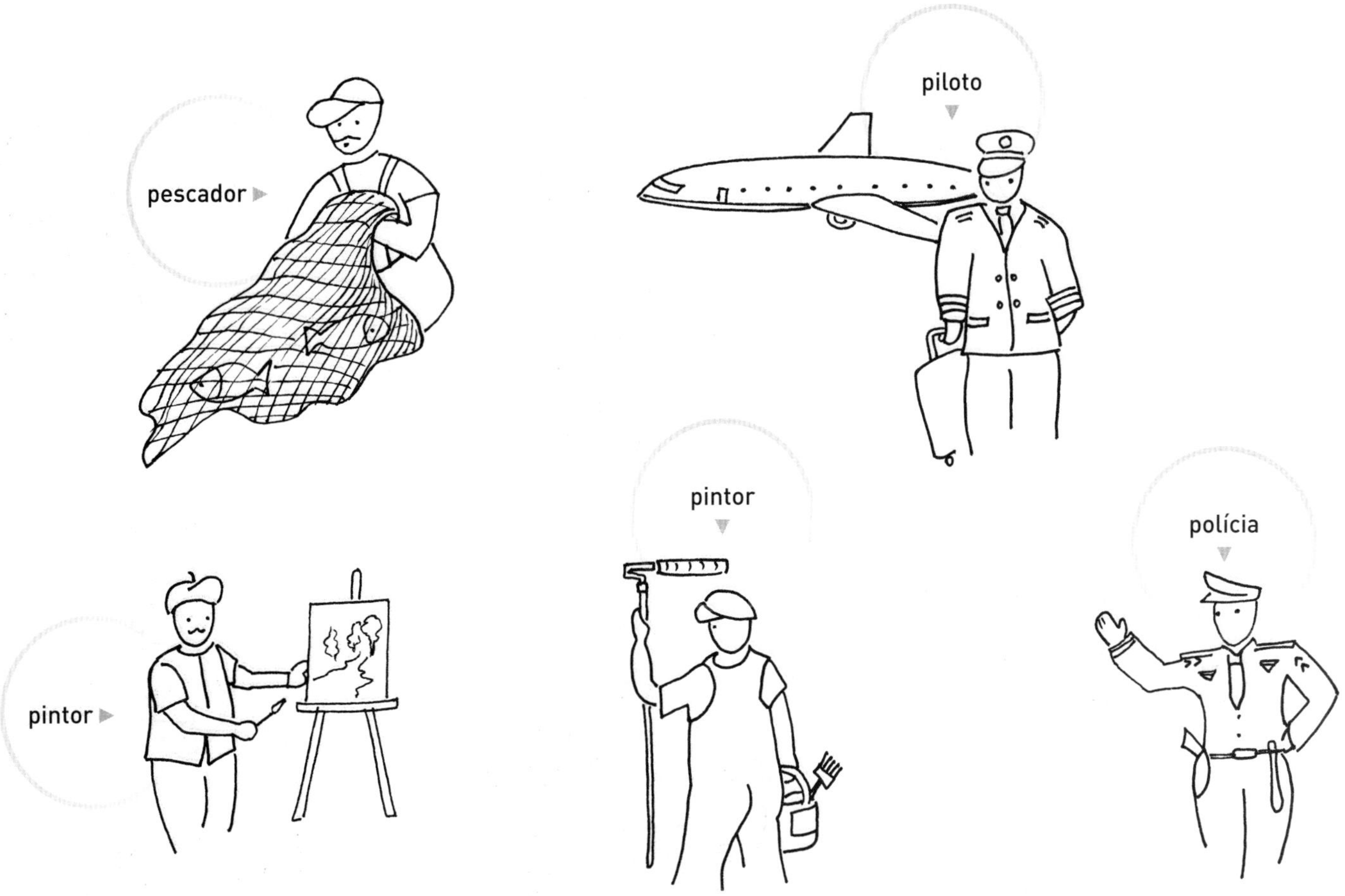

As profissões

professor

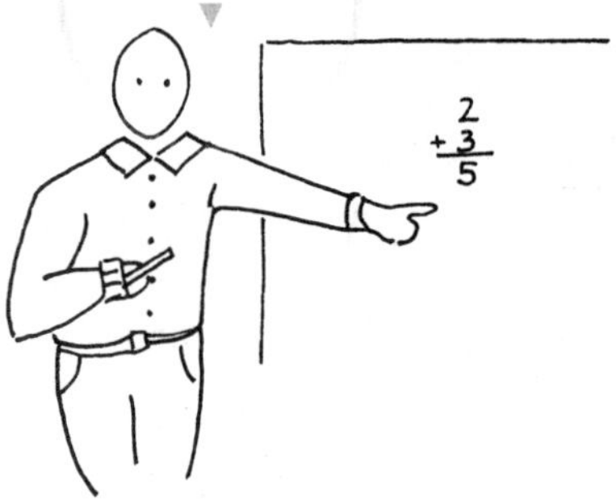

repórter

sapateiro

serralheiro

taxista

veterinário

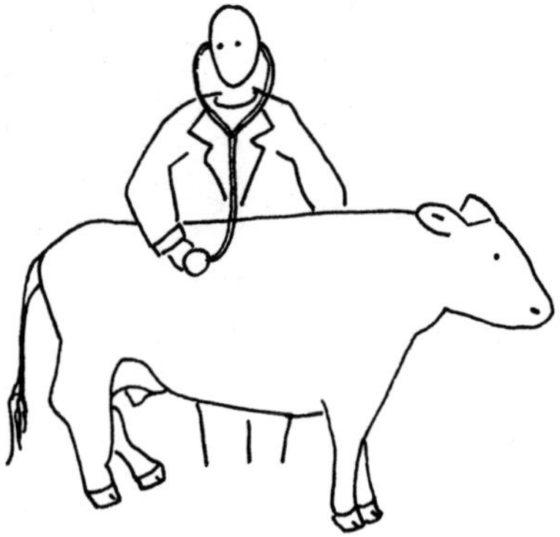

OS MEIOS DE TRANSPORTE

Terrestres

o autocarro

o carro/
/o automóvel

o camião

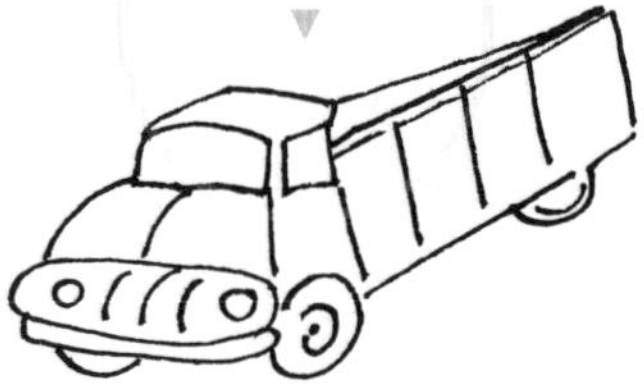

O carro

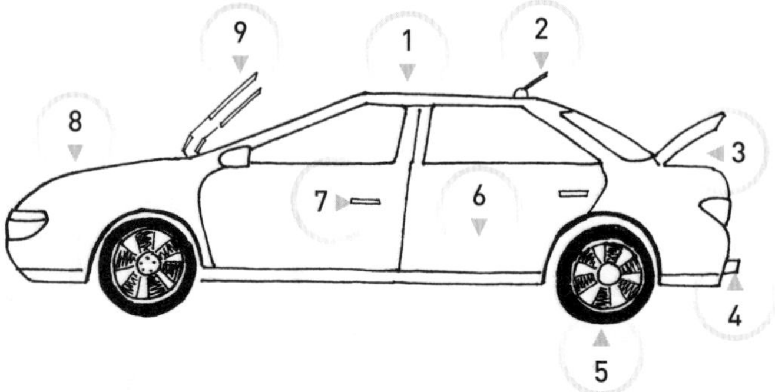

1. o tejadilho
2. a antena
3. o porta-bagagens/
   /a mala
4. o tubo de escape
5. a roda
6. a porta
7. o fecho
8. o capô
9. o limpa-para-brisas

a roda

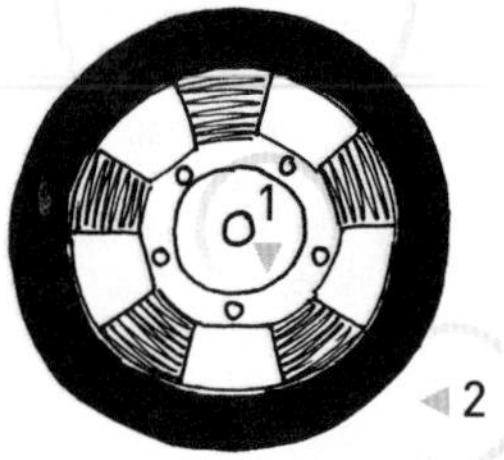

1. a jante
2. o pneu

a frente
do carro

1. o para-brisas
2. o espelho retrovisor
3. o para-choques
4. a grelha
5. os faróis

a traseira
do carro

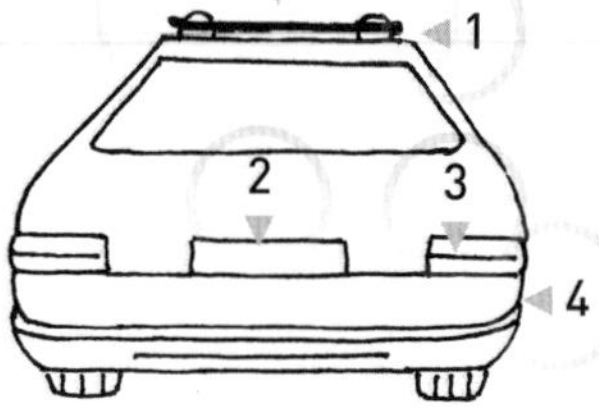

1. o porta-bagagens no
   tejadilho
2. a matrícula
3. o farolim
4. o guarda-lamas

Terrestres

o comboio

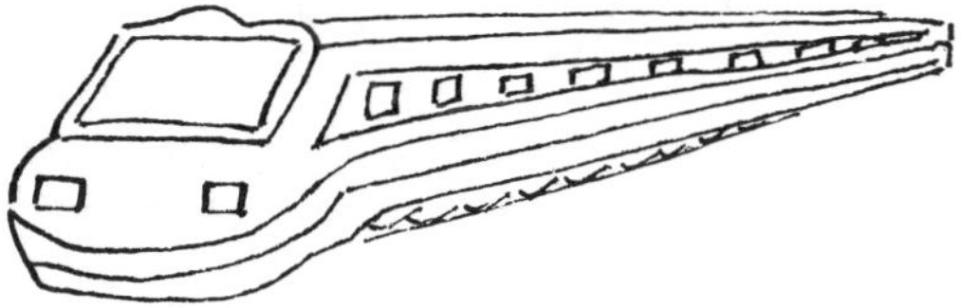

o metropolitano

o elétrico

a motocicleta/
/a mota

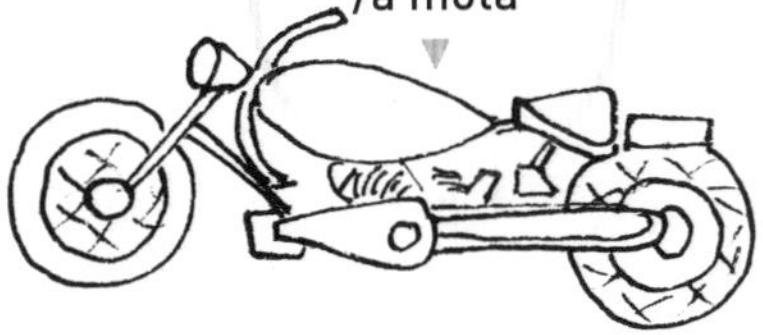

a lambreta/
/a vespa

a bicicleta

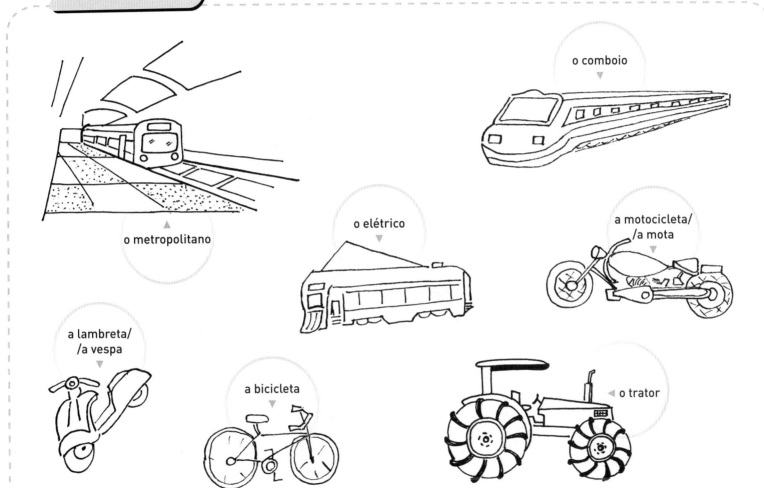

o trator

Na estação ferroviária/dos comboios

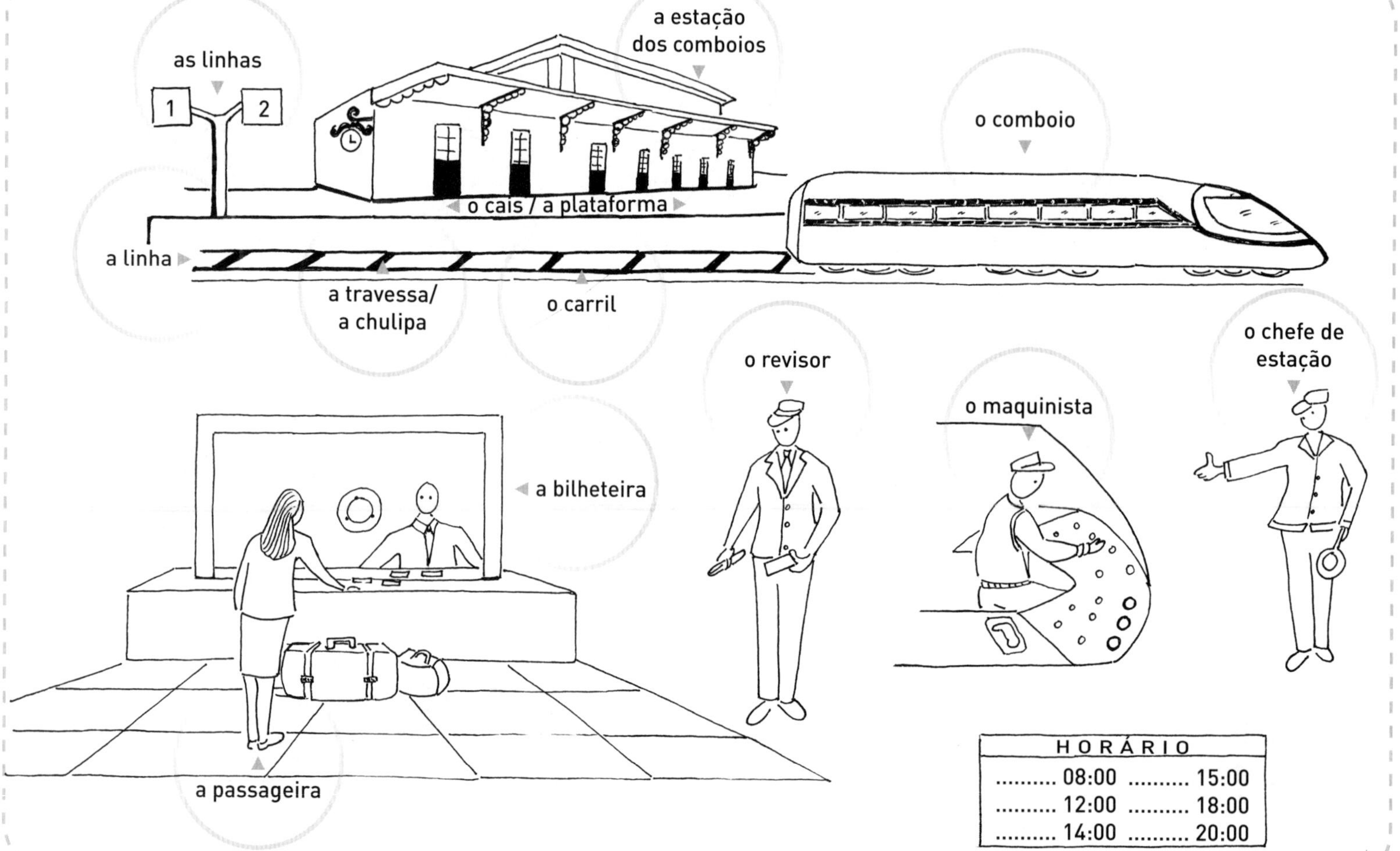
as linhas
1
2
a estação dos comboios
o comboio
o cais / a plataforma
a linha
a travessa/ a chulipa
o carril
o revisor
o chefe de estação
o maquinista
a bilheteira
a passageira

HORÁRIO	
.... 08:00	.... 15:00
.... 12:00	.... 18:00
.... 14:00	.... 20:00

Aquáticos

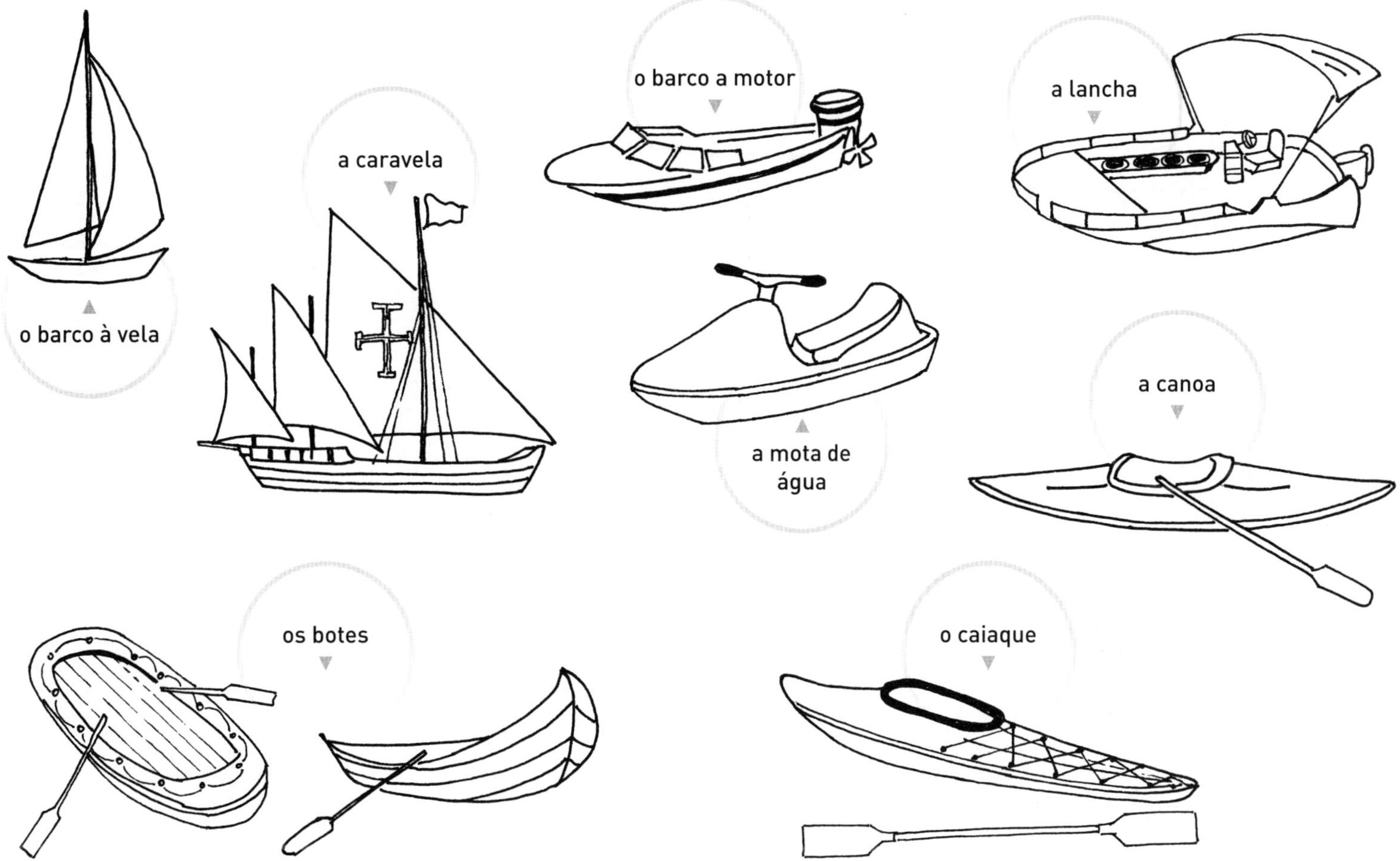
o barco à vela
a caravela
o barco a motor
a lancha
a mota de água
a canoa
os botes
o caiaque

Aquáticos

o galeão

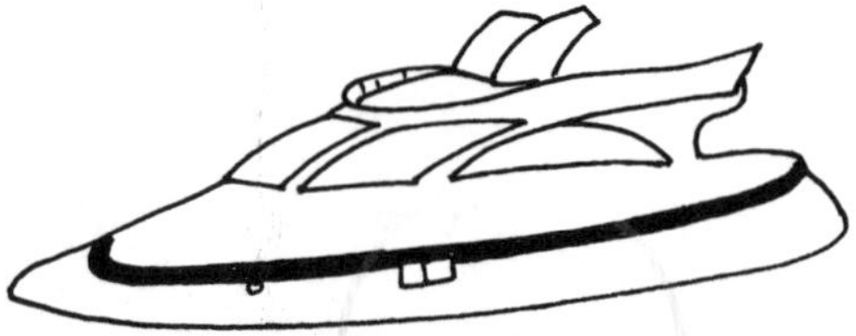

o iate

a nau

o navio

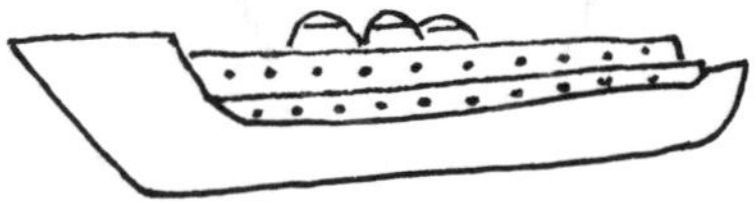

o petroleiro

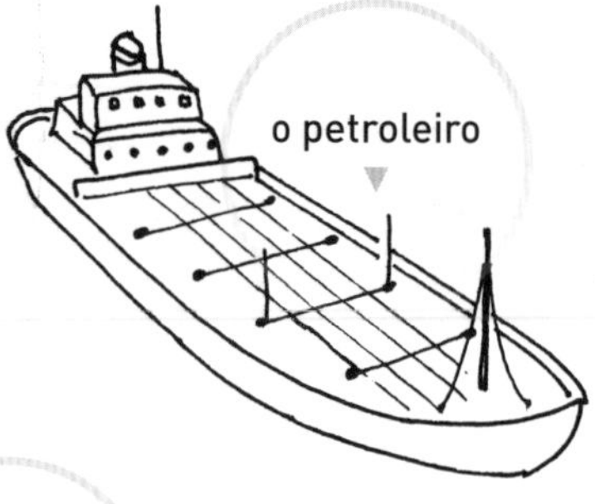

o porta-aviões

o submarino

a traineira

No navio

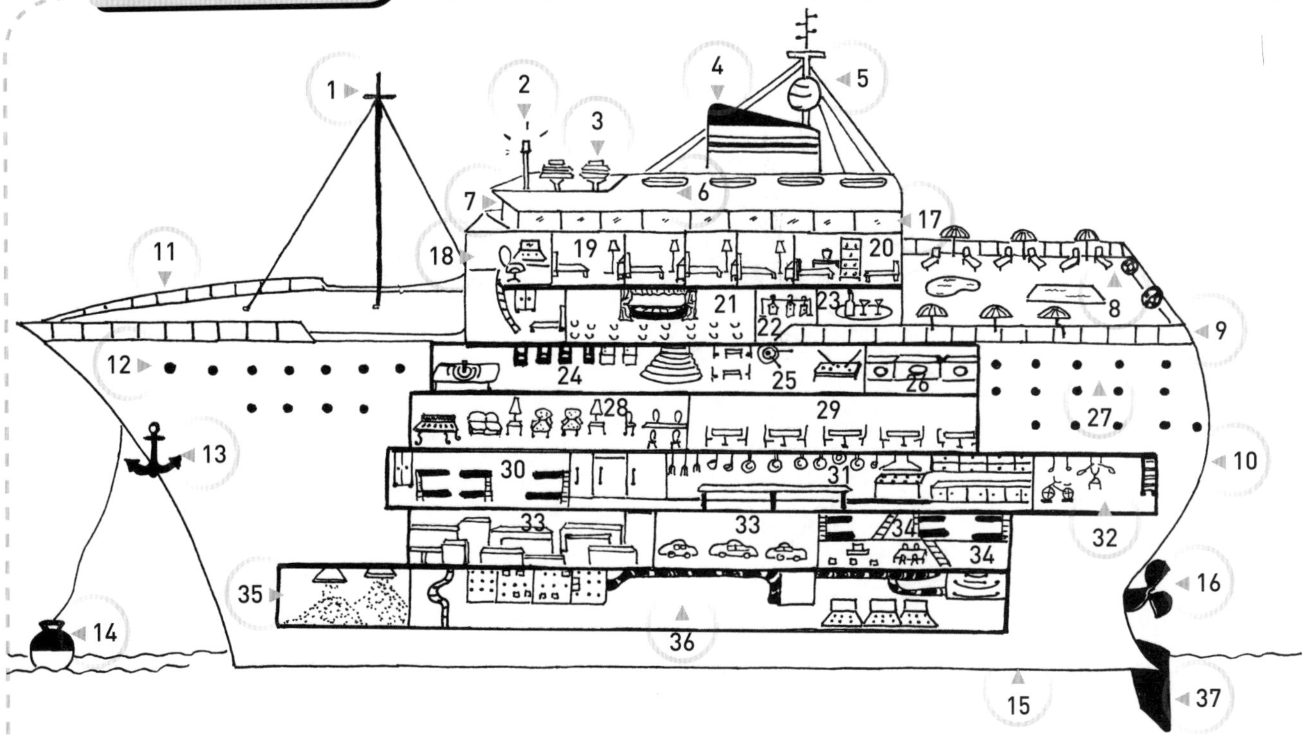

1. o mastro
2. a lâmpada de morse
3. as antenas de radar
4. a chaminé
5. o radar
6. os botes de salvamento
7. o timoneiro
8. o convés/*deck*
9. a amurada
10. a popa
11. a proa
12. as vigias
13. a âncora
14. a boia
15. a quilha
16. a hélice
17. as varandas envidraçadas
18. o camarote do comandante
19. os camarotes de 1.ª classe
20. o gabinete médico/enfermaria
21. a sala de espetáculos/cinema
22. o camarim
23. o bar
24. o casino
25. o salão de jogos
26. a lavandaria
27. os camarotes de 2.ª classe
28. o salão
29. o restaurante
30. os camarotes de 3.ª classe
31. a cozinha
32. o ginásio
33. a carga
34. o camarote da tripulação
35. a sala de reciclagem do lixo
36. a sala das máquinas
37. o leme

Aéreos

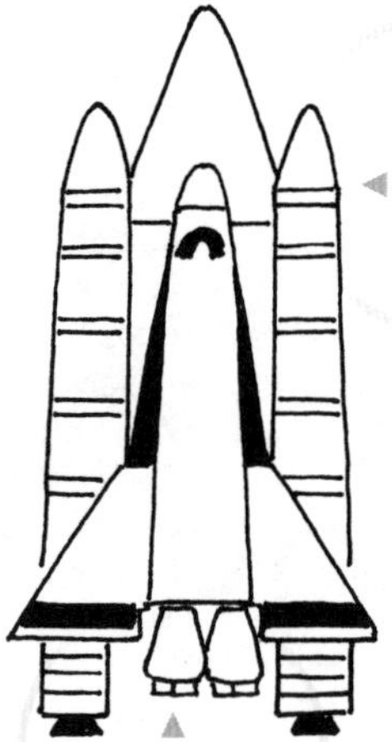

o foguete

a nave espacial

a avioneta

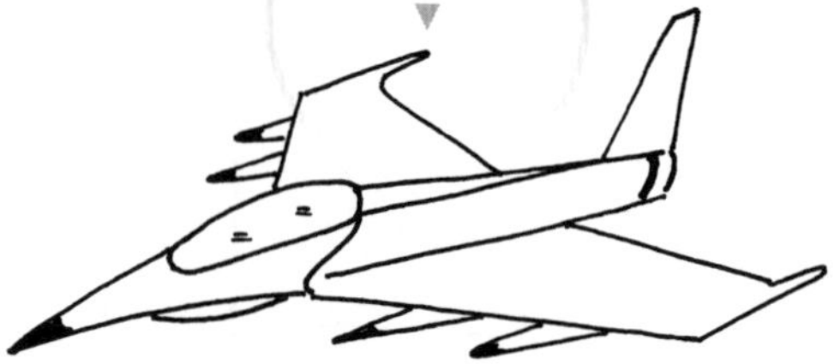

o caça

o balão

o avião

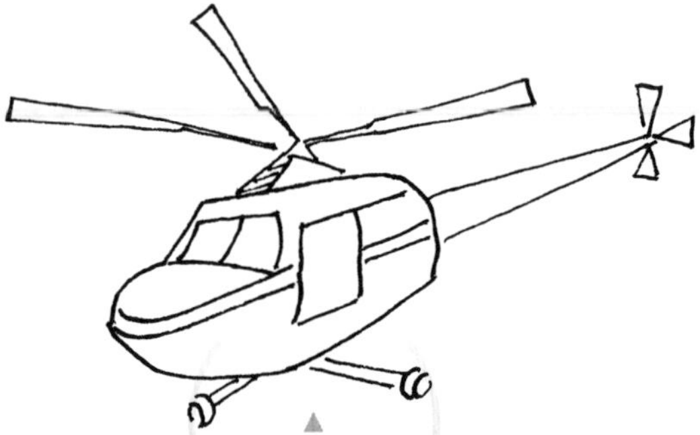

o helicóptero

OS DESPORTOS

Os desportos

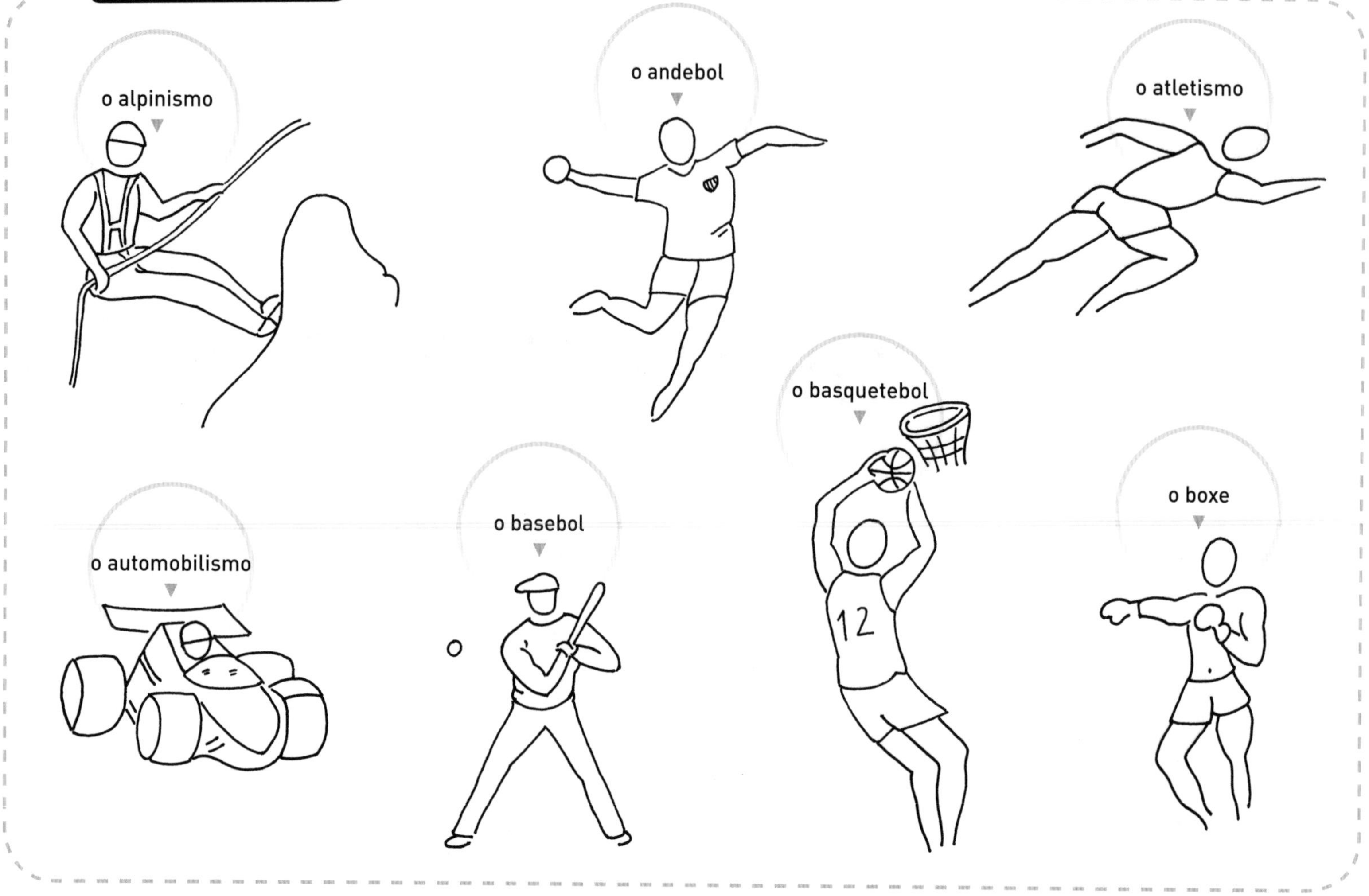

Os desportos

Os desportos

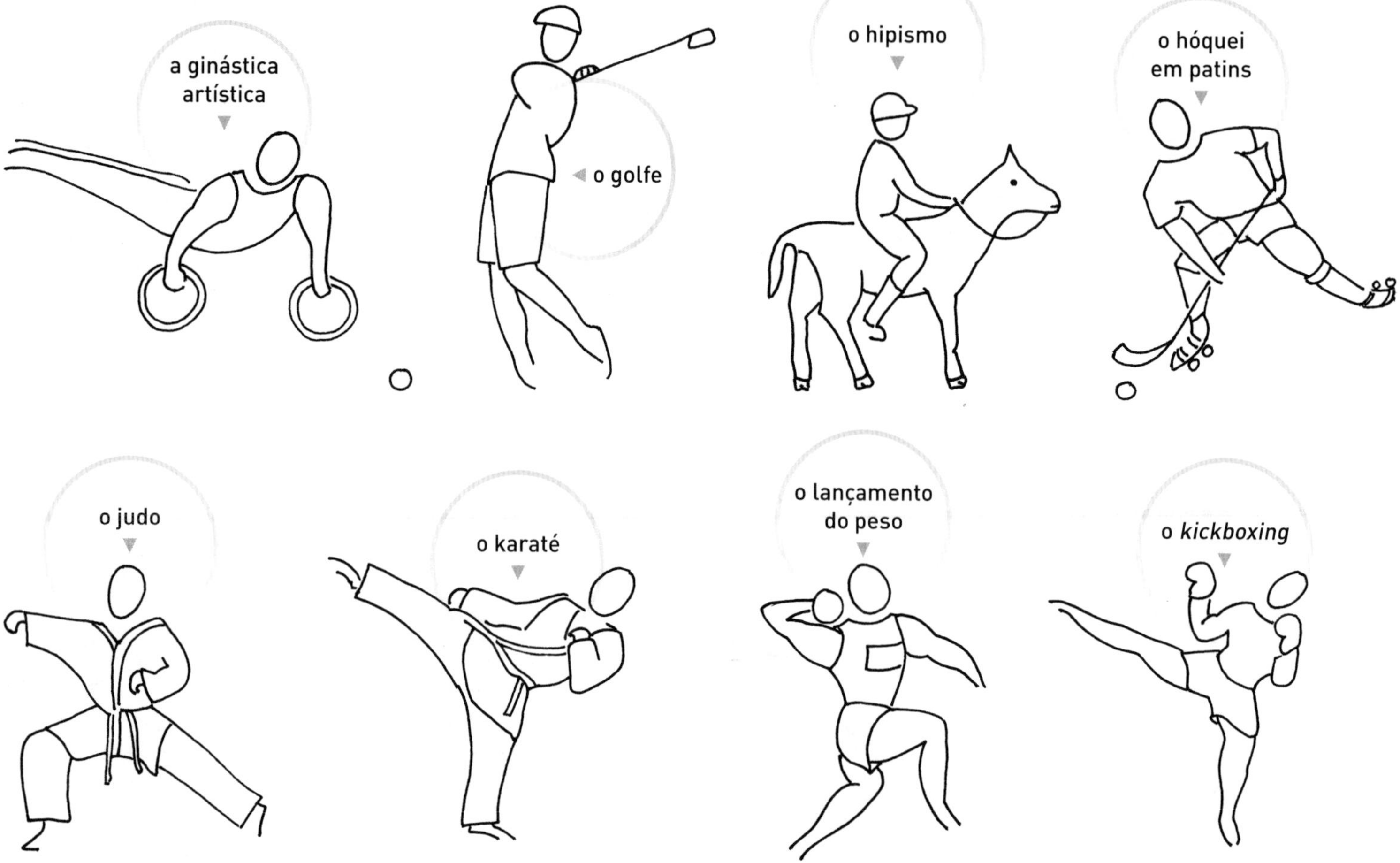

Os desportos

o motociclismo

a natação

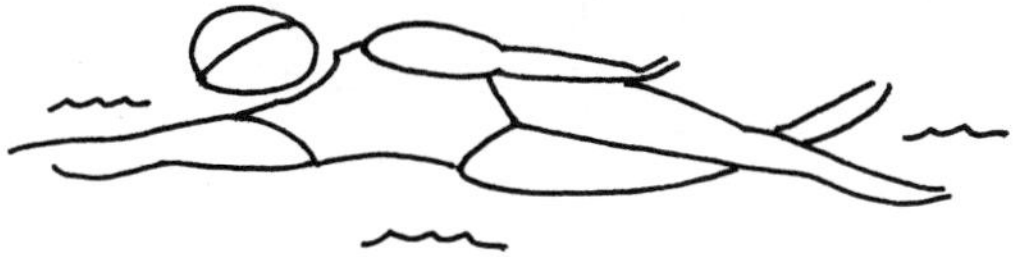

a natação sincronizada

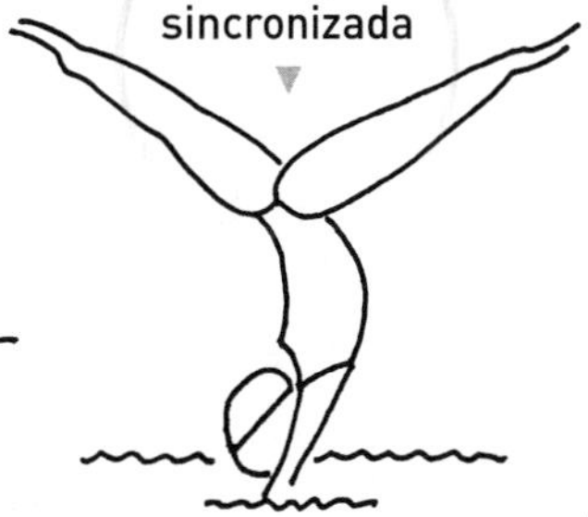

o parapente

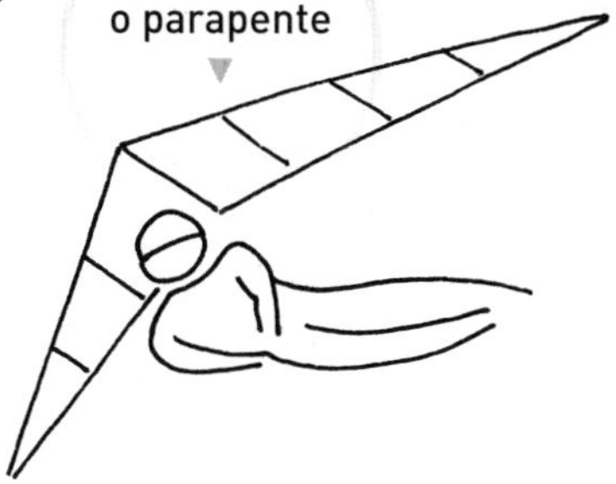

o paraquedismo

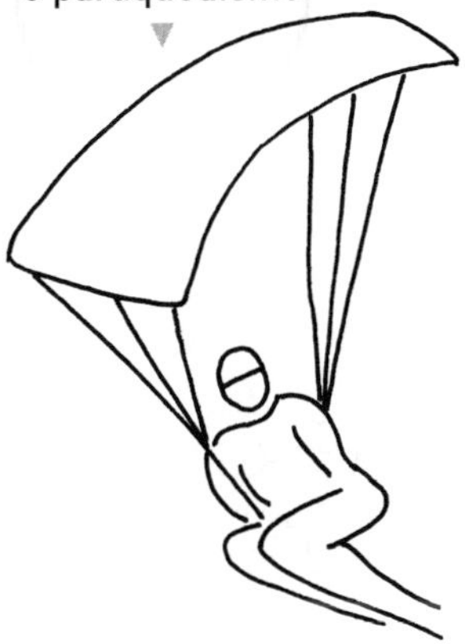

a patinagem artística (no gelo)

o polo aquático

o râguebi

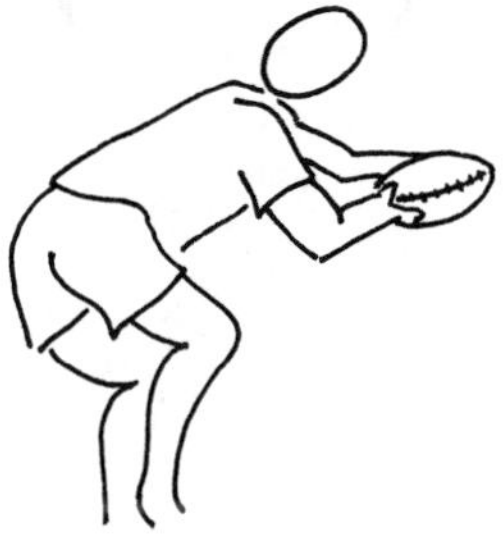

Os desportos

o salto
à vara

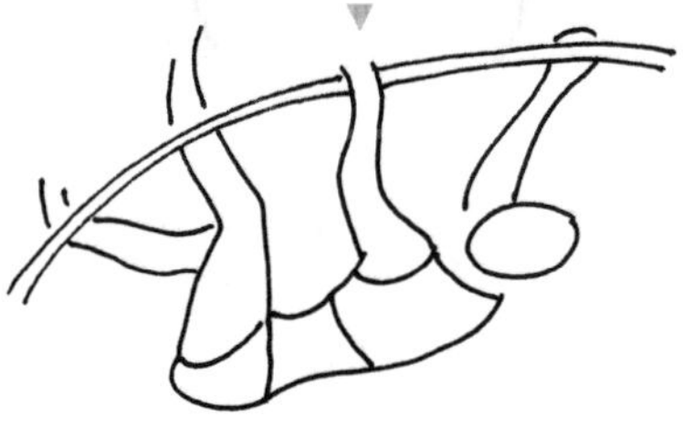

o salto
em altura

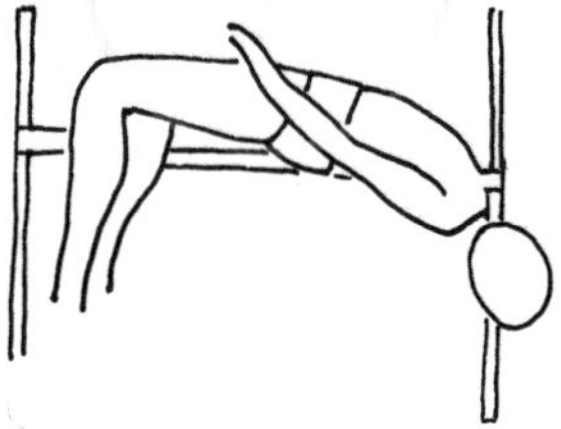

o salto em
comprimento

os saltos
para a água

o ténis

o ténis de mesa/
/pingue-pongue

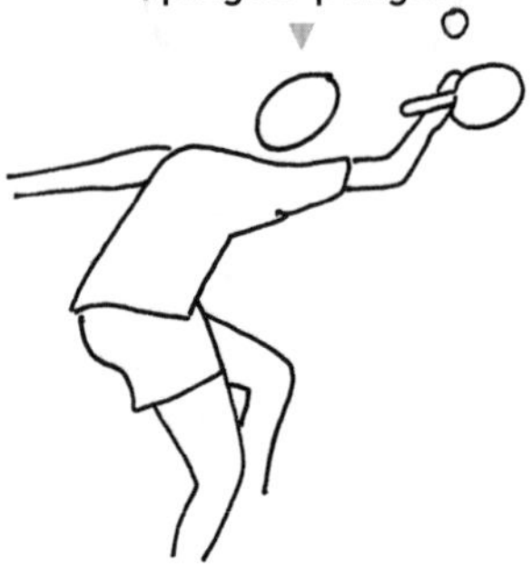

a vela

o voleibol

O TEMPO

Os meses do ano

janeiro

fevereiro

março

abril

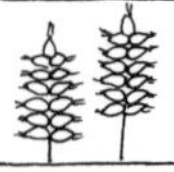
maio

junho

julho

agosto

setembro

outubro

novembro

dezembro

O calendário

JANEIRO						
domingo	segunda	terça	quarta	quinta	sexta	sábado
		F	2	3	4	5
6	7	8	9	10	11	12
13	14	15	16	17	18	19
20	21	22	23	24	25	26
27	28	29	30	31		

As fases da lua

a lua nova

o quarto crescente

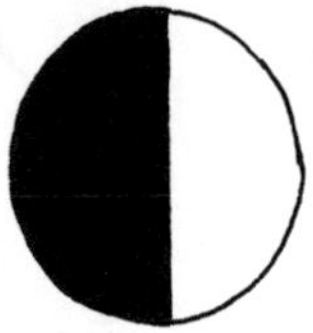

a lua cheia

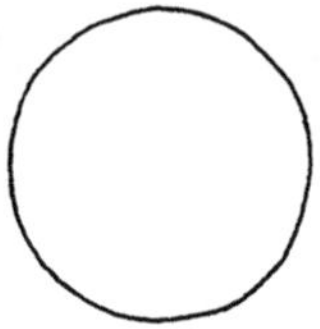

o quarto minguante

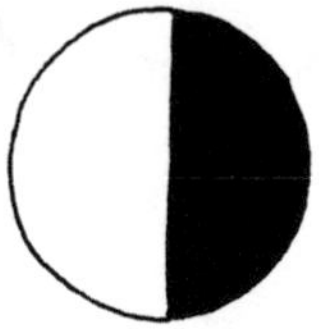

em ponto

e cinquenta e cinco
ou menos cinco

e cinco

e cinquenta
ou menos dez

e dez

e quarenta e cinco
ou menos um quarto
ou menos quinze
ou um quarto para

e um quarto
ou
e quinze

e quarenta
ou menos vinte

e vinte

e trinta e cinco
ou menos
vinte e cinco

e vinte e cinco

e trinta
ou
e meia

12 **1** **2** **3** **4** **5** **6** **7** **8** **9** **10** **11**

onze horas
23 horas

dez horas
22 horas

nove horas
21 horas

oito horas
20 horas

sete horas
19 horas

seis horas
18 horas

cinco horas
17 horas

quatro horas
16 horas

três horas
15 horas

duas horas
14 horas

uma hora
13 horas

12 horas
meio-dia

meia-noite
24 horas

o ponteiro
dos segundos

o ponteiro
dos minutos

o ponteiro
das horas

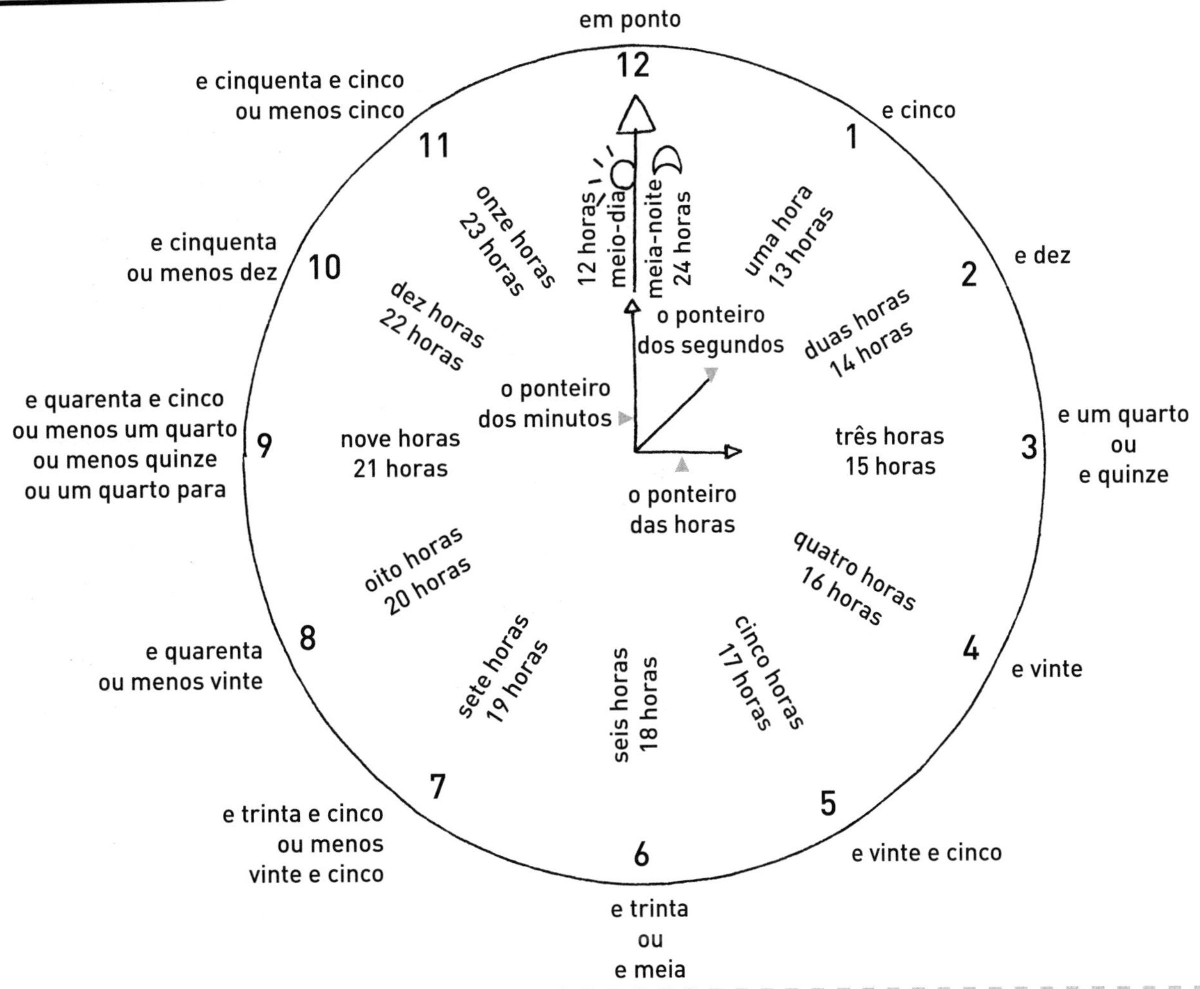

Que horas são?

são 2 horas
são 14 horas

são 12 horas
é meio-dia
é meia-noite

é 1 hora e 15 minutos
é 1 e um quarto
são 13 horas e 15 minutos

é 1 hora e 20 minutos
são 13 horas e 20 minutos

é 1 e meia
é 1 hora e 30 minutos
são 13 horas e 30 minutos

são 25 para as 2
é 1 hora e 35 minutos
são 13 horas e 35 minutos

são 20 para as 2
é 1 hora e 40 minutos
são 13 horas e 40 minutos

são 2 menos 15
é 1 hora e 45 minutos
são 13 horas e 45 minutos

são 10 para as 2
são 2 horas menos 10 minutos
é 1 hora e 50 minutos

são 5 para as 2
são 2 horas menos 5 minutos
é 1 hora e 55 minutos

é meio-dia e meia
são 12 e 30 minutos
é meia noite e meia

Fenómenos naturais

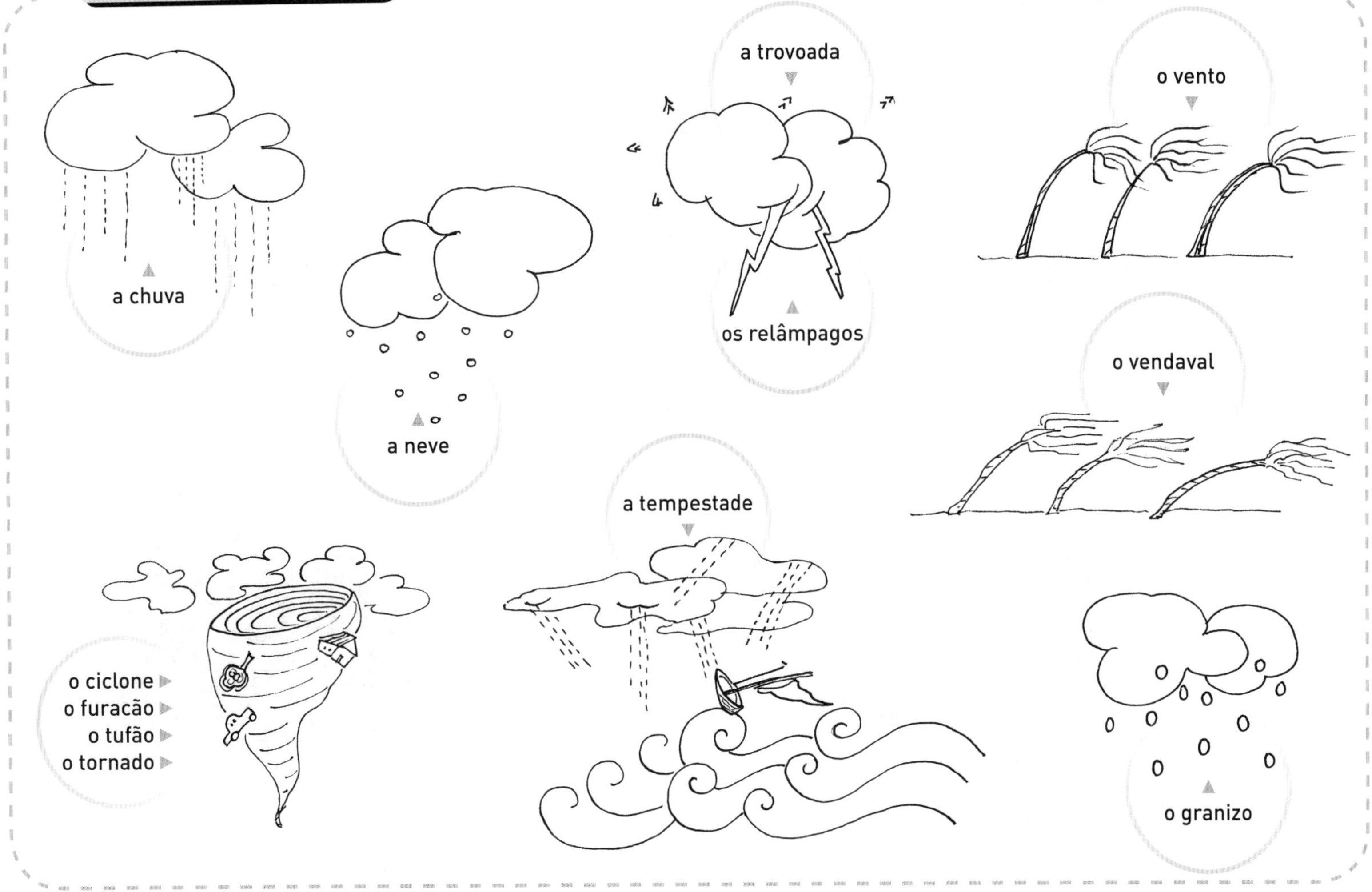

Fenómenos naturais

o nevoeiro

o vulcão

o sismo

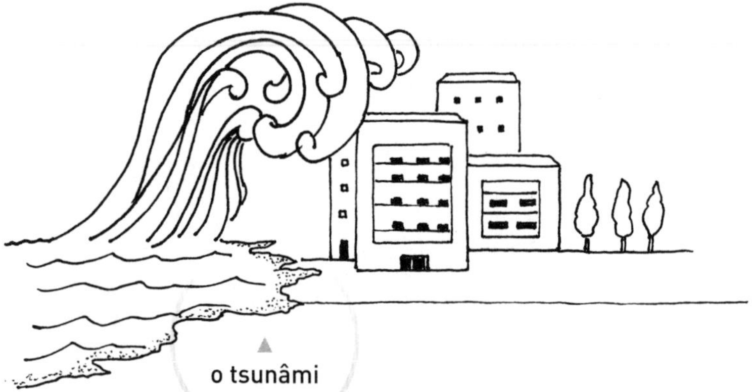

o tsunâmi

o incêndio florestal

Estado do tempo

▶ Está um dia de sol.

▶ Está a nevar.

▶ Está um dia nublado.

▶ Está um dia de vento.
▶ Está um dia ventoso.

▶ Está um dia de chuva.
▶ Está um dia chuvoso.
▶ Está a chover.

▶ Está um dia de tempestade.

Estado do tempo

▶ Está uma manhã de muito nevoeiro.

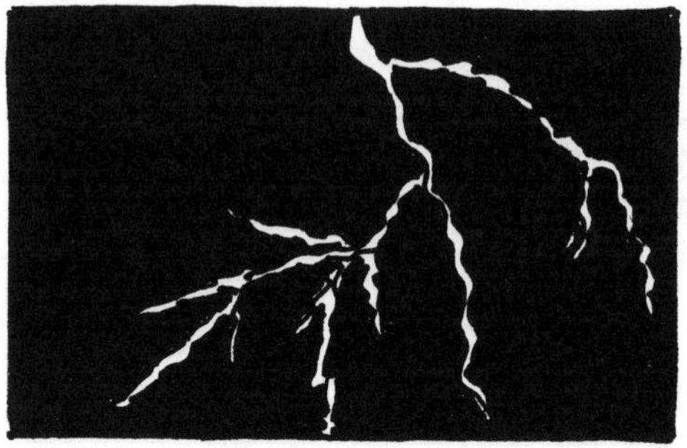

▶ Está a relampejar e a trovejar.

▶ Está uma noite estrelada.
▶ O céu tem muitas estrelas.

▶ Está uma noite de luar.

OS NÚMEROS

Numerais cardinais

1 um	**20** vinte	**1.000** mil
2 dois	**30** trinta	**2.000** dois mil
3 três	**40** quarenta	**3.000** três mil
4 quatro	**50** cinquenta	**4.000** quatro mil
5 cinco	**60** sessenta	**5.000** cinco mil
6 seis	**70** setenta	**6.000** seis mil
7 sete	**80** oitenta	**7.000** sete mil
8 oito	**90** noventa	**8.000** oito mil
9 nove		**9.000** nove mil
10 dez	**100** cem	
11 onze	**200** duzentos	**10.000** dez mil
12 doze	**300** trezentos	**11.000** onze mil
13 treze	**400** quatrocentos	**12.000** doze mil
14 catorze	**500** quinhentos	**13.000** treze mil
15 quinze	**600** seiscentos	**14.000** catorze mil
16 dezasseis	**700** setecentos	...
17 dezassete	**800** oitocentos	
18 dezoito	**900** novecentos	**1.000.000** um milhão
19 dezanove		

Numerais ordinais

décimo quarto ...	14.º
décimo terceiro ...	13.º
décimo segundo ...	12.º
décimo primeiro ...	11.º
décimo andar	10.º
nono andar	9.º
oitavo andar	8.º
sétimo andar	7.º
sexto andar	6.º
quinto andar	5.º
quarto andar	4.º
terceiro andar	3.º
segundo andar	2.º
primeiro andar	1.º
R/C rés do chão	R/C

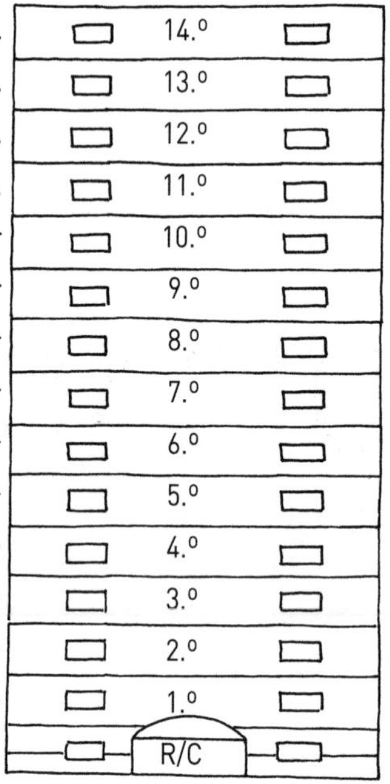

▶ Este edifício tem **catorze** andares.
▶ Moro no **décimo quarto** andar.

20 vigésimo	
30 trigésimo	
40 quadragésimo	
50 quinquagésimo	
60 sexagésimo	
70 septuagésimo	
80 octogésimo	
90 nonagésimo	
100 centésimo	
200 ducentésimo	
300 tricentésimo	
400 quadringentésimo	
500 quingentésimo	
600 seiscentésimo	
700 septingentésimo	
800 octingentésimo	
900 noningentésimo	
1.000 milésimo	

INDICAÇÕES/DIREÇÕES

Direção / sentido / distância

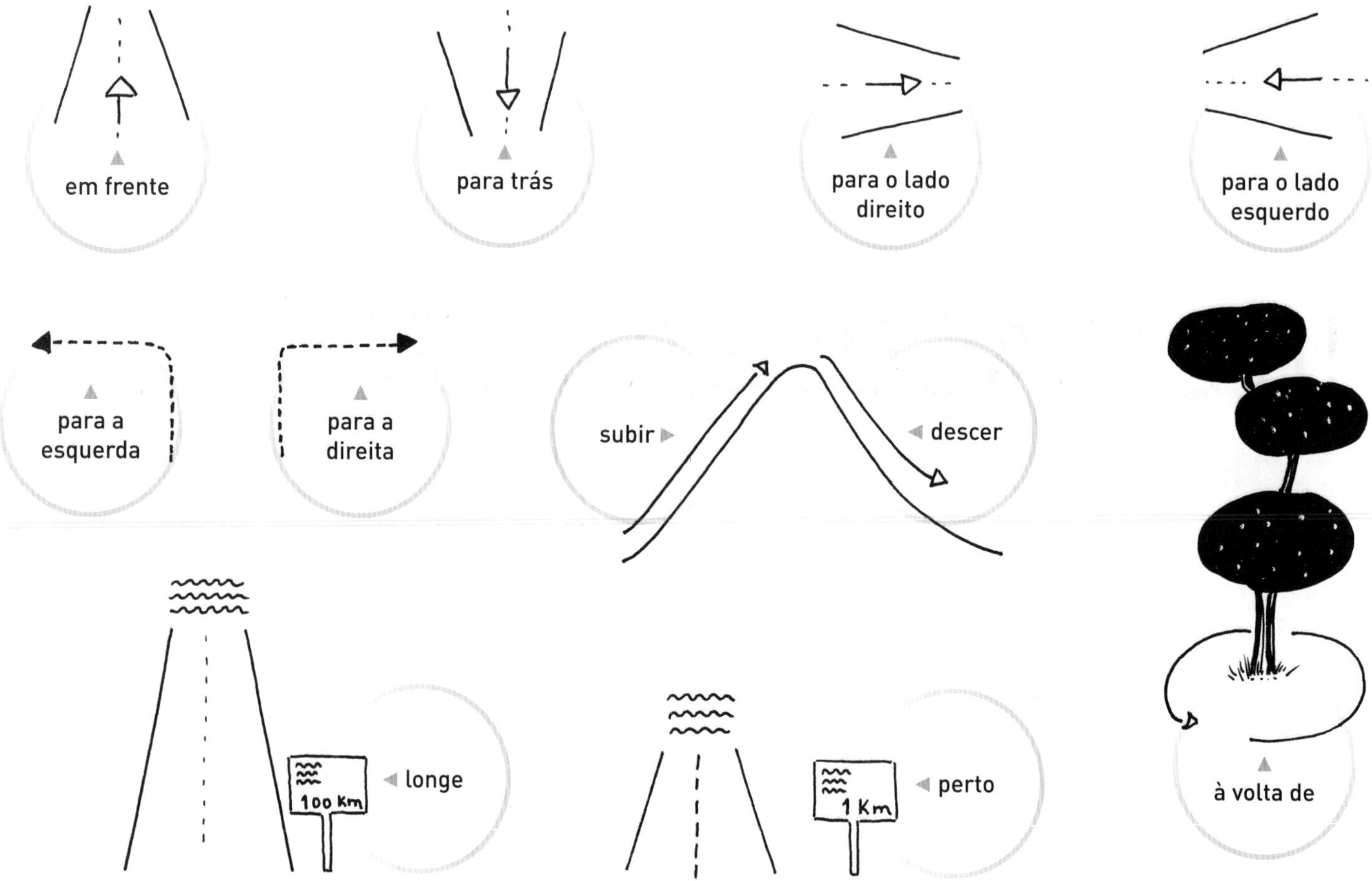
em frente
para trás
para o lado direito
para o lado esquerdo
para a esquerda
para a direita
subir
descer
à volta de
longe
100 Km
perto
1 Km

Preposições de lugar

▶ O gato está **dentro** da caixa.

▶ O gato está **ao lado** da caixa.

▶ O gato está **entre** as caixas.

▶ O gato está **à frente** da caixa.

▶ O gato está **atrás** da caixa.

▶ O gato está **em cima** da caixa.

▶ O gato está **debaixo** do banco.

TRADICIONALMENTE PORTUGUÊS

Tradicionalmente português

Tradicionalmente português

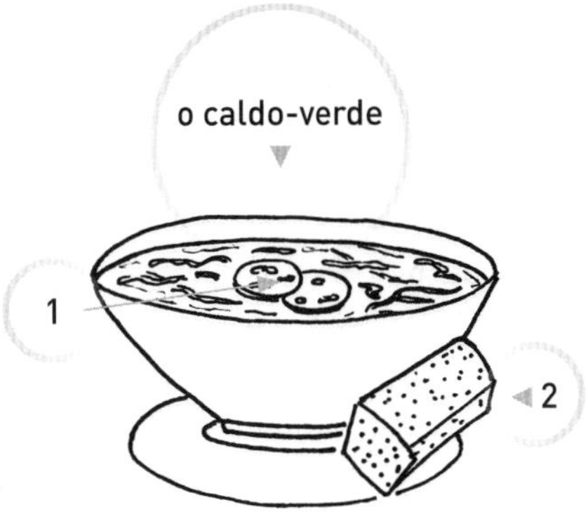

1. a linguiça
2. a broa (pão de milho)

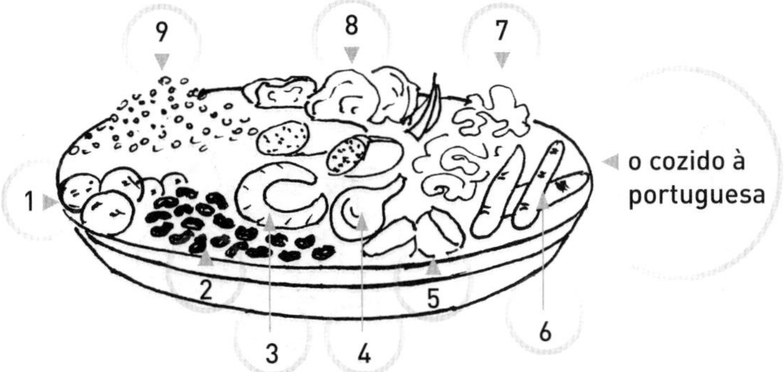

1. a batata
2. o feijão
3. os enchidos
4. a carne de frango
5. o nabo
6. a cenoura
7. as couves
8. as carnes de porco e vaca
9. o arroz

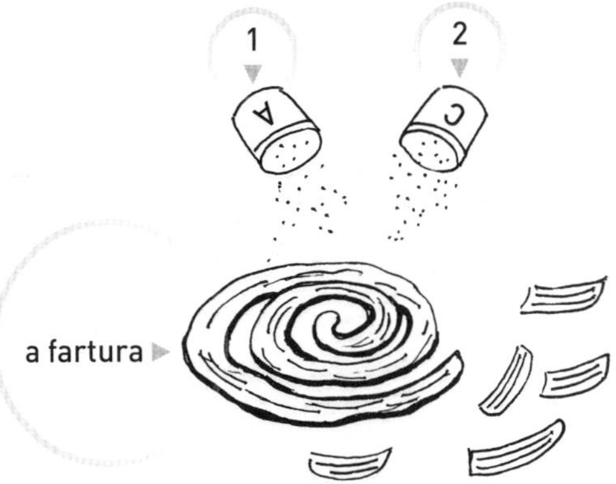

1. o açúcar em pó
2. a canela

Tradicionalmente português

os azulejos

a azulejaria

a tapeçaria

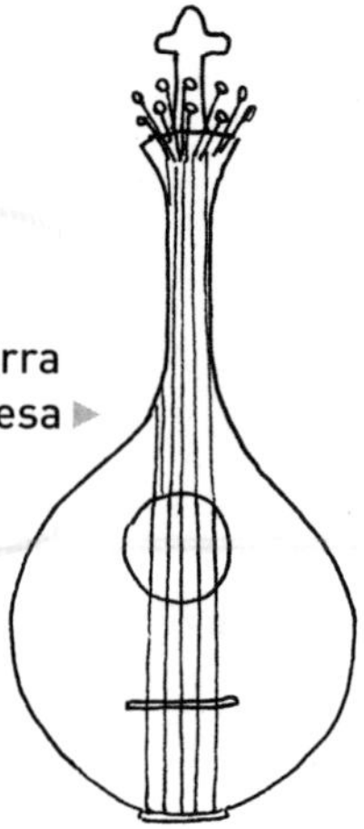

a guitarra portuguesa

o pastel de nata

as rendas

MONUMENTOS PORTUGUESES

Monumentos portugueses

a Torre de Belém (Lisboa)

o Mosteiro dos Jerónimos (Lisboa)

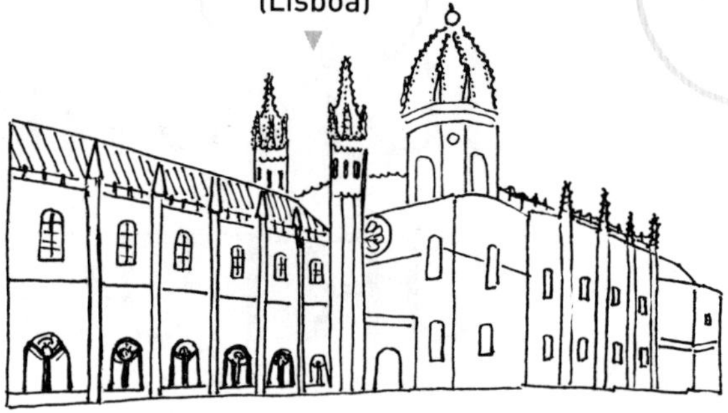

o Padrão dos Descobrimentos (Lisboa)

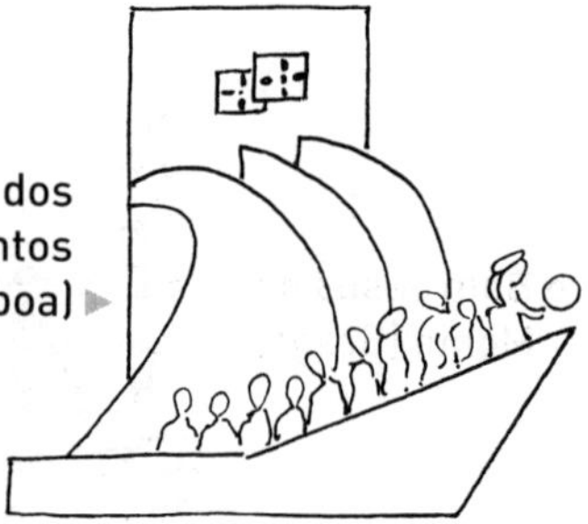

o Templo romano de Évora (Templo de Diana) (Évora)

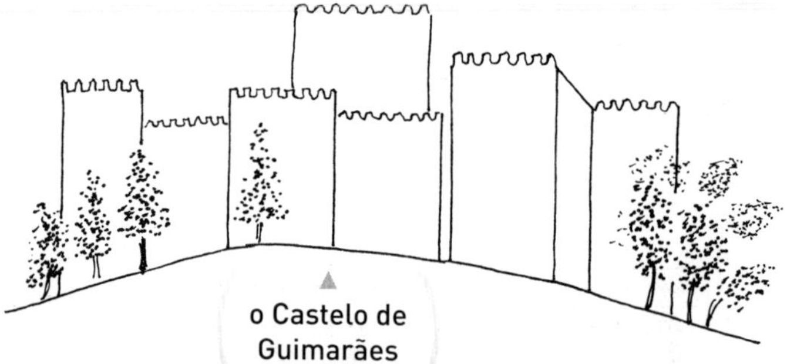

o Castelo de Guimarães (Guimarães)

Monumentos portugueses

o Bom Jesus do Monte (Braga)

o Palácio Nacional de Sintra (Sintra)

a Sé Velha de Coimbra (Coimbra)

o Mosteiro de Santa Clara-a-Velha (Coimbra)

Monumentos portugueses

o Convento de Cristo (Tomar)

o Mosteiro da Batalha (Batalha)

a Torre dos Clérigos (Porto)

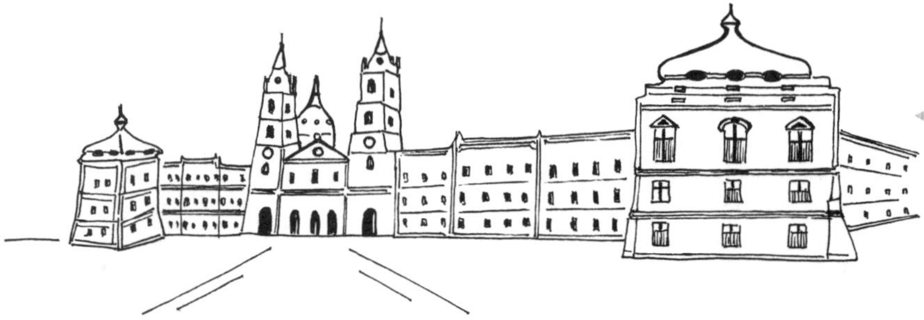

o Palácio Nacional de Mafra (Mafra)

FESTIVIDADES

A Páscoa

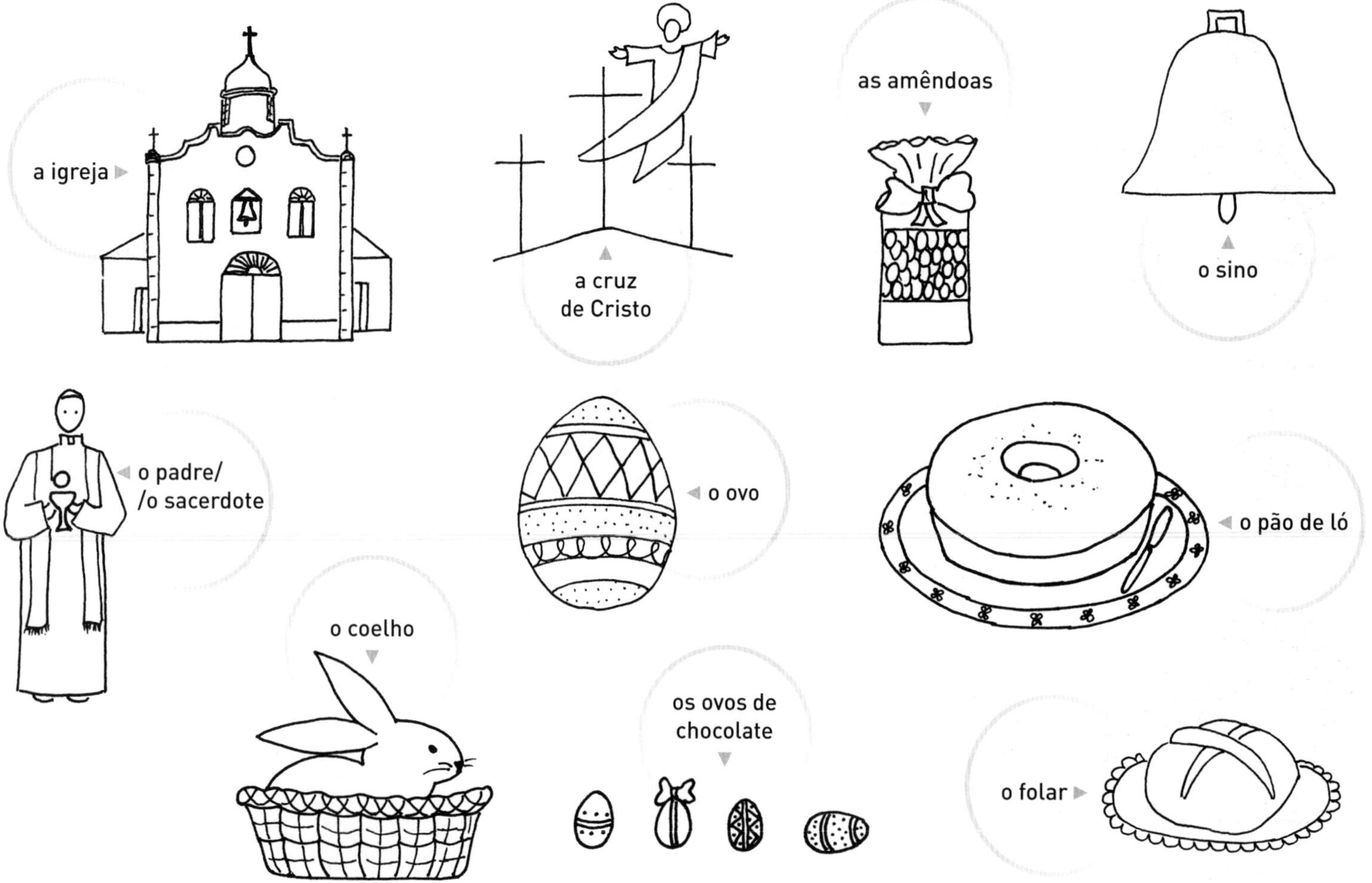
a igreja
a cruz de Cristo
as amêndoas
o sino
o padre/ /o sacerdote
o ovo
o pão de ló
o coelho
os ovos de chocolate
o folar

O Natal

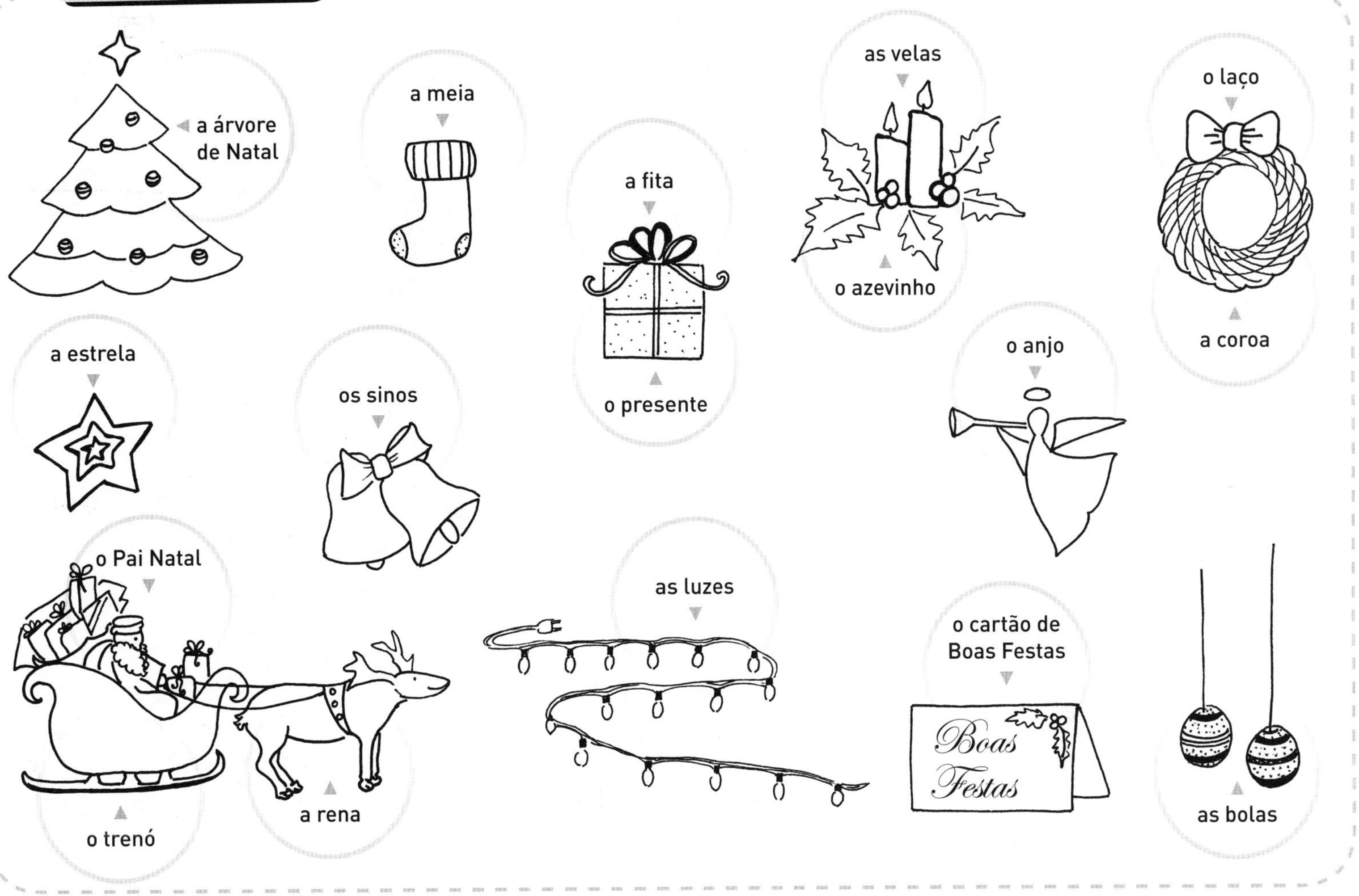
a árvore de Natal
a meia
a fita
o presente
as velas
o azevinho
o laço
a coroa
a estrela
os sinos
o anjo
o Pai Natal
o trenó
a rena
as luzes
o cartão de Boas Festas
Boas Festas
as bolas

O Natal

os Reis Magos
as azevias
a filhó
os sonhos
as fatias douradas
o presépio
Maria
José
a vaca
o burro
Jesus

O Carnaval

as serpentinas

os confetes

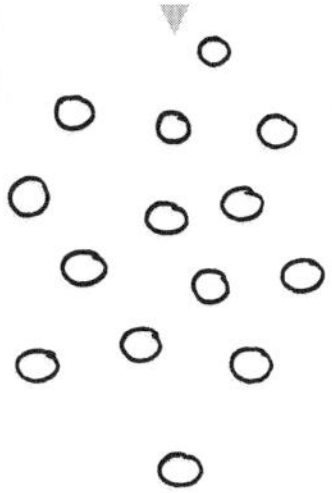

os cabeçudos

a cabeleira postiça

a mascarilha

as máscaras

o traje

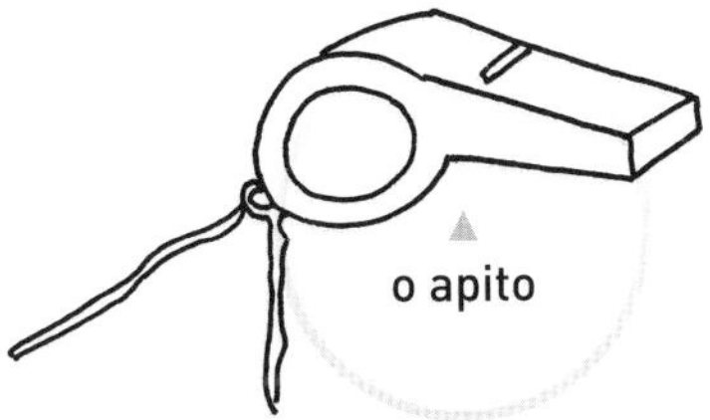

o apito

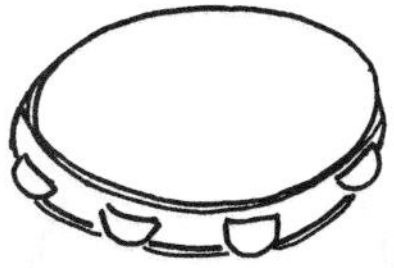

a pandeireta

NÃO CONFUNDIR

A agulha

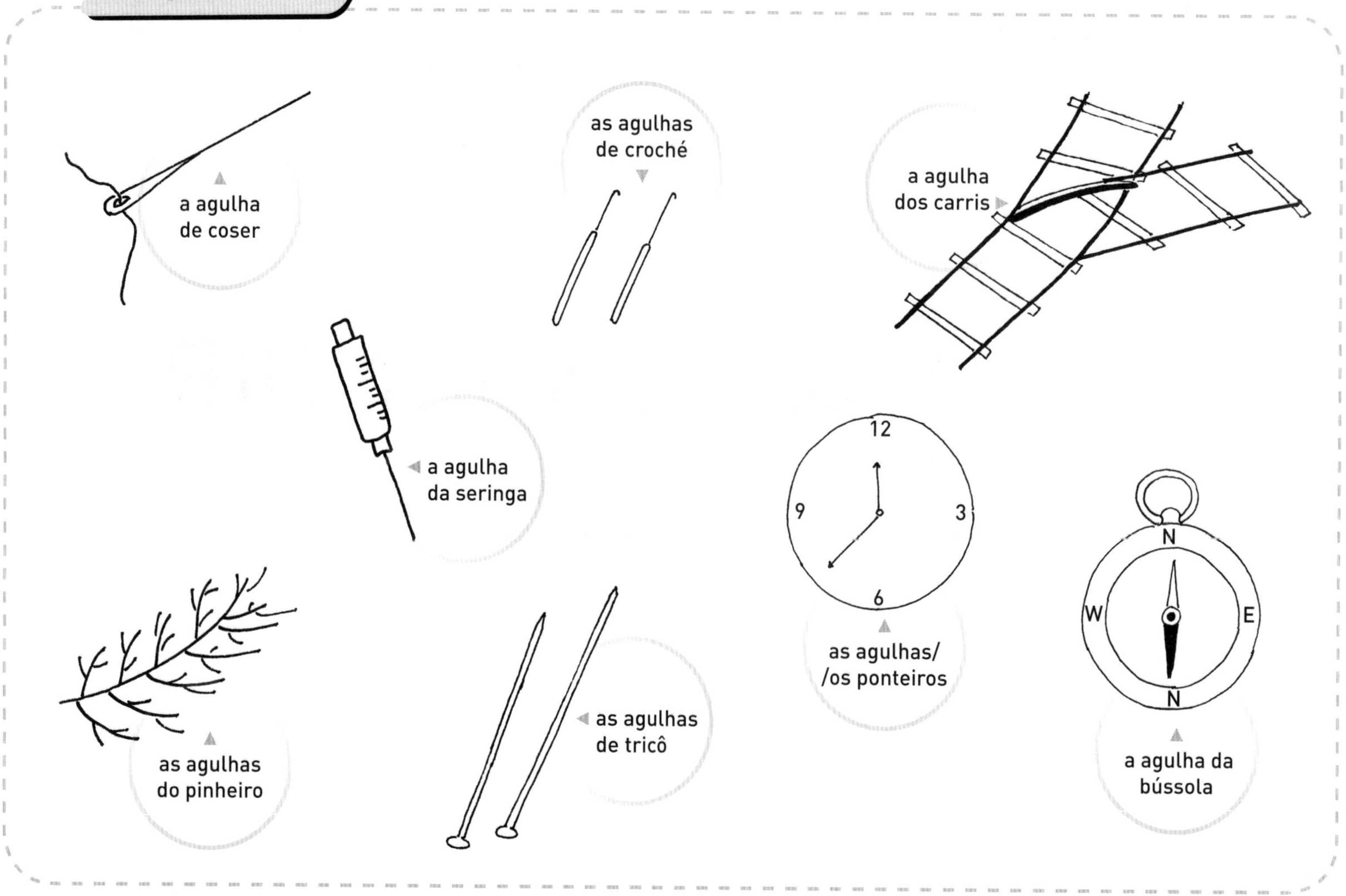
a agulha de coser
as agulhas de croché
a agulha dos carris
a agulha da seringa
12
3
6
9
as agulhas/ /os ponteiros
N
W
E
N
a agulha da bússola
as agulhas do pinheiro
as agulhas de tricô

A asa

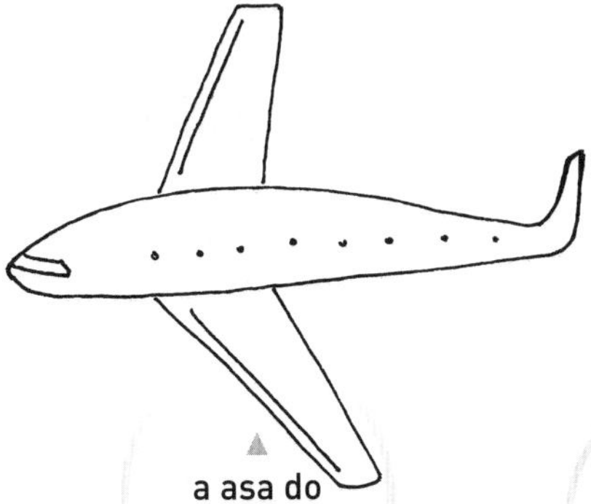

a asa do avião

as asas do anjo

as asas da borboleta

as asas da gaivota

a asa-delta

a asa do garrafão

as asas do saco

a asa do balde

a asa do jarro

O botão

os botões
do forno

o botão
do casaco

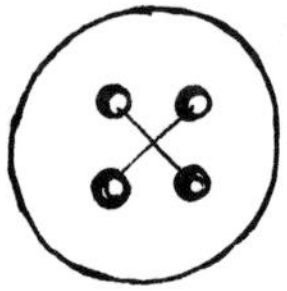

o botão
de rosa

os botões da
televisão

a blusa tem
três botões

a
varinha-mágica
tem o botão
avariado

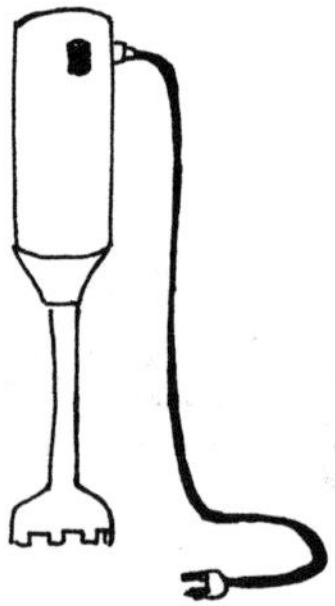

A estação

- a **estação** de comboios
- a **estação** de autocarros
- a **estação** de metro

◄ a estação espacial

a estação de rádio ►

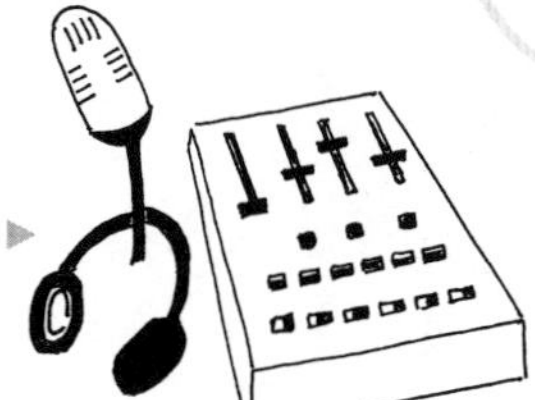

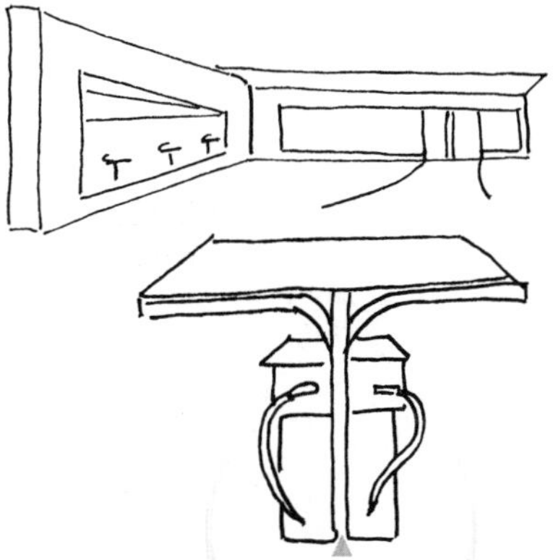

▲ a estação de serviço

a estação de televisão ►

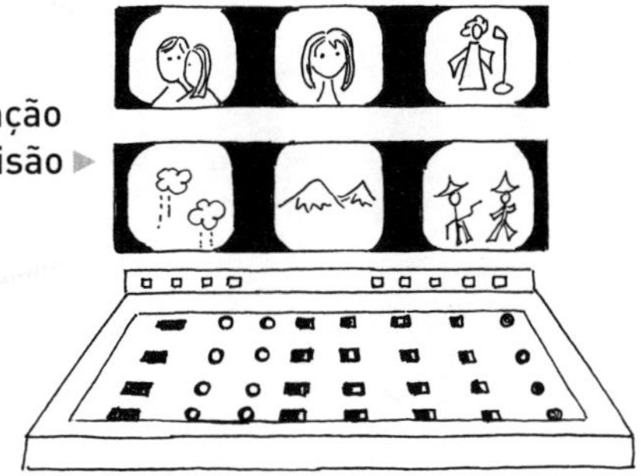

◄ a primavera

o verão ►

◄ o outono

o inverno ►

▲ as estações do ano

A estrela/estrelado (adj.)/estrelar (verbo)

a estrela

a estrela cadente

estrelar o ovo

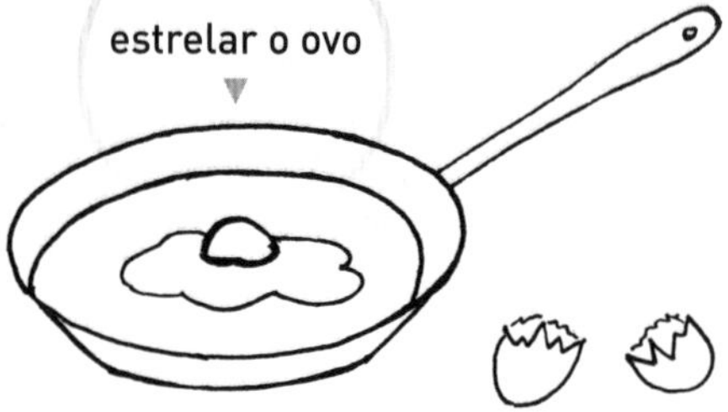

o ovo estrelado

a estrela-do-mar

a estrela do cinema mudo

o céu estrelado

A pá

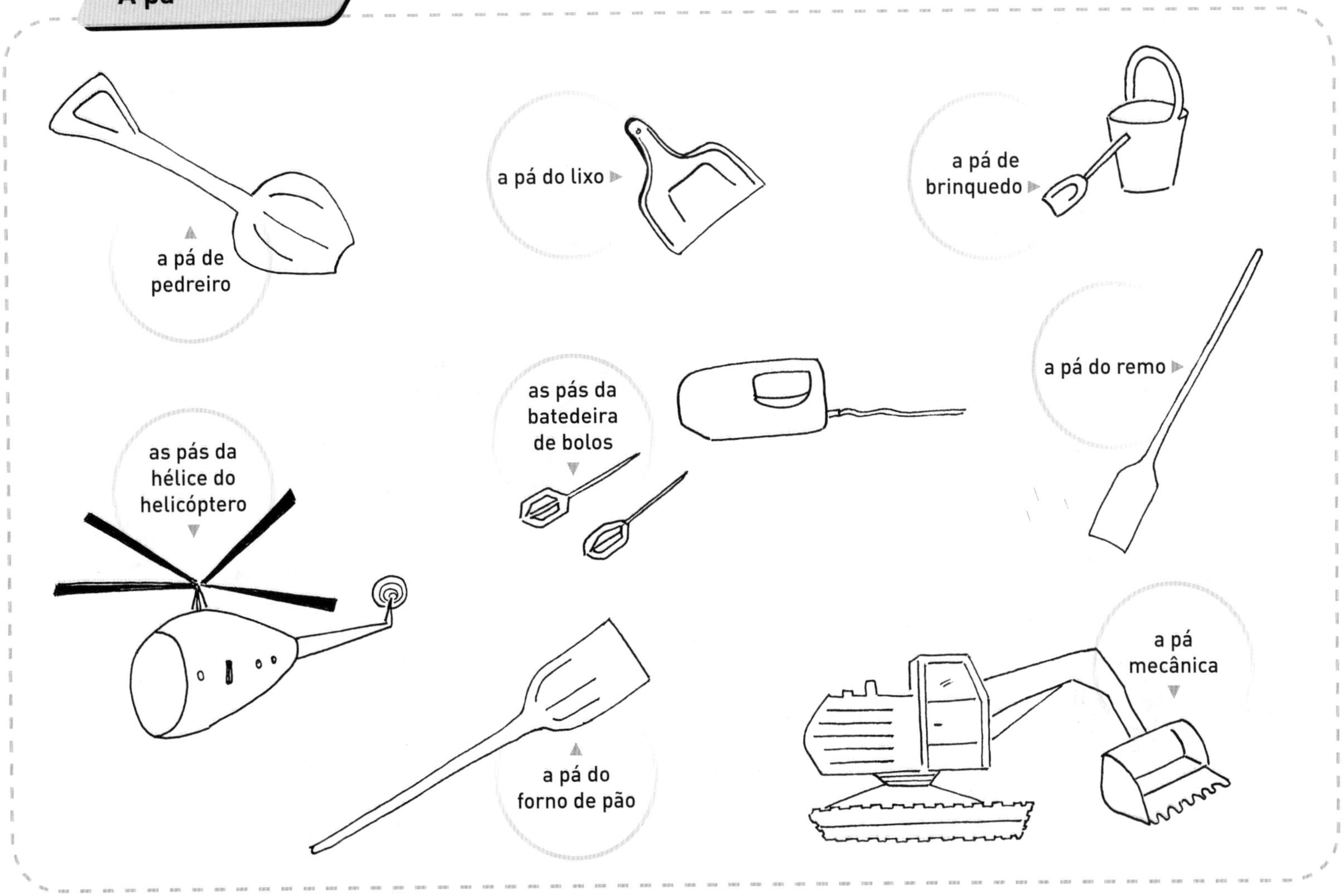
a pá de pedreiro
a pá do lixo
a pá de brinquedo
a pá do remo
as pás da batedeira de bolos
as pás da hélice do helicóptero
a pá do forno de pão
a pá mecânica

A rede

◀ a rede da baliza

▶ o guarda-**redes** defende a bola

as redes mosquiteiras ▼

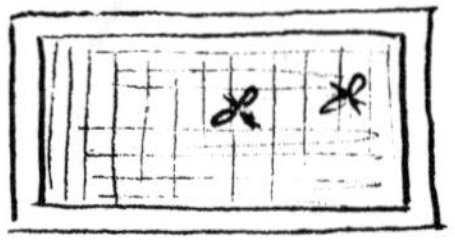

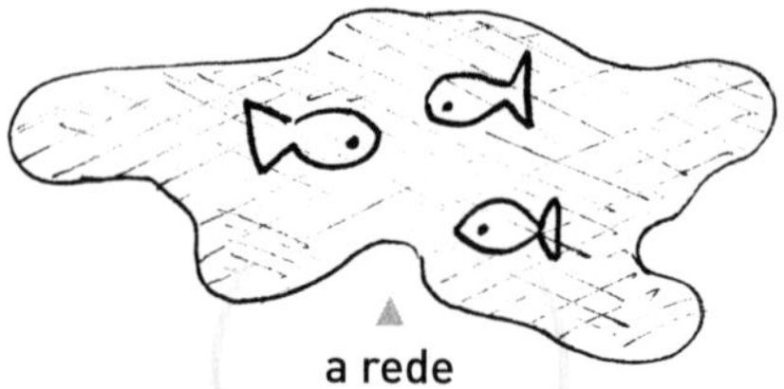

▲ a rede de pesca

◀ estar sem rede (o telemóvel está sem rede)

a cama de rede ▼

a rede do saco de de batatas ▼

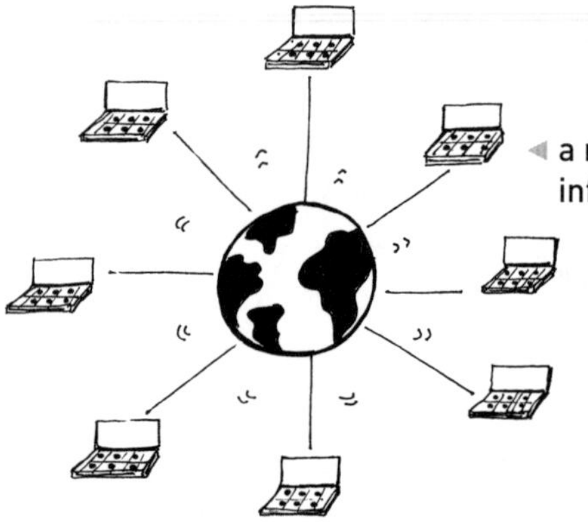

◀ a rede informática

a rede para o cabelo ▼

a rede da capoeira ▼

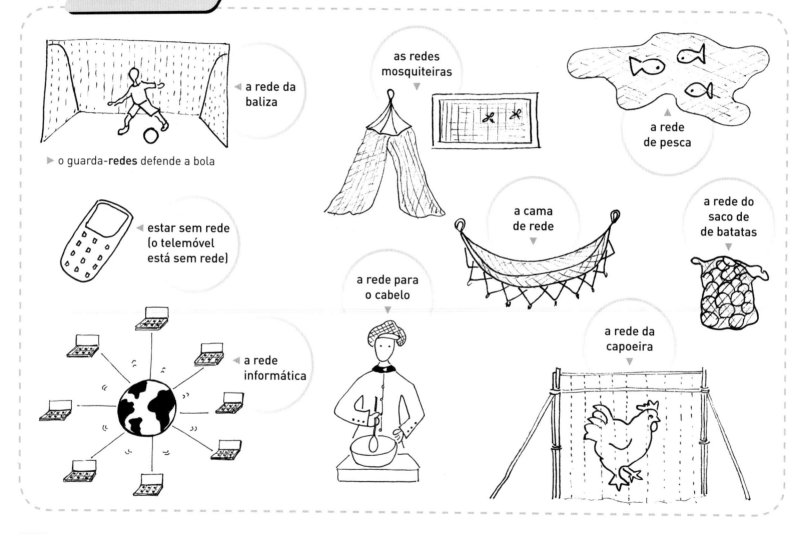

A vela

a vela

as velas do motor do carro

as velas do moinho

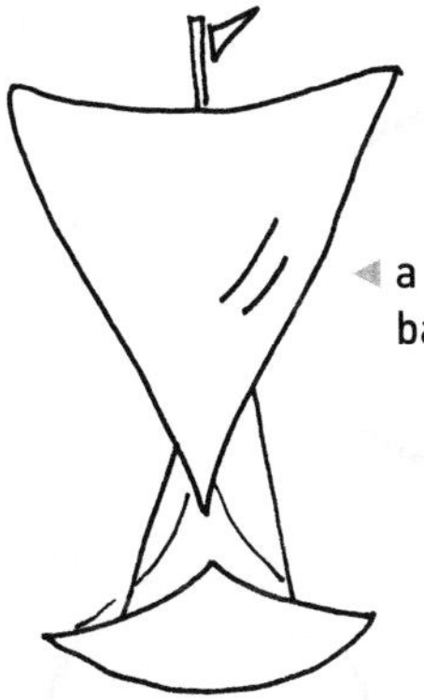
a vela do barco
o barco à vela

OUTROS SIGNIFICADOS

A lata

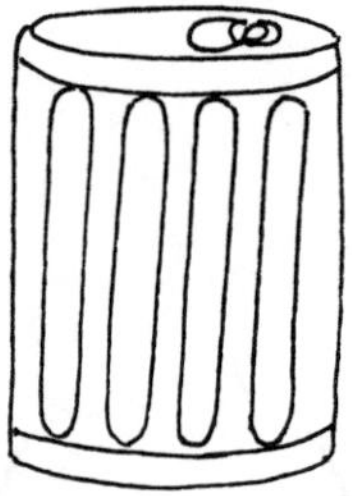

a lata de salsichas

a lata de atum

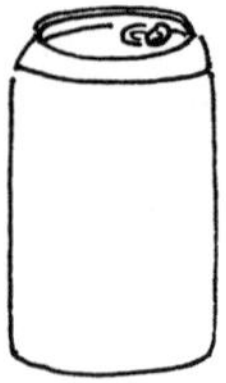

a lata de refrigerante

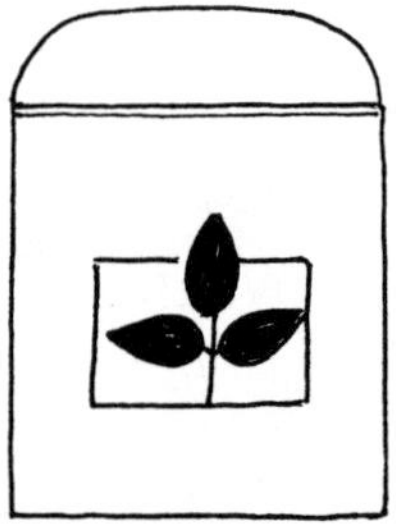

a lata de chá

a lata de tinta

O balde

o balde de água

O bilhete/o talão/o recibo

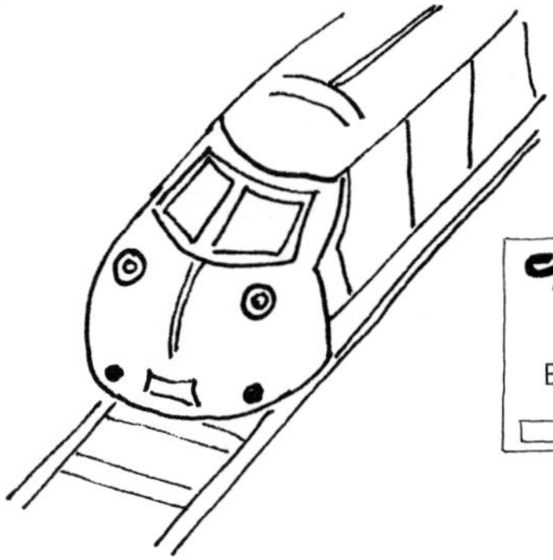

o bilhete de comboio

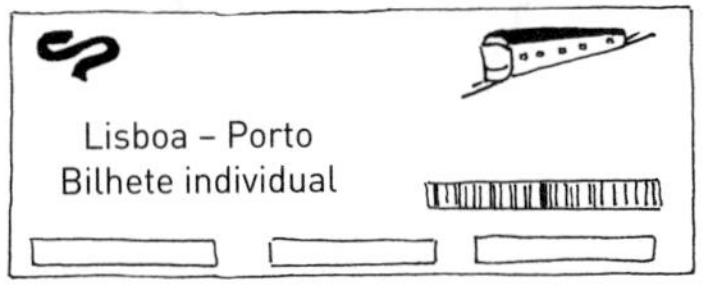

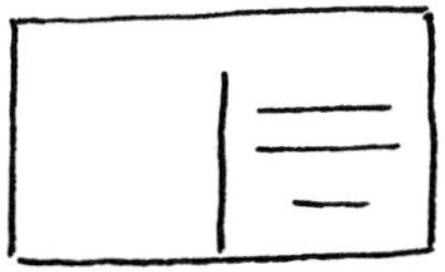

o bilhete postal

Espetáculos:
- cinema;
- teatro;
- ópera;
- futebol;
- concerto.

o bilhete de identidade

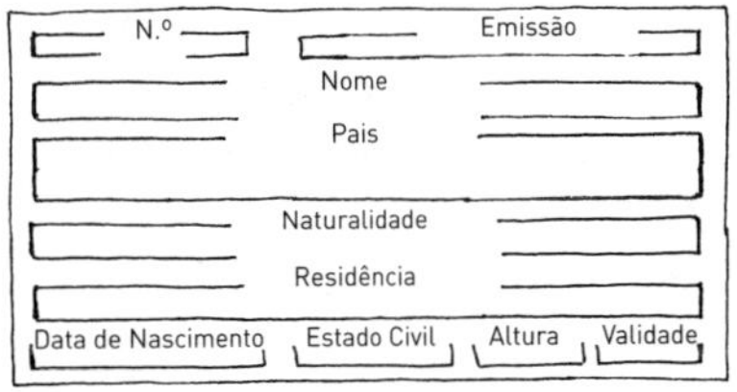

Talão
- da lavandaria
- do supermercado
- do sapateiro
- do multibanco

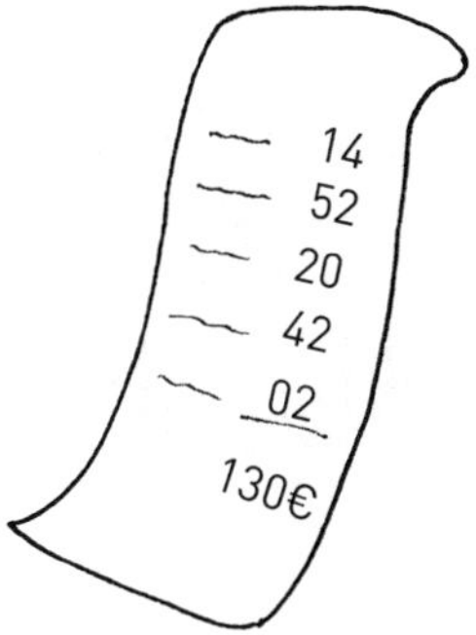

Recibo
- da farmácia
- do restaurante
- da consulta
- da água
- da luz
- da renda da casa
- verde
- de vencimento

A bola/a pinta

a bola de futebol

a bola de cristal

as bolas de Natal

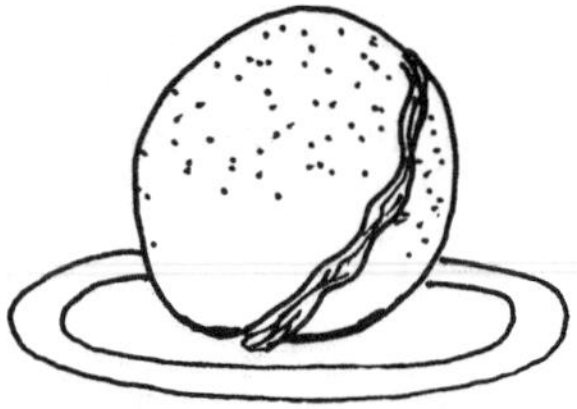

a bola de berlim

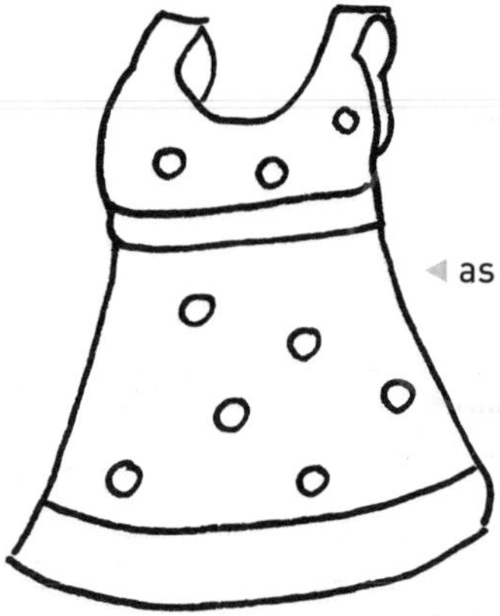

as bolas

as pintas

A caixa/o caixote/o caixão

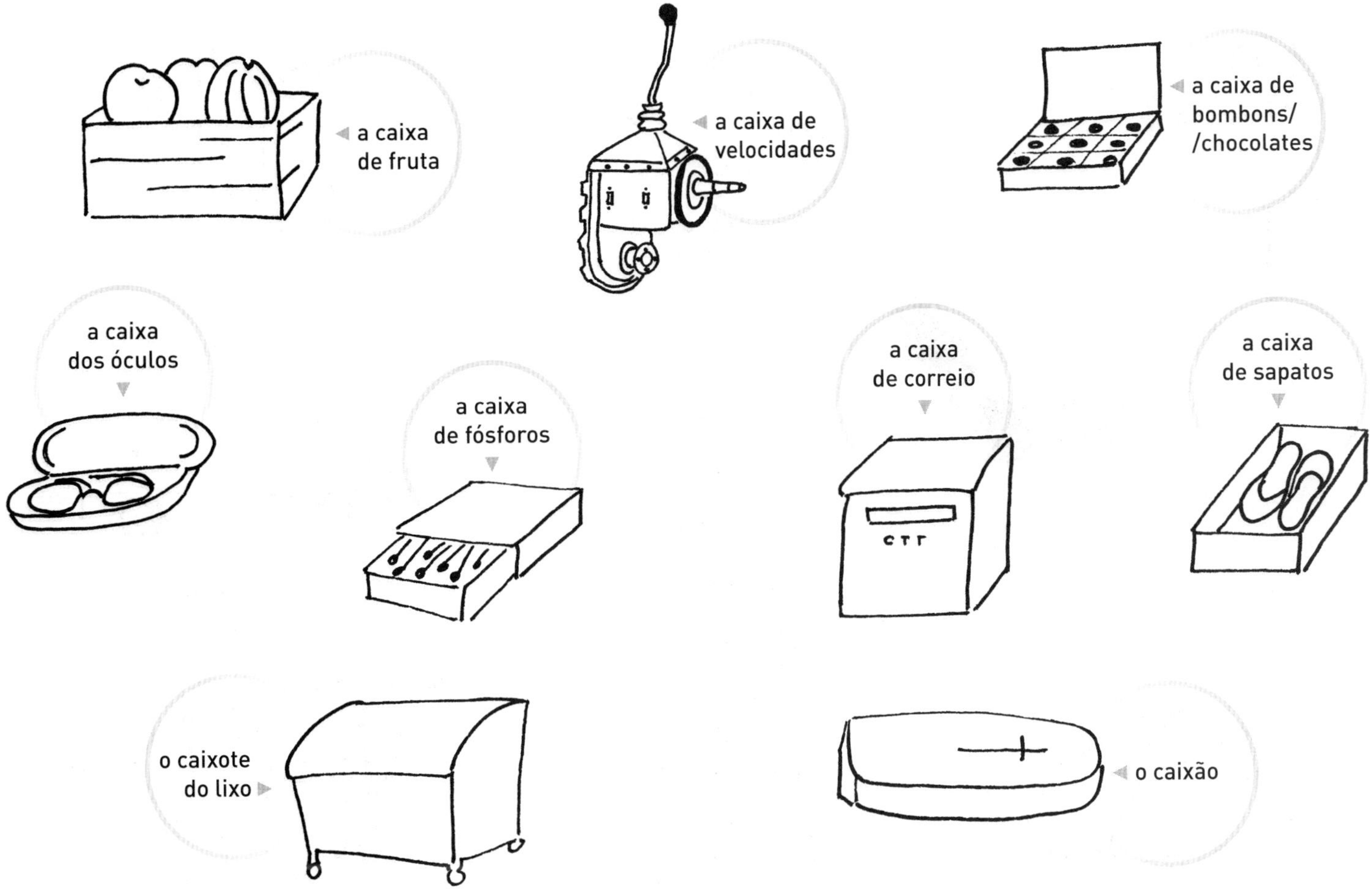
a caixa de fruta
a caixa de velocidades
a caixa de bombons/ /chocolates
a caixa dos óculos
a caixa de fósforos
a caixa de correio
CTT
a caixa de sapatos
o caixote do lixo
o caixão

A capa/o capote

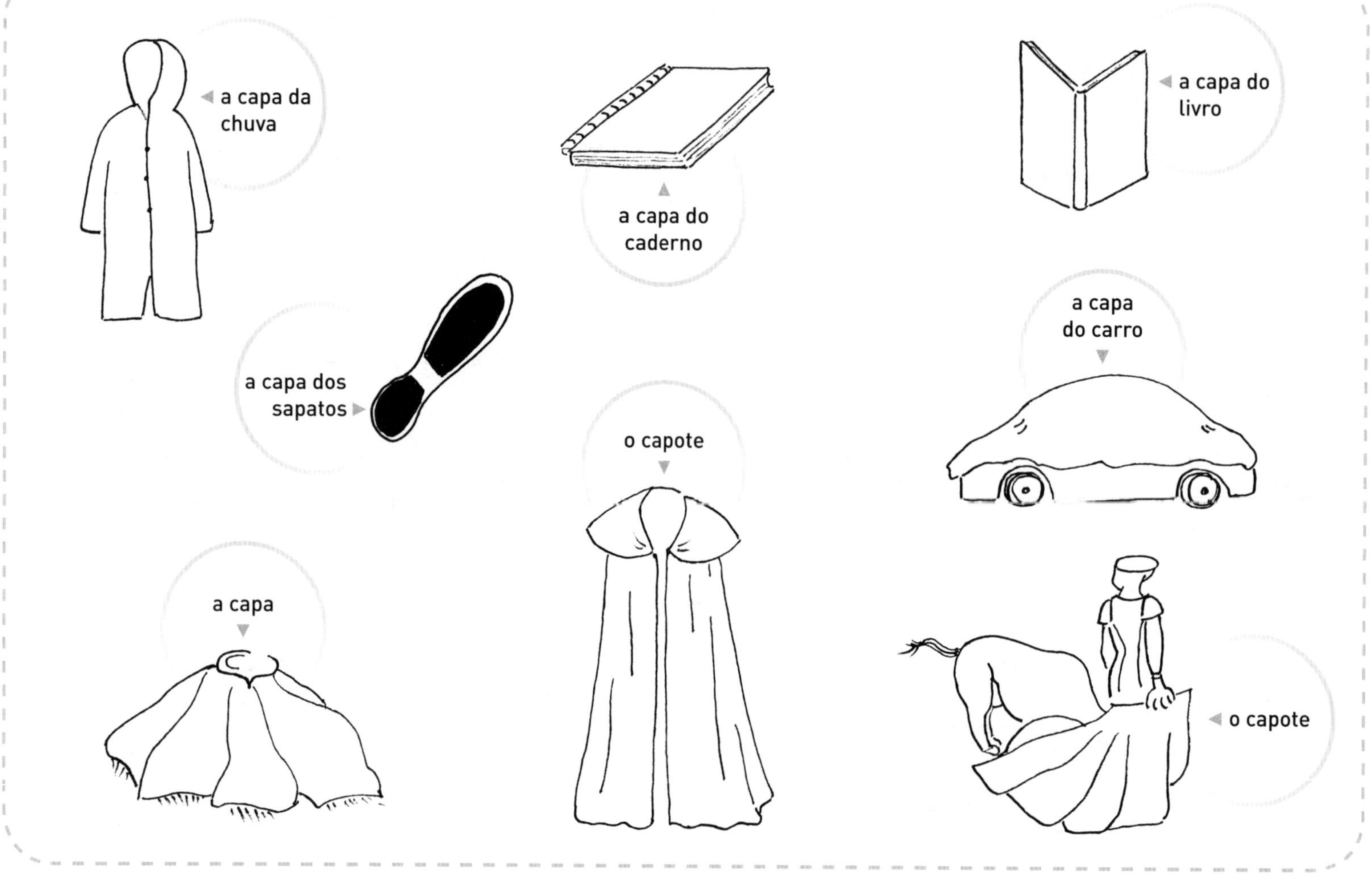
a capa da chuva
a capa do caderno
a capa do livro
a capa dos sapatos
a capa do carro
o capote
a capa
o capote

O carro/o carrinho/a carrinha

o carro

o carrinho de supermercado

a carrinha de caixa aberta

os carrinhos de choque

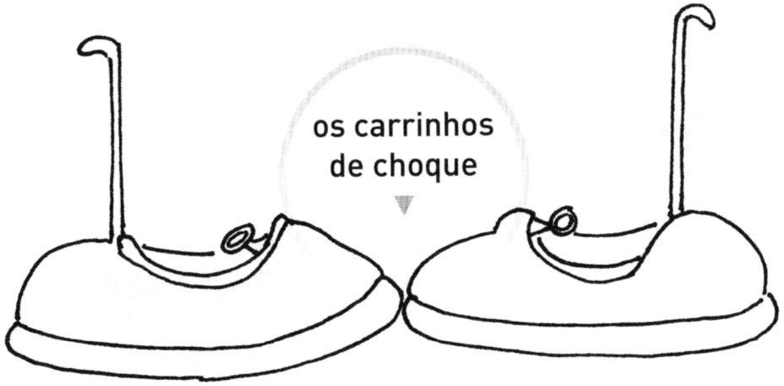

a carrinha de caixa fechada

o carrinho de linhas

o carrinho de bebé

o carrinho de bebidas

o carrinho de mão

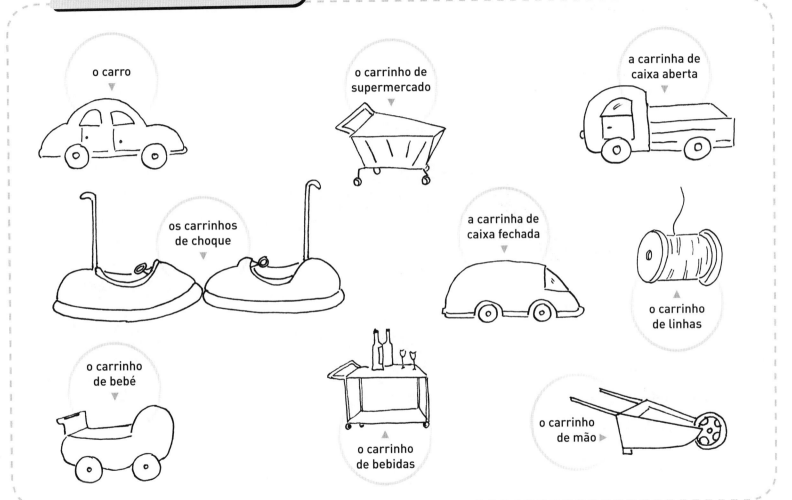

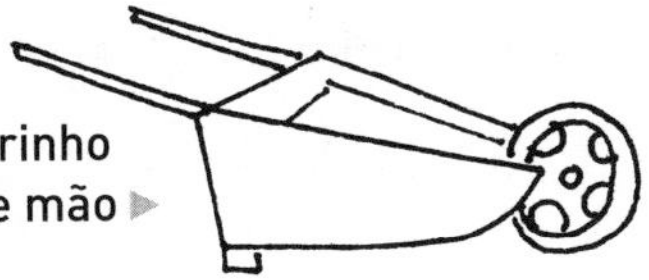

A carroça/a carruagem

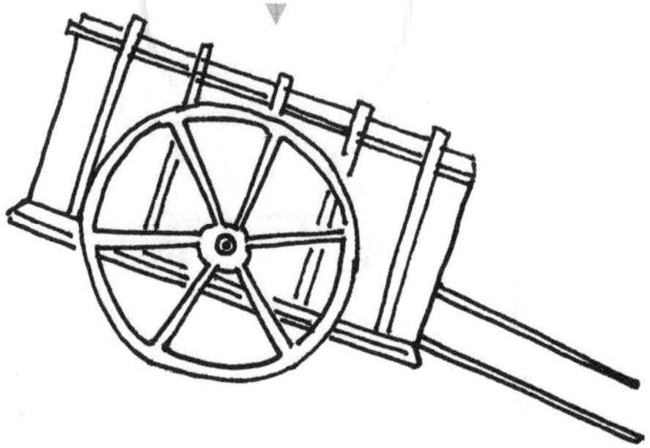

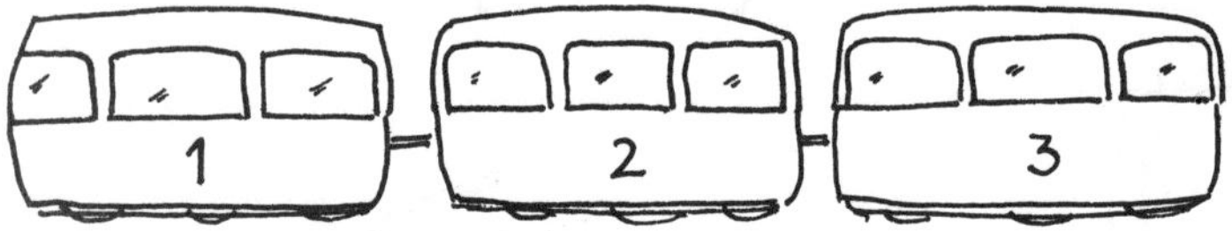

O cartão/a carta

o cartão
de visita

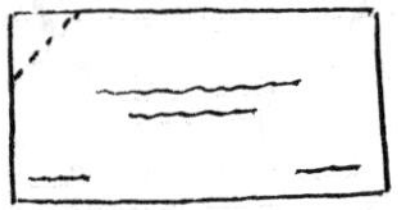

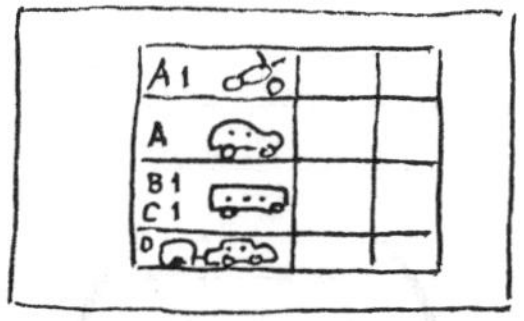

a carta de
condução

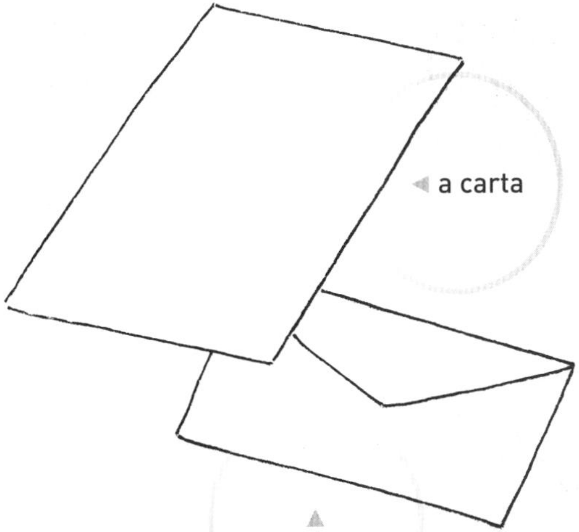

a carta

o envelope

O cartão	de cidadão
	de contribuinte
	de beneficiário
	de crédito / de débito

as cartas

o baralho
de cartas

A casca/a pele

A casca	da cenoura
	da batata
	da curgete
	da beringela
	do pepino
	da banana
	da amêndoa
	da avelã

▶ A **pele** do bebé é macia.

▶ o casaco de **peles**

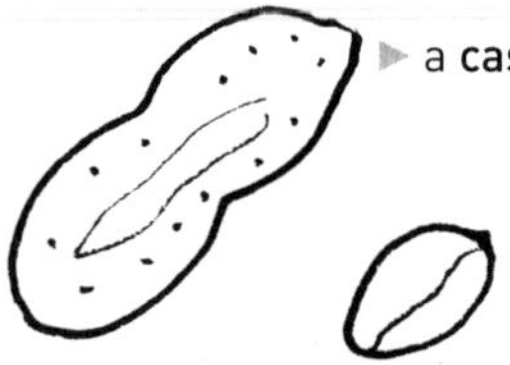

▶ a **casca** do amendoim (exterior)

▶ a **pele** do amendoim (interior)

A pele	do amendoim
	da noz
	da avelã
	da amêndoa

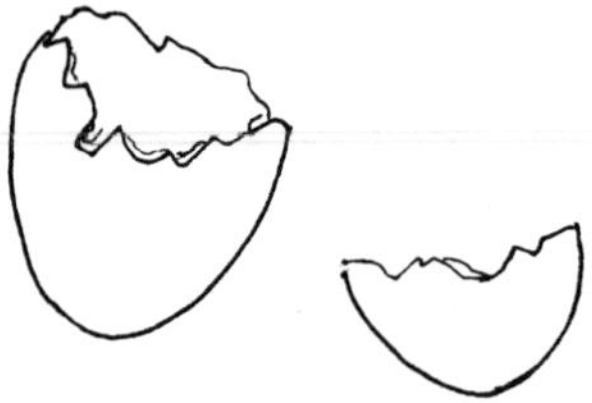

▶ a **casca** do ovo

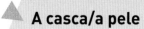

▶ A carteira é de **pele** de crocodilo.

O cesto/a cesta

o cesto de pão

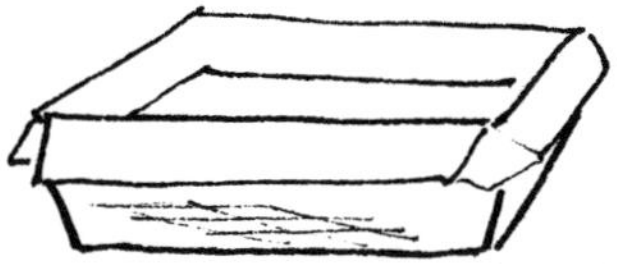

a cesta / / o cesto de roupa

a cesta de flores

a cesta de compras

a cesto de papéis

o cesto de basquetebol

o cesto de fruta

O cordel/a corda/a corrente

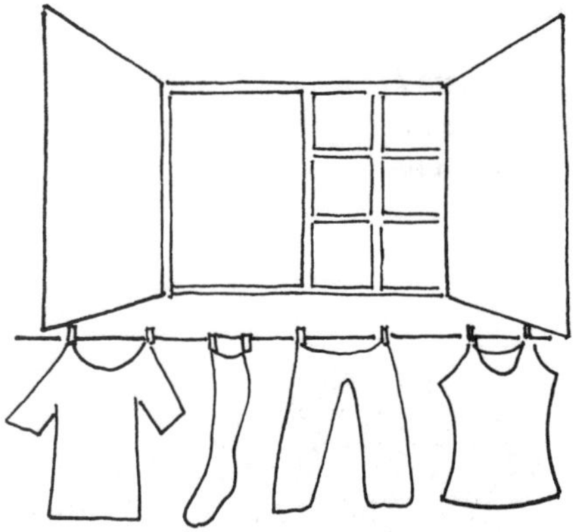

a corda
da roupa

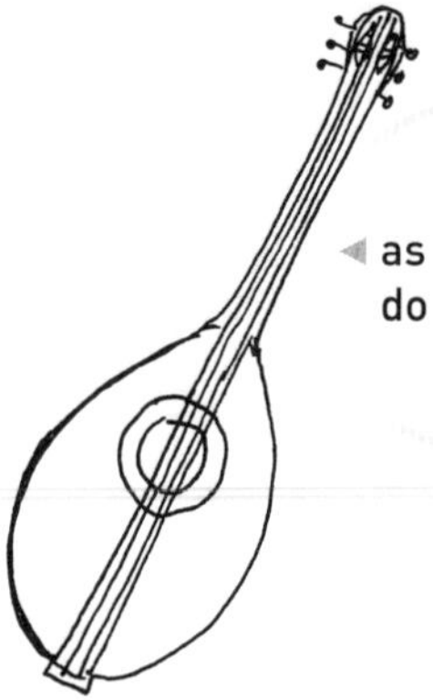

as cordas
do bandolim

a corrente

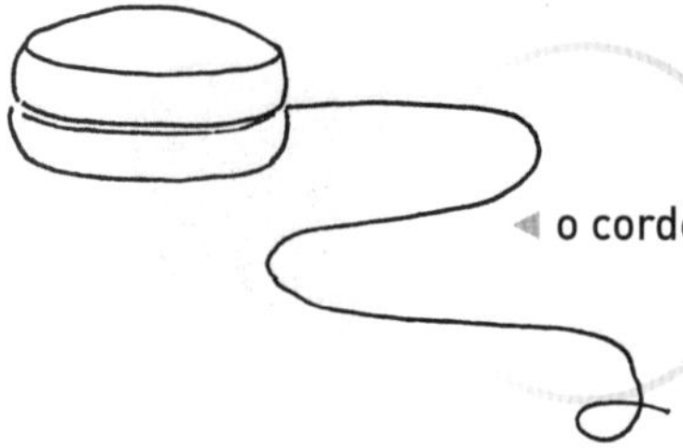

o cordel

a corrente

A escada/o escadote/a escadaria

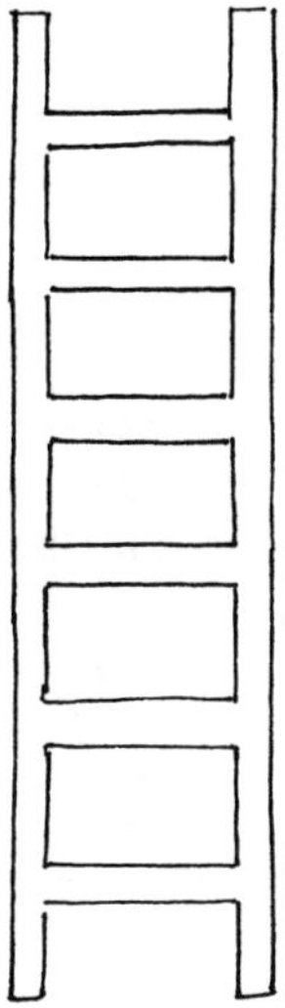

a escada

o escadote

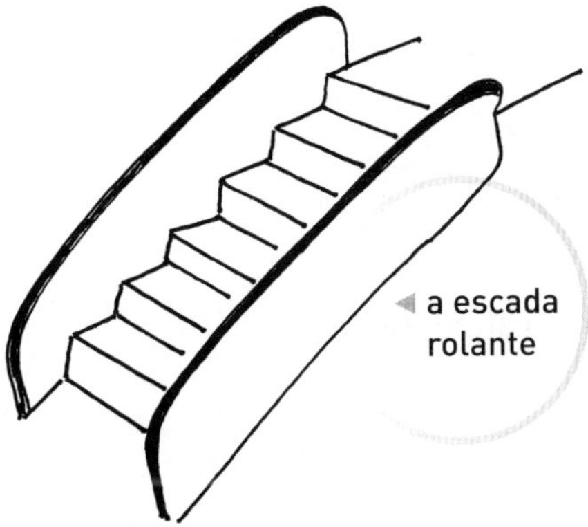

a escada rolante

a escadaria

A escova/o escovilhão/a esfregona

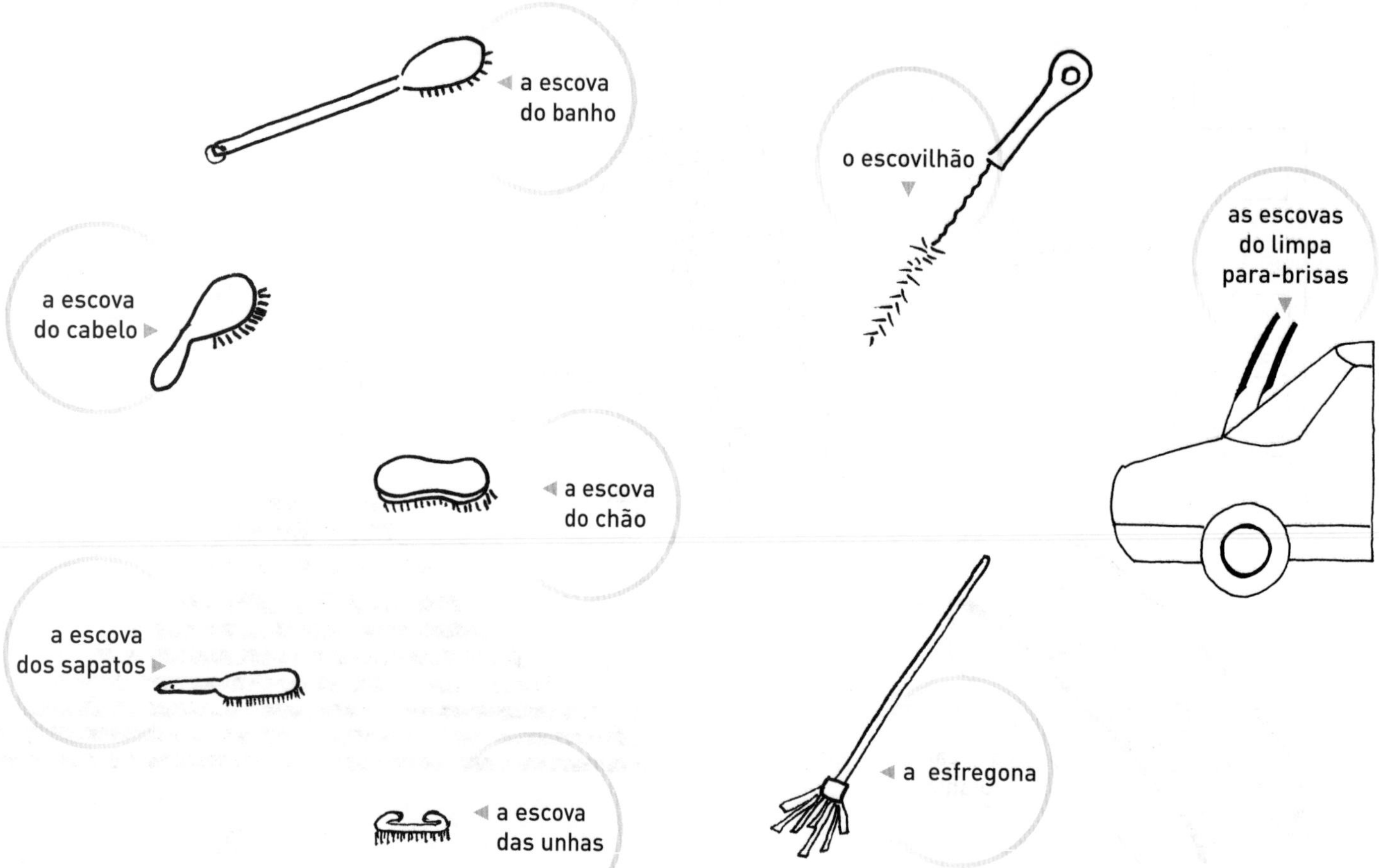
a escova do banho
o escovilhão
a escova do cabelo
as escovas do limpa para-brisas
a escova do chão
a escova dos sapatos
a esfregona
a escova das unhas

A espuma/o espumante/a espumadeira

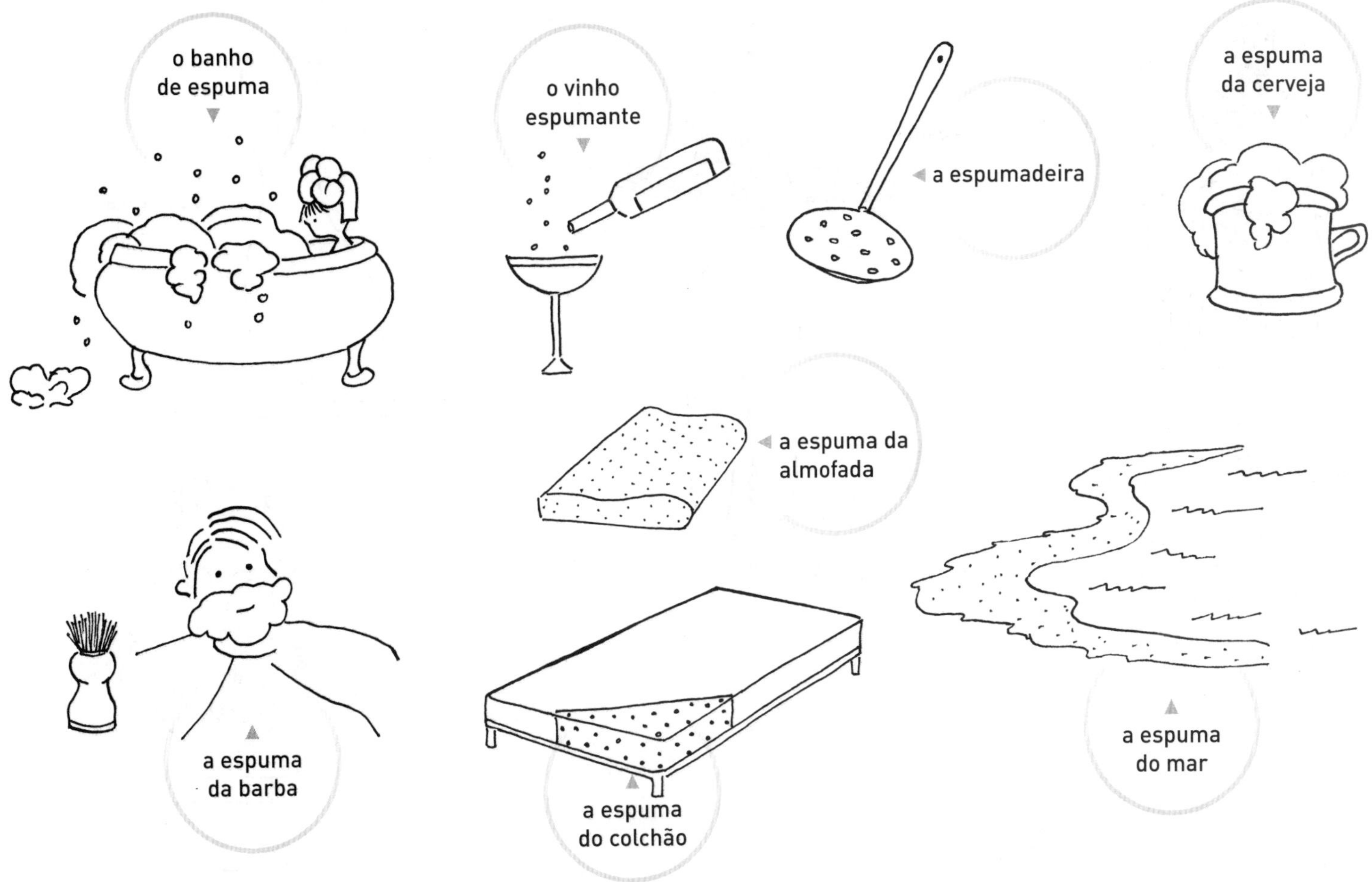
o banho de espuma
o vinho espumante
a espumadeira
a espuma da cerveja
a espuma da almofada
a espuma da barba
a espuma do colchão
a espuma do mar

A estátua/a estatueta/a escultura/o busto/o espantalho

a estátua

a espantalho

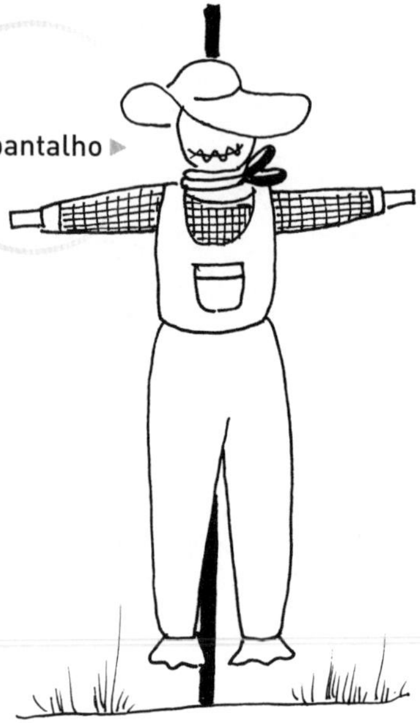

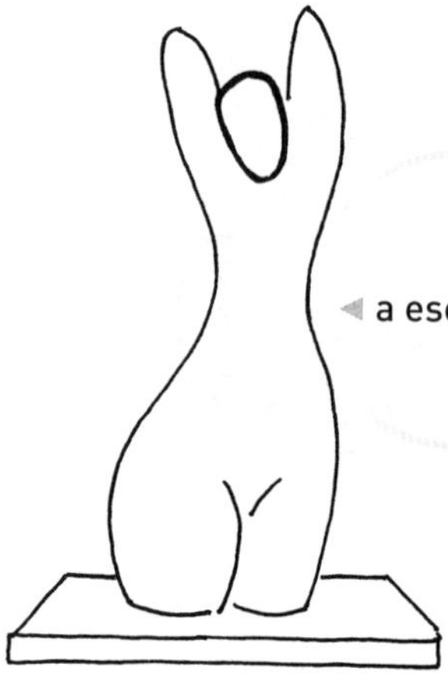

a escultura

a estatueta

o busto

A lança/a seta/a faca/o canivete/o punhal/a navalha

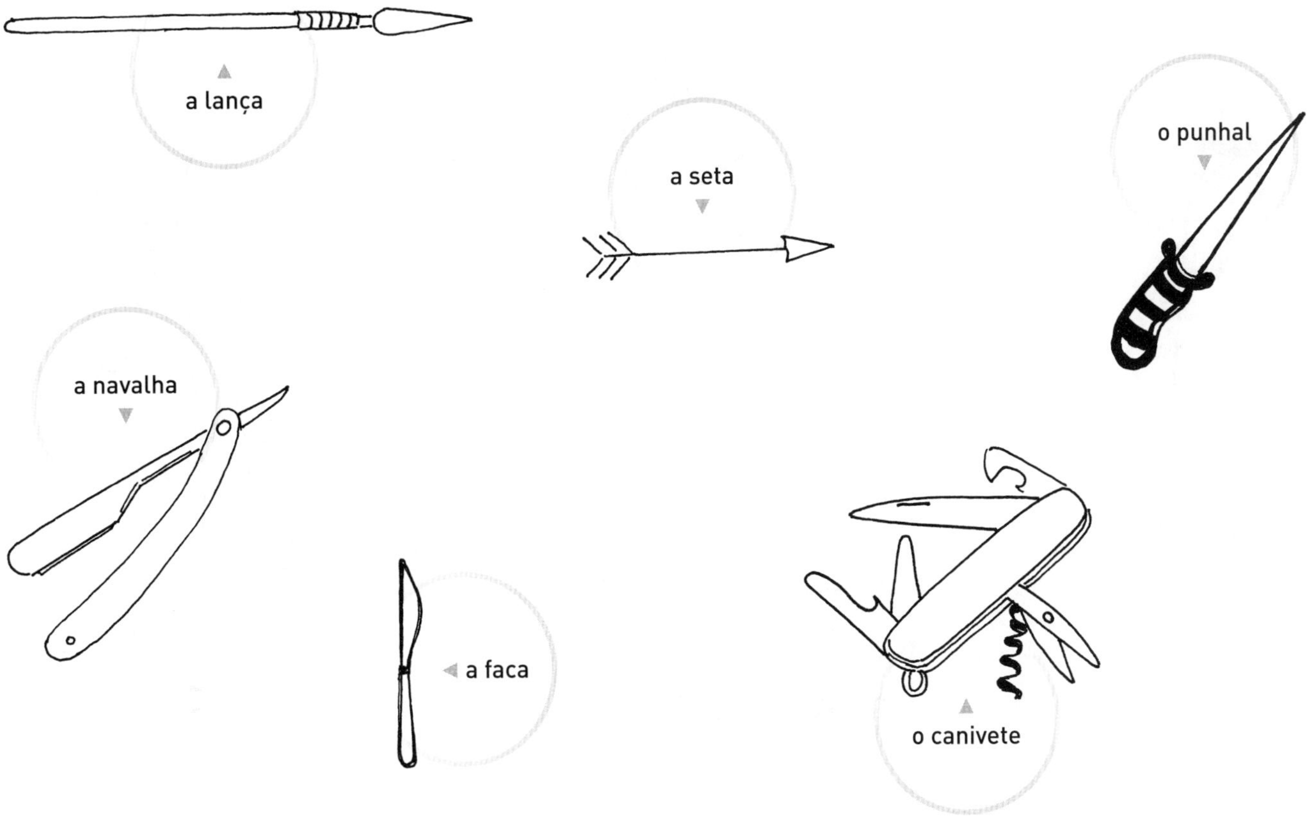

o farol

◄ o farolim

23-10 P

◄ o farol

20-32 PE

◄ o faroleiro

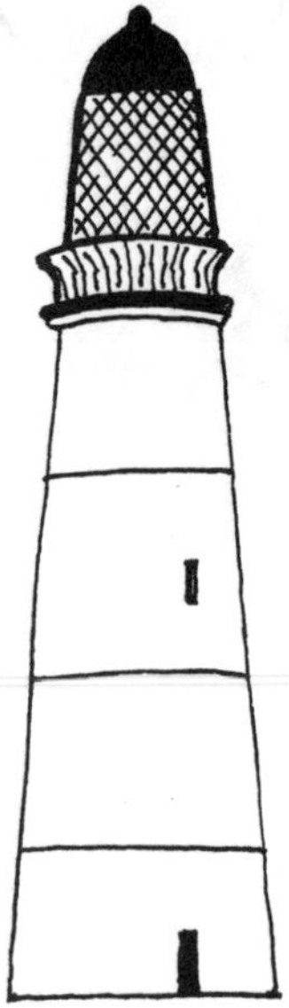

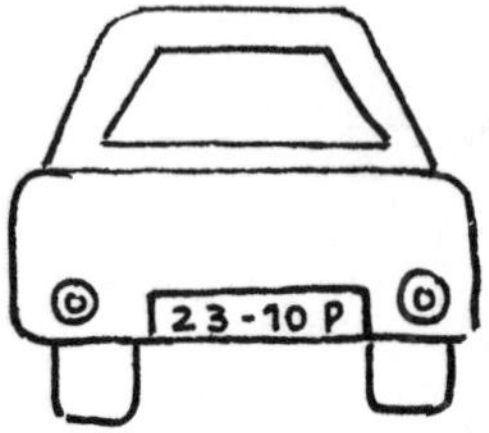

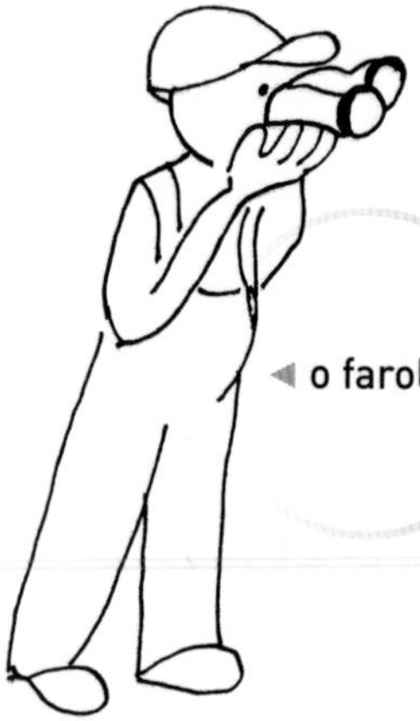

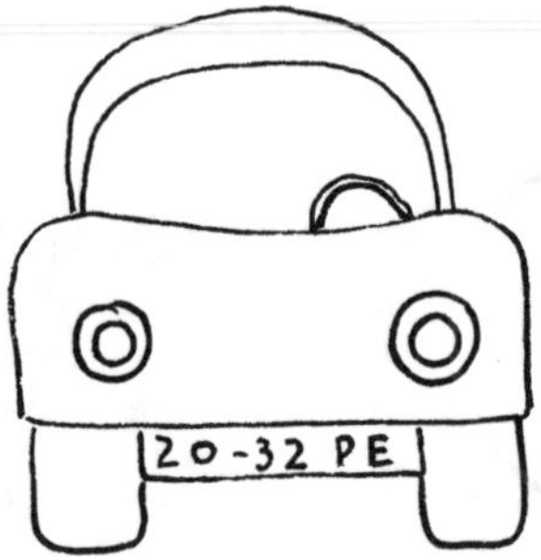

a flor

▶ As árvores estão agora a **florir**.
▶ As árvores **florescem** na primavera.

a florista

a floreira

▶ A janela está **florida**.

▶ O campo está **florido**.

a couve-flor

A folha/a folhagem/folhear (verbo)

as folhas do dicionário

O aluno **folheia** o livro. (folhear)

A **folhagem** das árvores no outono é castanha.

a folha da figueira

a árvore com folhas

a árvore sem folhas

a folha do caderno

O garrafão/a garrafa/o frasco/o boião

o garrafão de água
ÁGUA
o garrafão de vinho
a garrafa de água
a garrafa de vinho
ÓLEO
o garrafão de óleo para o carro
o garrafão de azeite
AZEITE
a garrafa de azeite
MEL
o frasco de mel
o frasco de azeitonas
os boiões de doce ou de compota
COMPOTA
DOCE DE MELÃO

O gelo/o gelado/o congelador

os cubos de gelo

o gelado

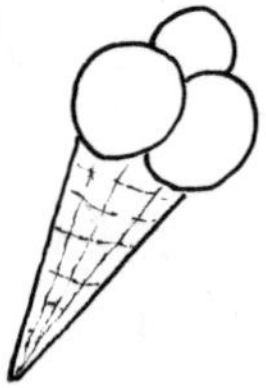

o lago está gelado

o copo de água gelada

o congelador

▶ Os alimentos estão **congelados**.

A lágrima/a gota/o pingo/a pinga

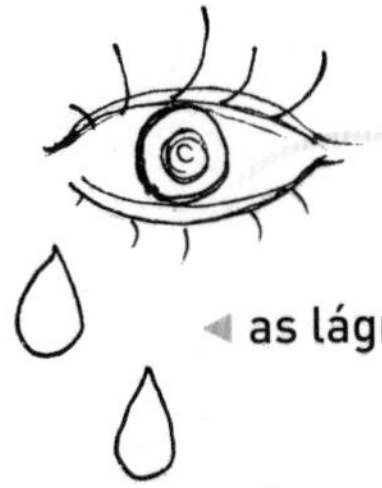

as lágrimas

Pinga de vinho (um pouco de vinho).

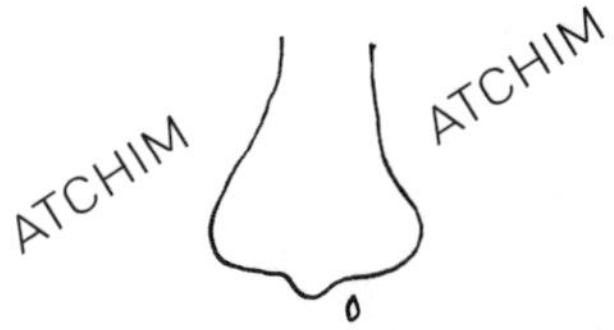

Quando estou constipado, tenho sempre o **pingo** no nariz.

os pingos

as gotas

os pingos

Os **pingos** de suor.

A sopa precisa de um **pingo** de azeite.

O jarro/a jarra/o vaso

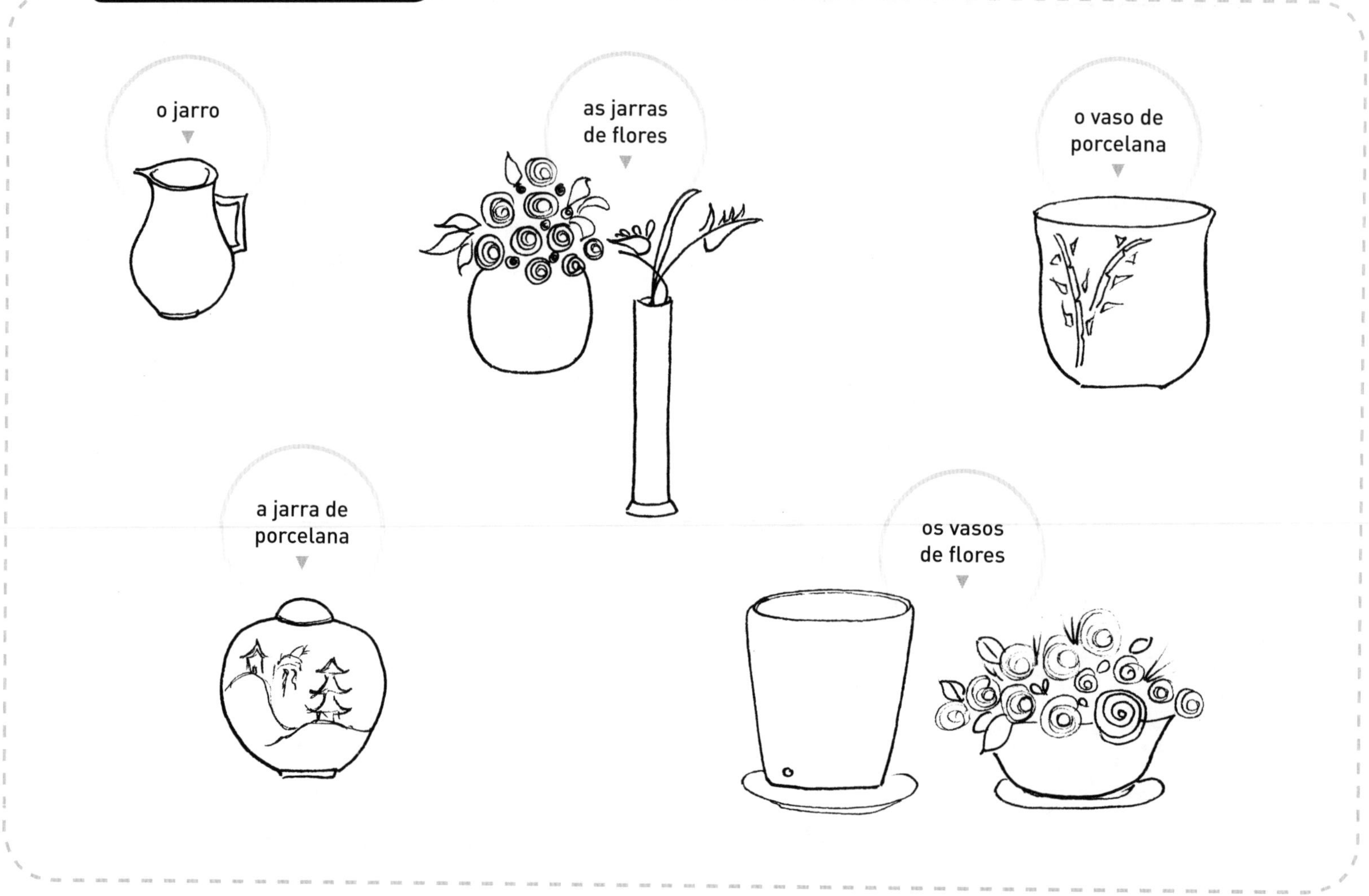

A lâmpada/o candeeiro/o lustre/o candelabro/a lanterna/a lamparina

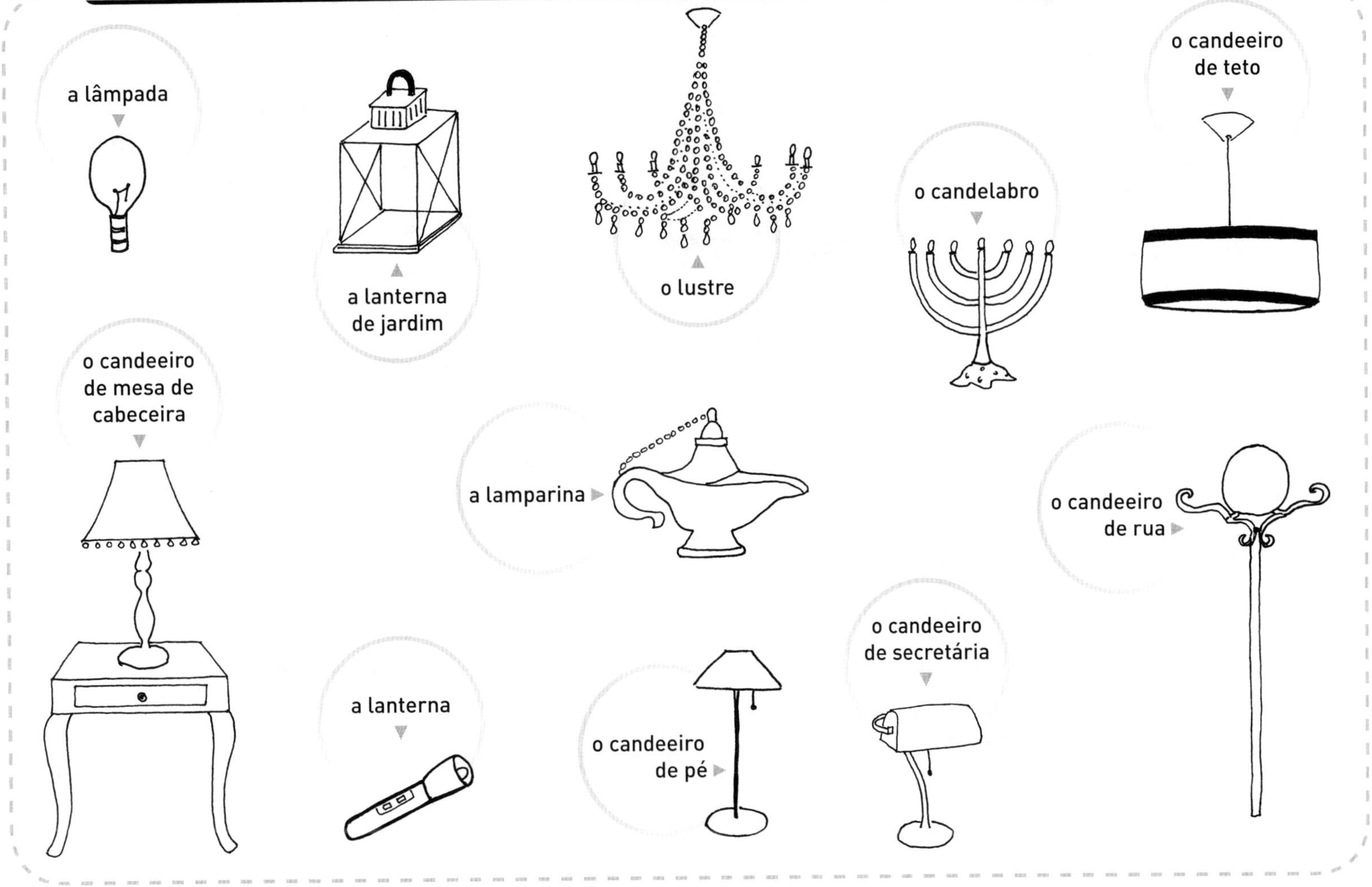
a lâmpada
a lanterna de jardim
o lustre
o candelabro
o candeeiro de teto
o candeeiro de mesa de cabeceira
a lamparina
o candeeiro de rua
a lanterna
o candeeiro de pé
o candeeiro de secretária

O lenço/o lençol

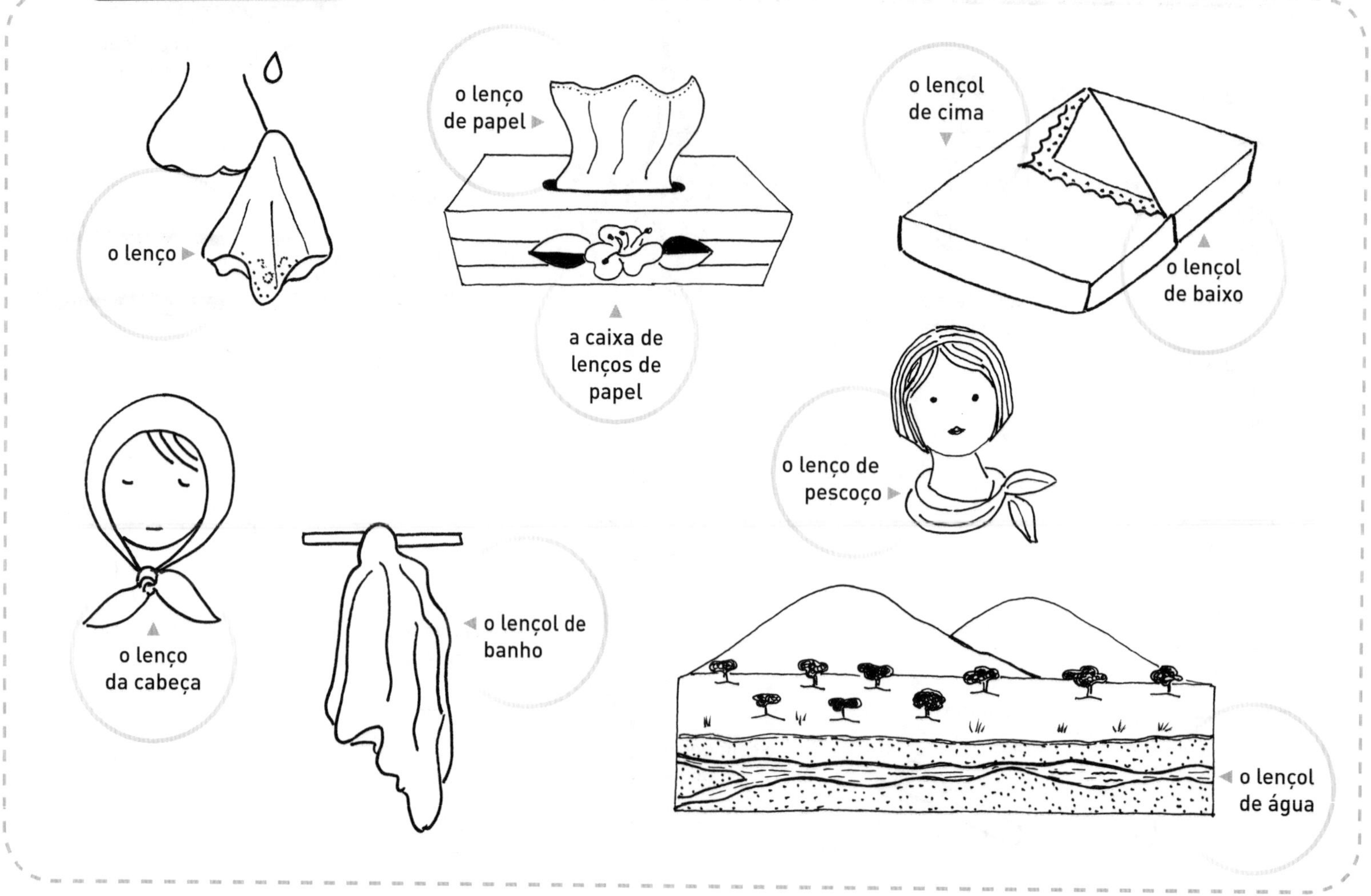
o lenço
o lenço de papel
a caixa de lenços de papel
o lençol de cima
o lençol de baixo
o lenço de pescoço
o lenço da cabeça
o lençol de banho
o lençol de água

A linha/o fio/o cordão

a linha do horizonte

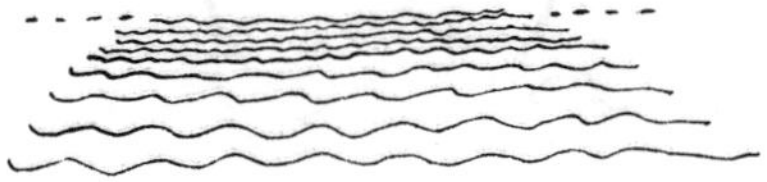

o fio de telefone

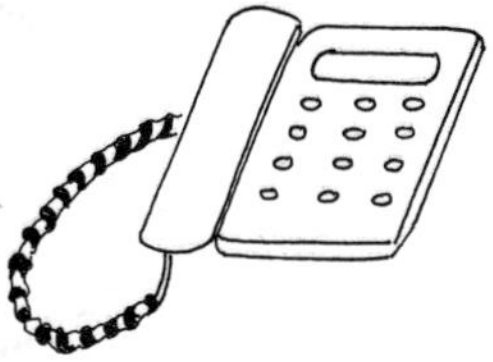

a linha

as linhas telefónicas

as cordão humano

o fio de ouro

os cordões do sapato

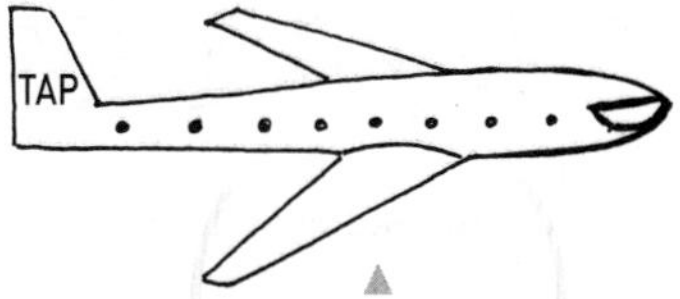

as linhas aéreas

o cordão umbilical

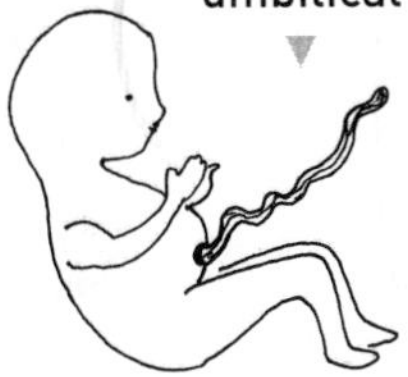

o fio

O fio	de *nylon*
	de lã
	de algodão

a linha

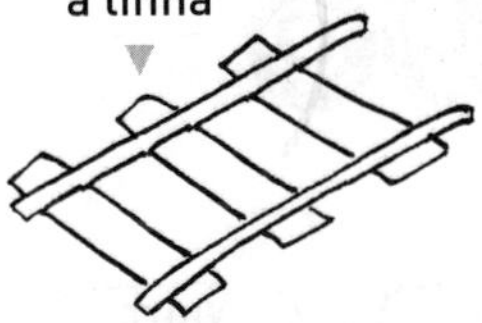

A linha	do comboio
	do elétrico
	do metro

o fio dental

o fio de prumo

o cordão do saco do pão

a linha

O lixo/a lixeira

▶ O **lixo** está espalhado na rua.

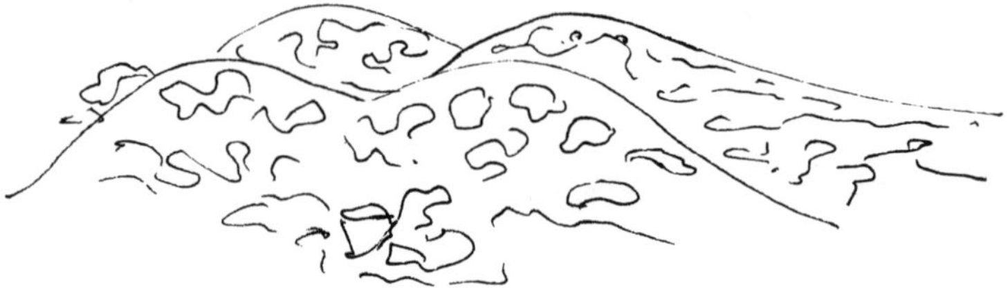

▶ A **lixeira** fica situada a 10Km da cidade.

o caixote/
/o balde do lixo ▼

◀ o camião do lixo

o contentor do lixo ▼

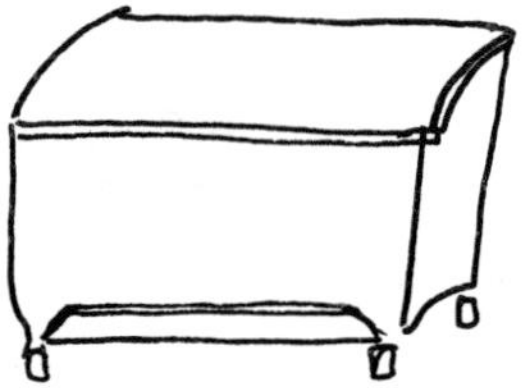

os ecopontos ▶

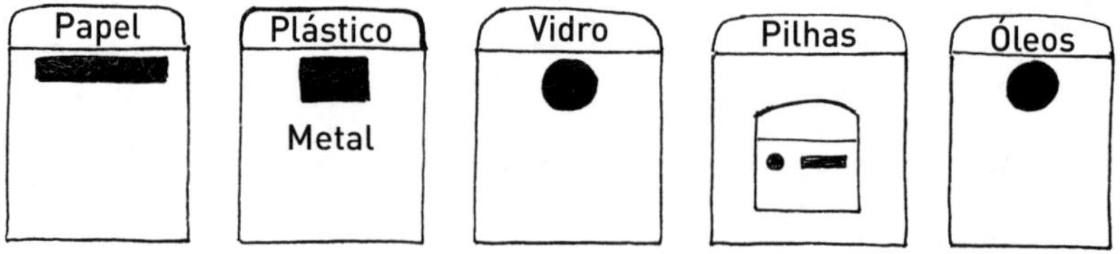

A mala/a carteira/o saco/a pochete/o porta-moedas/a mochila/o trólei

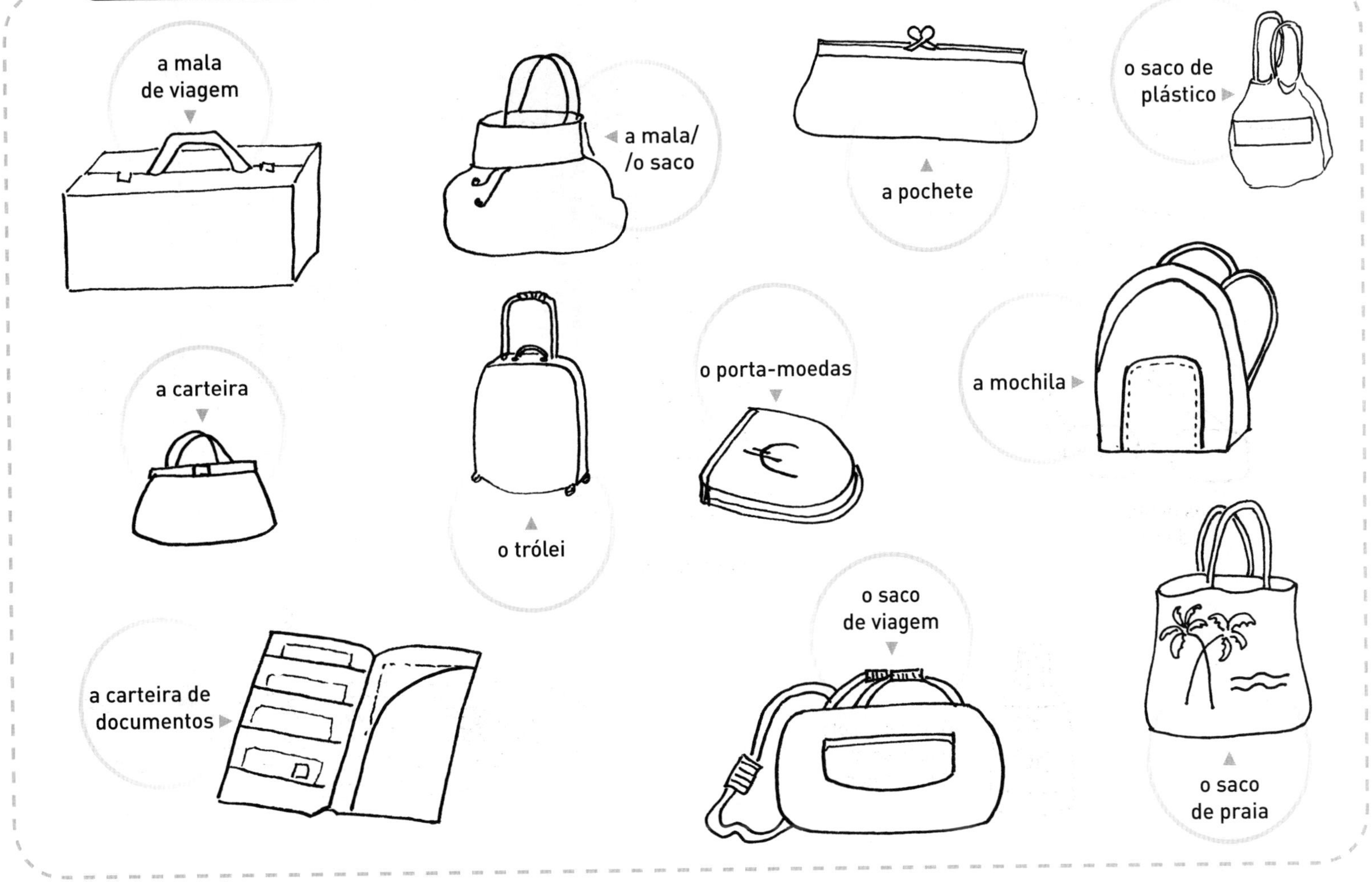

O mastro/a estaca/o pau/a vara/o poste/a haste/a cana

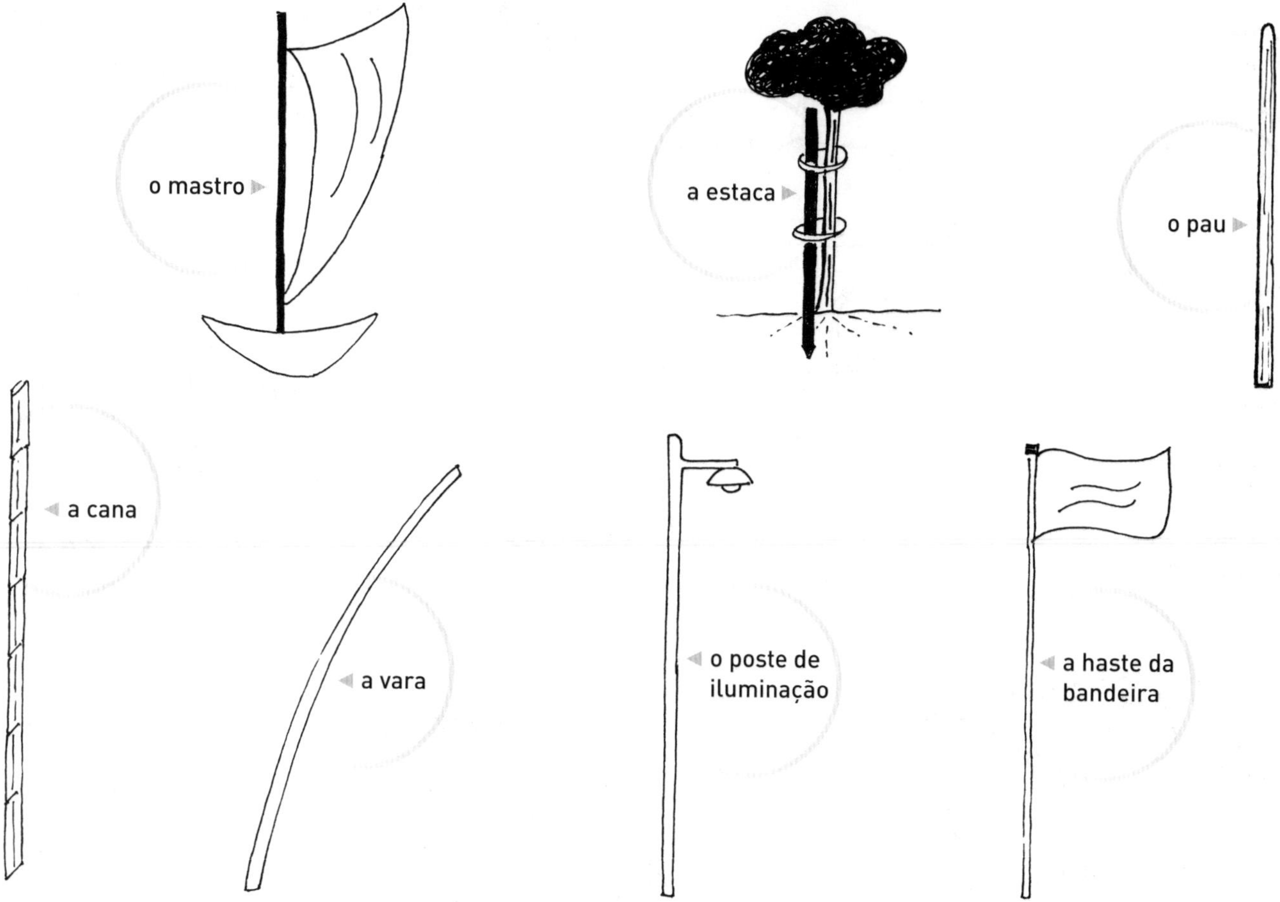

O papel/a papelada/a papelaria

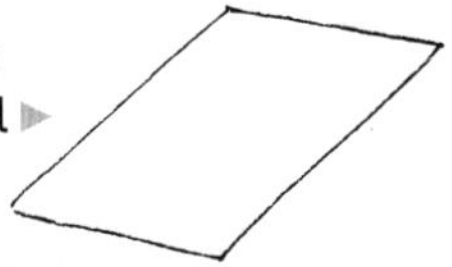

a folha de papel

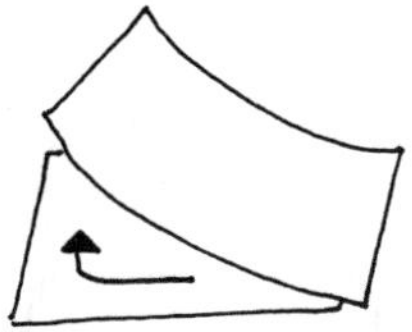

o papel autocolante

a papelada/ /o monte de papel

A **papelaria** está fechada.

o papel de embrulho

o rolo de papel higiénico

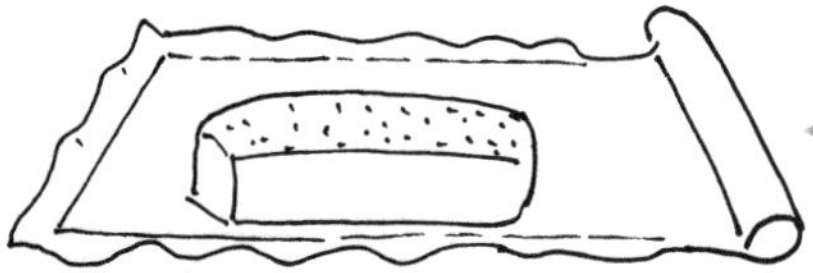

o papel vegetal

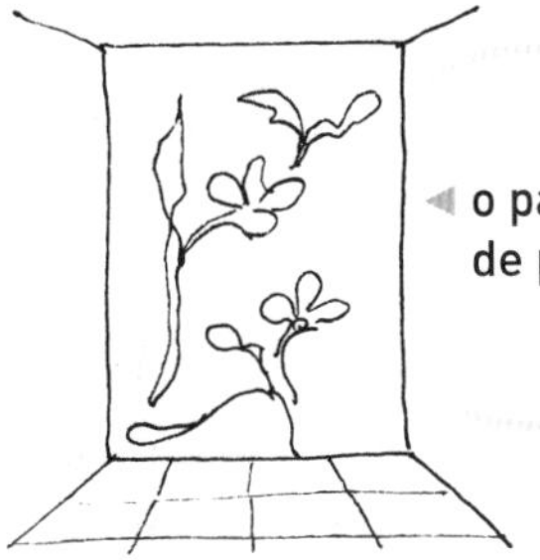

o papel de parede

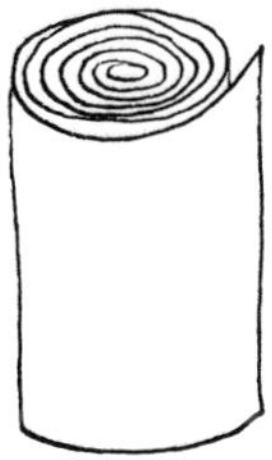

o rolo de papel de cozinha

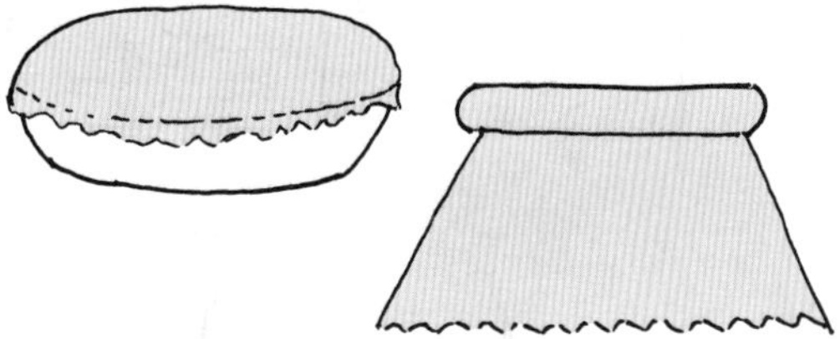

o papel de alumínio

o papel químico

A parede/o paredão/o muro/a muralha

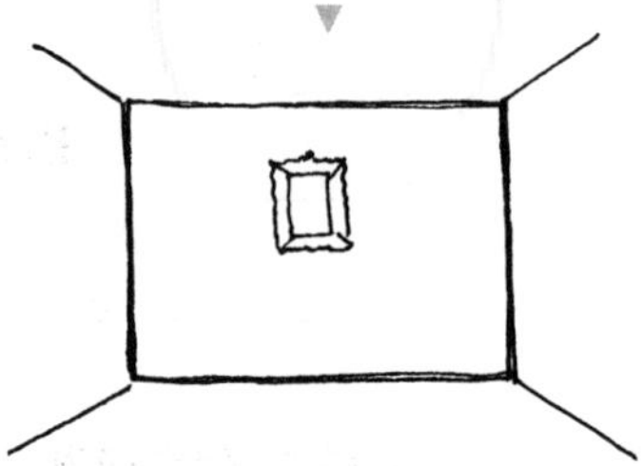

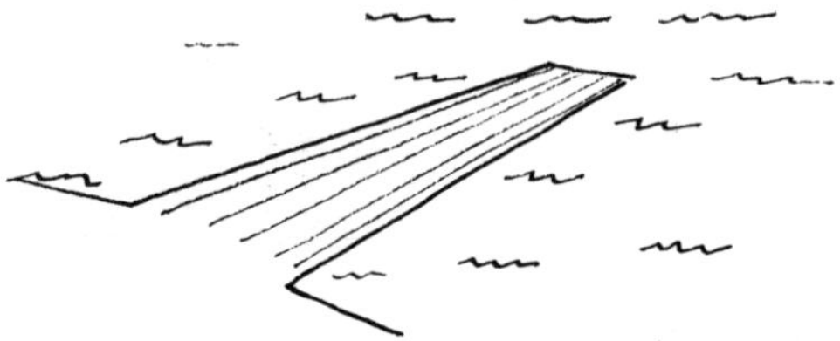

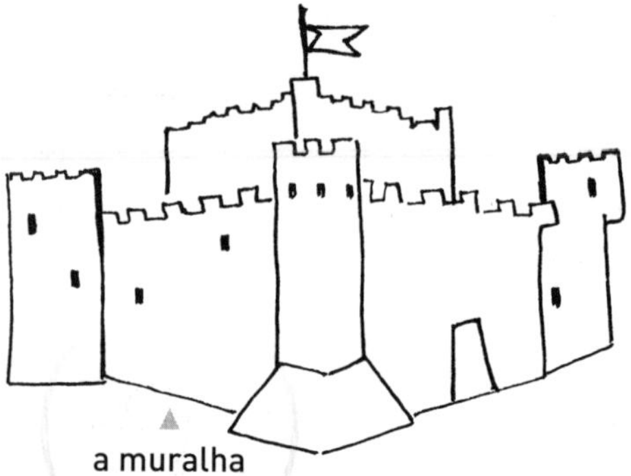

O pé/a pata

o pé

estar de pé

ao pé de...

o candeeiro de pé

andar a pé

O meu gato gosta de dormir aos **pés** da cama.

as patas

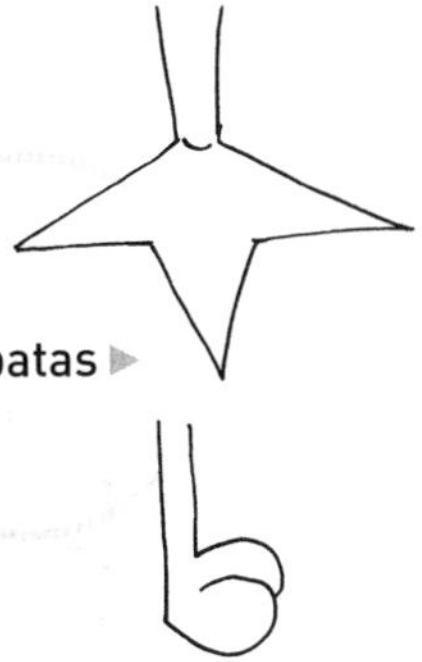

os pés da mesa

as pegadas

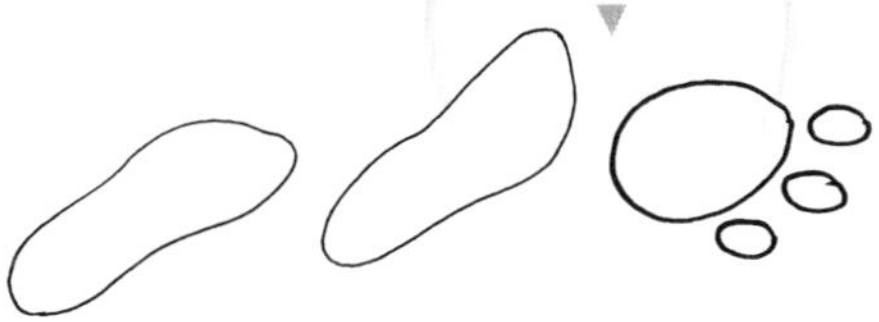

a pata

O pião/o peão

▶ O **pião** é de madeira e roda com força.

▶ O **peão** atravessa a passadeira com cuidado.

O poço/a nora/o tanque/a cisterna/a piscina/o buraco/o furo

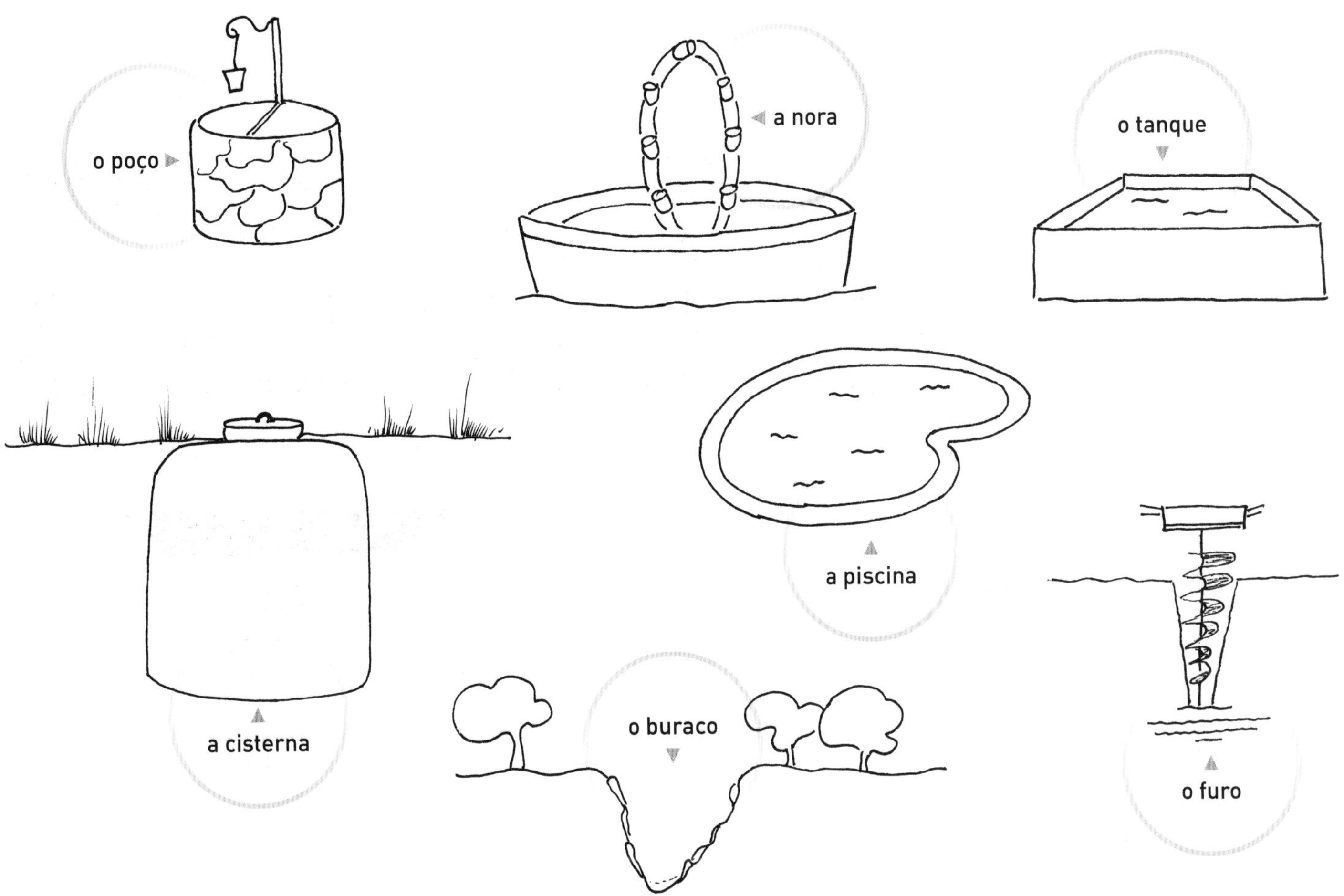

A porta/as portadas/o portão/a portagem

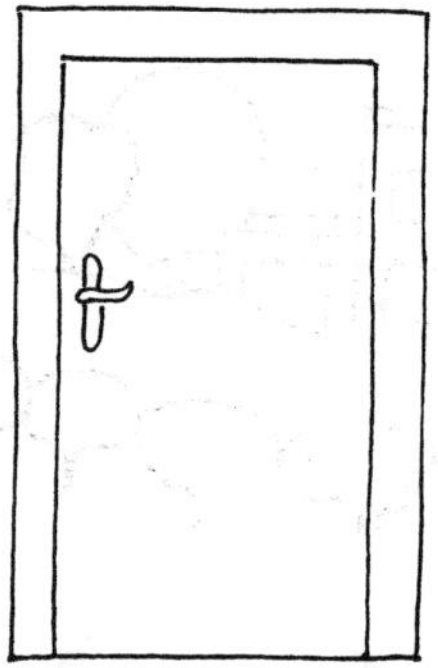

a porta

as portadas

o portão

a portagem

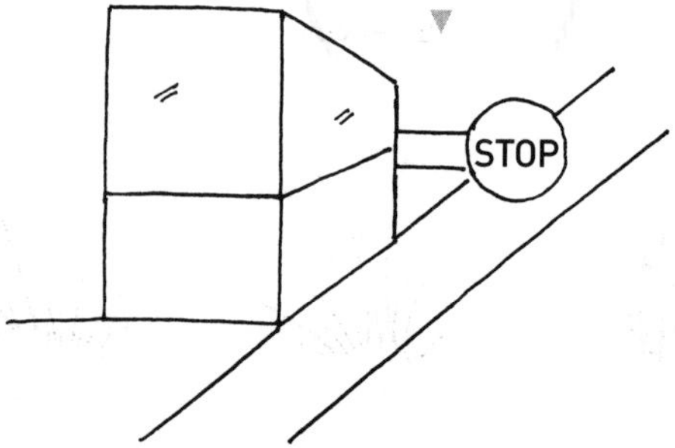

o portão da garagem

A relva/o relvado/as ervas

NÃO PISAR
A RELVA

o relvado

as ervas aromáticas

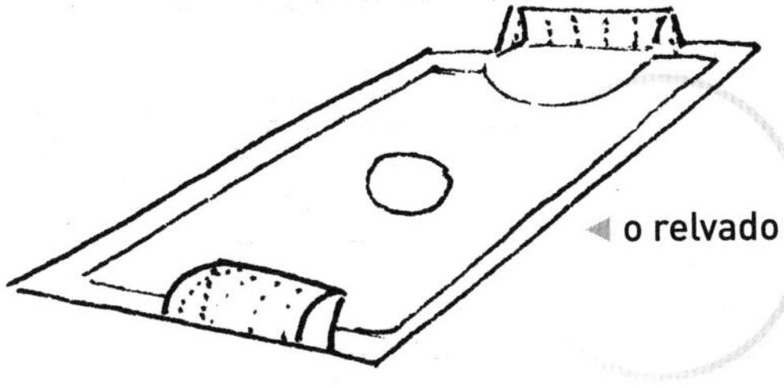

o relvado

as ervas

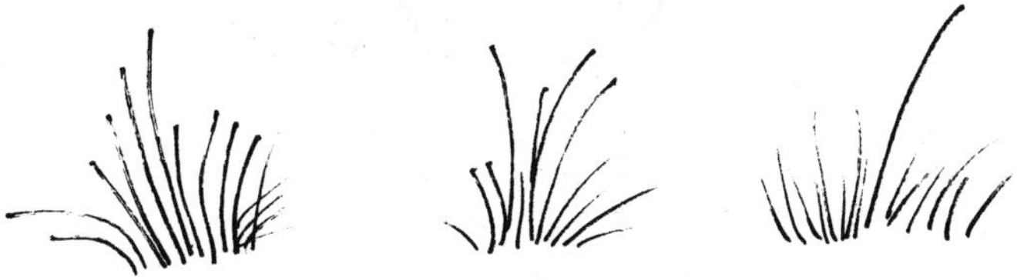

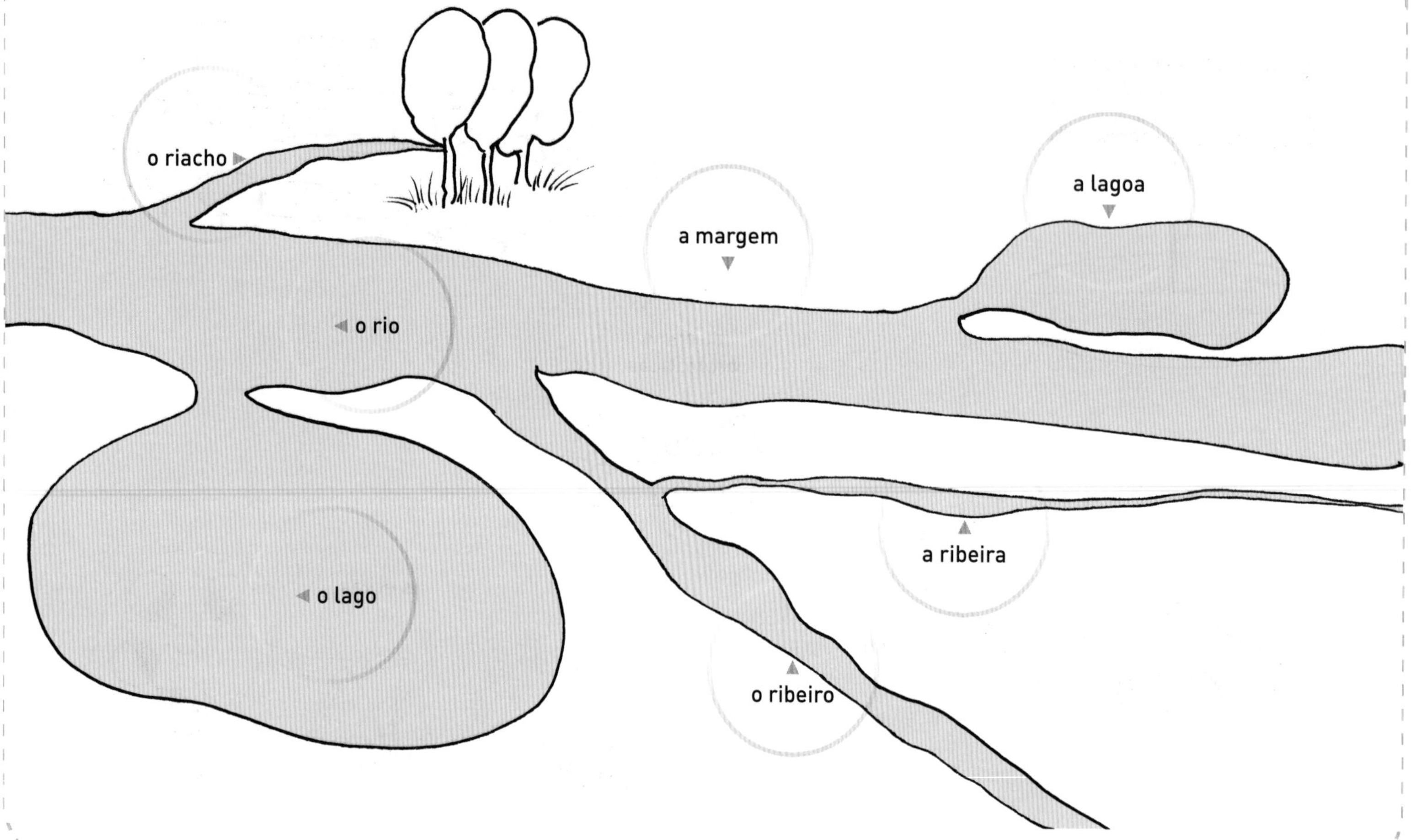
o riacho
a margem
a lagoa
o rio
a ribeira
o lago
o ribeiro

A roda/a rodagem

a roda

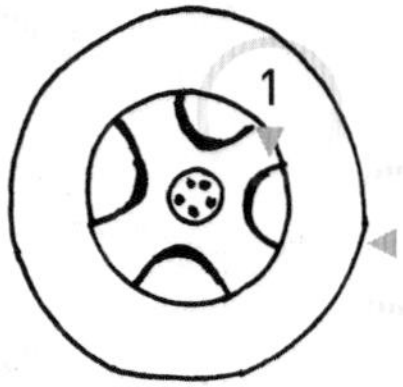

1. a jante
2. o pneu

as rodas

as faixas de rodagem

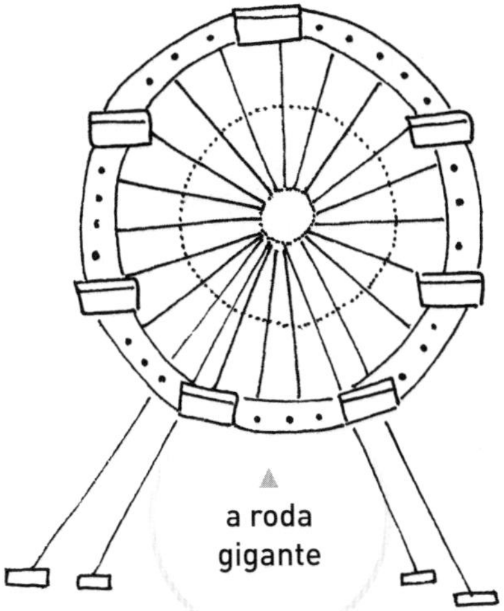

a roda gigante

a rodagem (Cinema, TV)

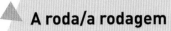

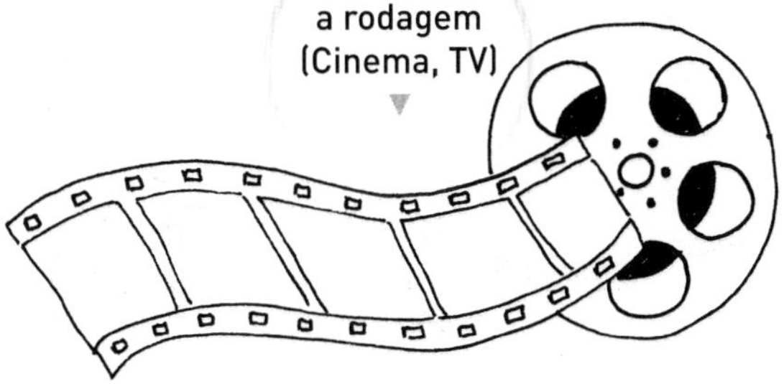

As rodelas/as fatias/os gomos

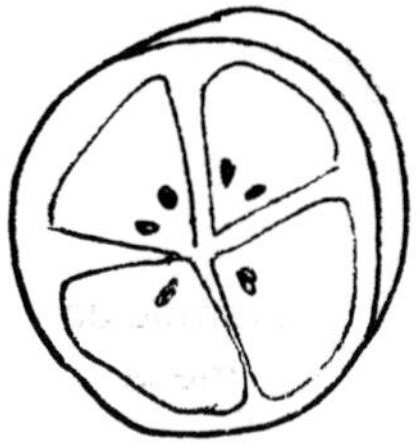

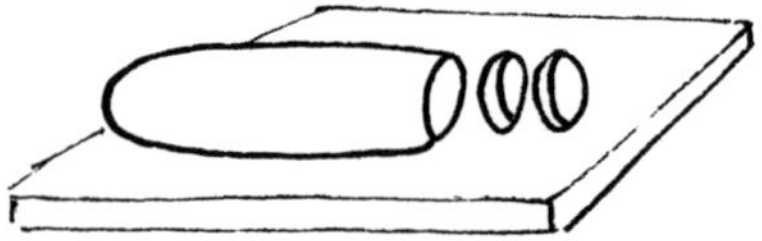

As rodelas	de laranja
	de limão
	de toranja
	de chouriço
	de paio
	de beringela
	de batata
	de pepino
	de cenoura

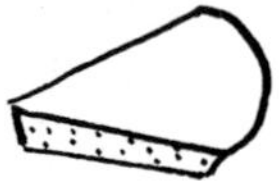

As fatias	de pão
	de bolo
	de fiambre
	de queijo
	de presunto

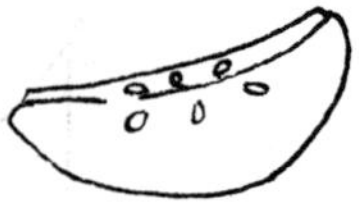

Os gomos	de laranja
	de limão
	de toranja
	de tangerina

A rolha/a tampa/o tampo

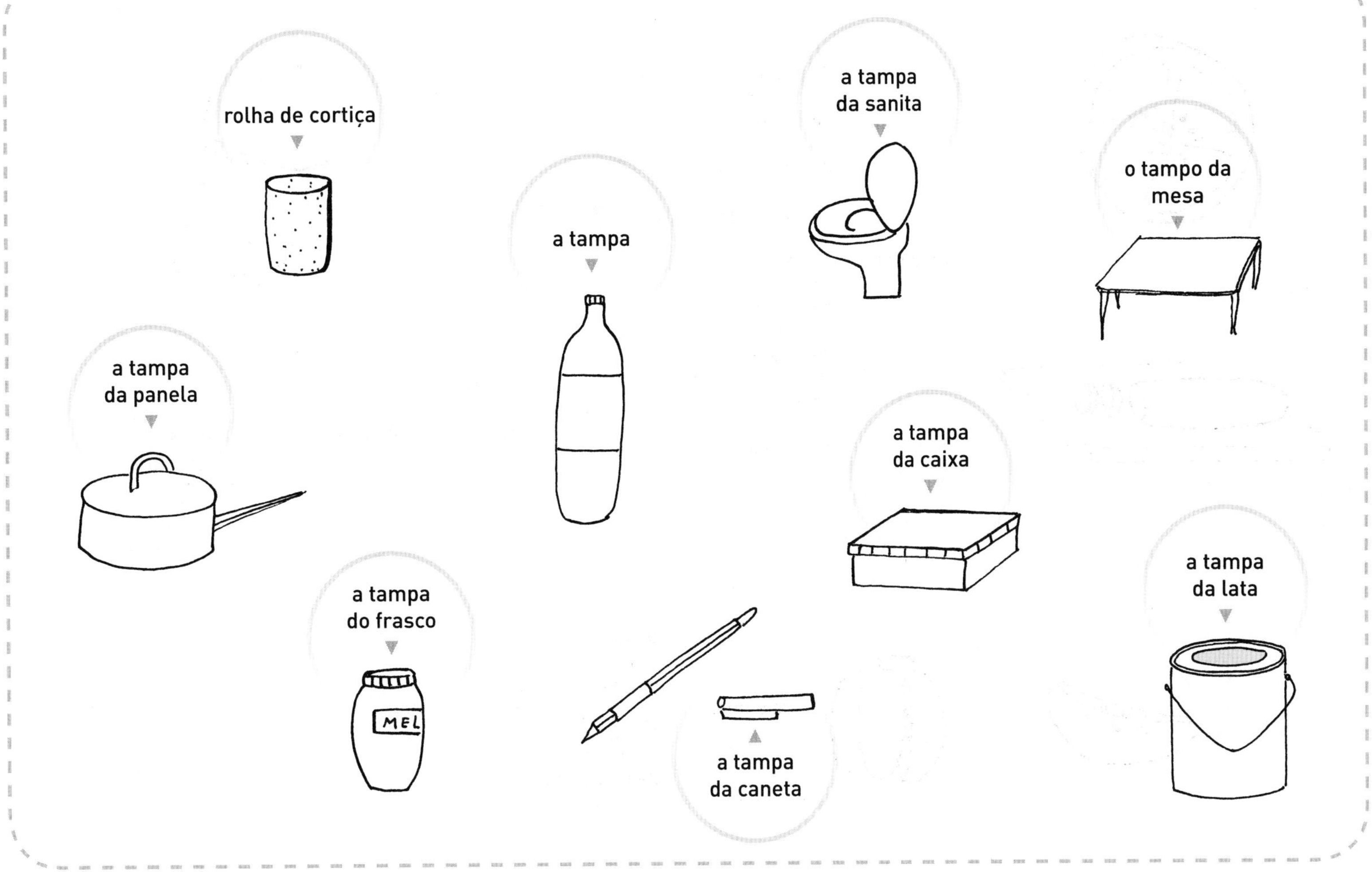
rolha de cortiça
a tampa
a tampa da sanita
o tampo da mesa
a tampa da panela
a tampa da caixa
a tampa do frasco
MEL
a tampa da caneta
a tampa da lata

A semente/o caroço/a grainha

as sementes

as sementes de melancia

as sementes de maracujá

o caroço de pêssego

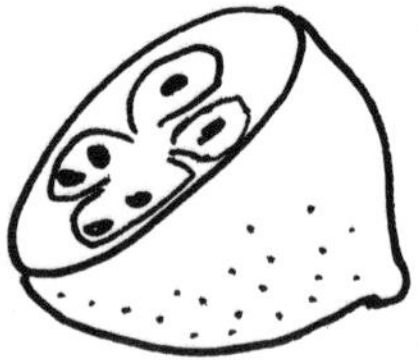

Os caroços	de limão
	de laranja
	de toranja

o caroço de abacate

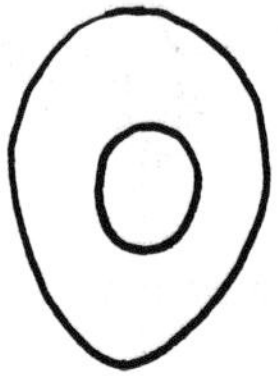

as grainhas de quivi

as grainhas de uva

O sinal/a mancha

o sinal

o sinal de trânsito

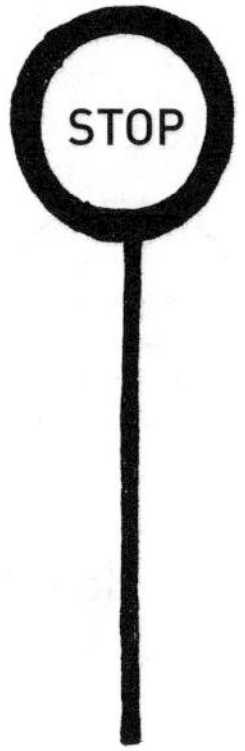

a mancha de café

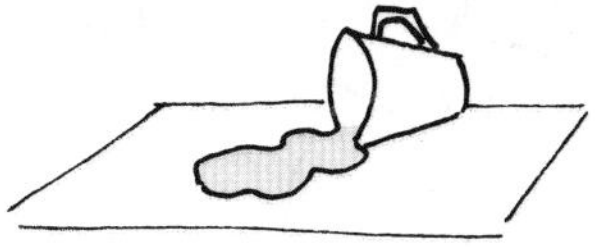

a mancha

a nódoa

O sol/solar (adj.)/o solar

o sol

o guarda-sol

o solar é do século XIX

(casa de família nobre)

os óculos de sol

o pôr do sol

o sistema solar

- O protetor **solar**
- O leite **solar**
- O óleo **solar**

A taça/o copo/a caneca/o cálice

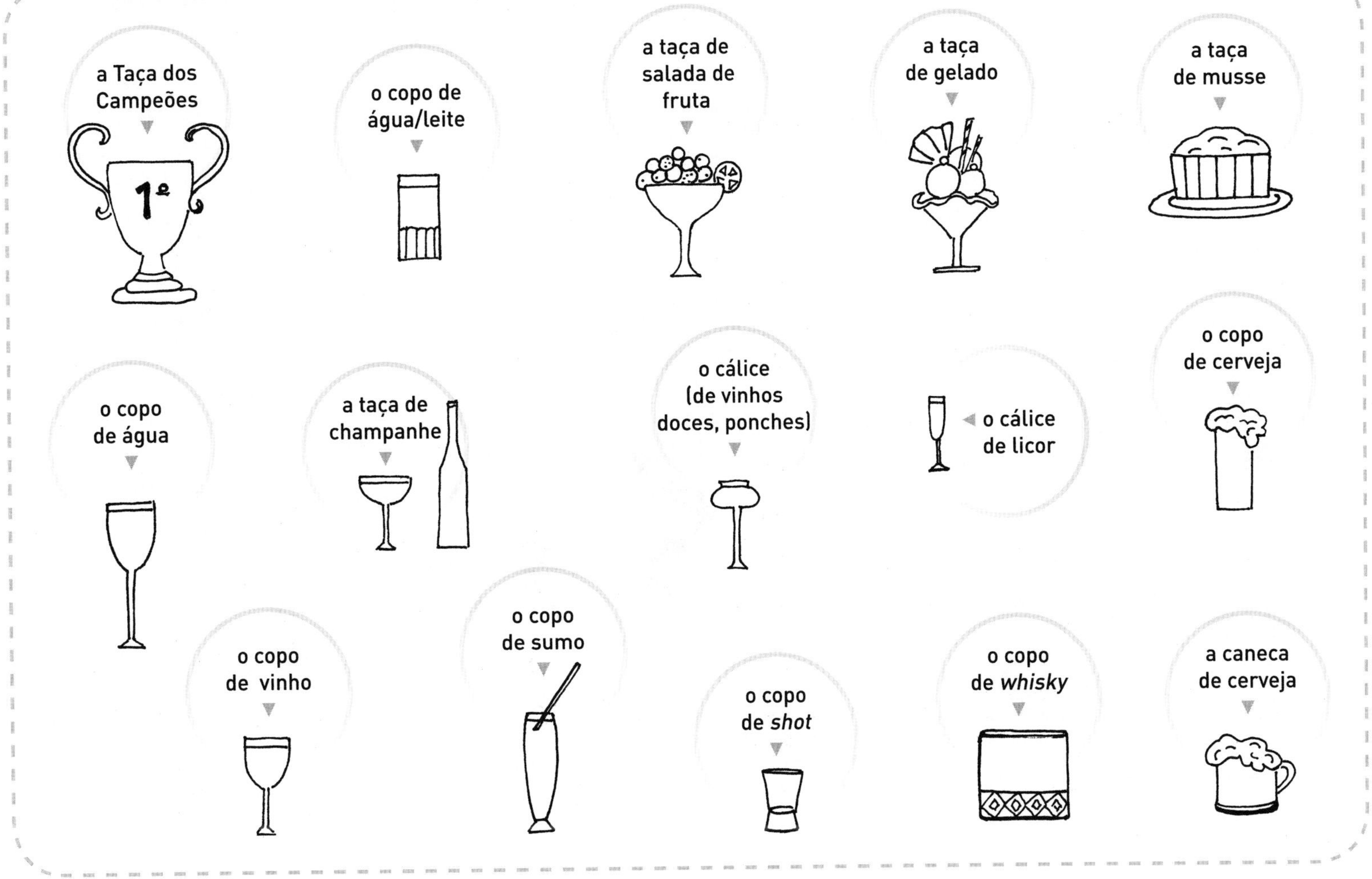

a Taça dos Campeões
1.º
o copo de água/leite
a taça de salada de fruta
a taça de gelado
a taça de musse
o copo de água
a taça de champanhe
o cálice (de vinhos doces, ponches)
o cálice de licor
o copo de cerveja
o copo de vinho
o copo de sumo
o copo de *shot*
o copo de *whisky*
a caneca de cerveja

A terra/terrestre/a aterragem

o planeta Terra

o saco está cheio de terra para as plantas

o tremor de terra

a aterragem

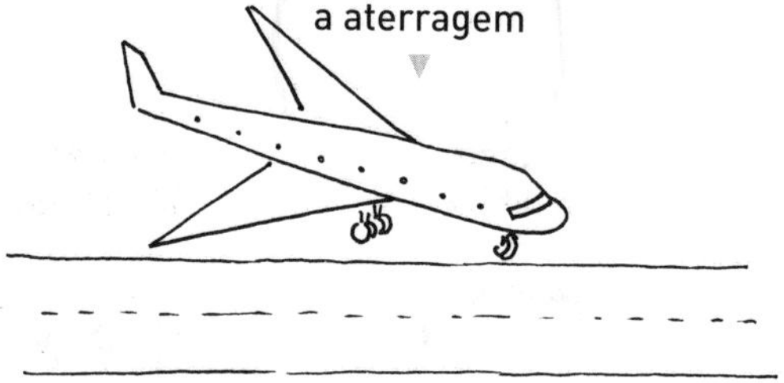

▶ O avião **aterra** na pista (verbo).

a crosta terrestre (adj.)

o extraterrestre

A toalha/o toalhão/o toalhete/o toalheiro

a toalha

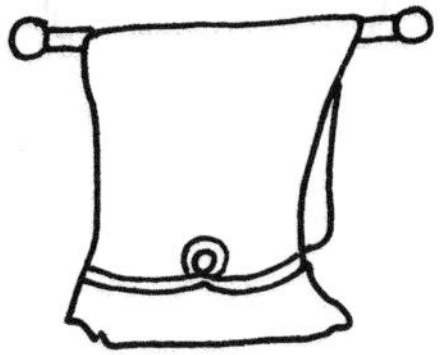

o toalhão

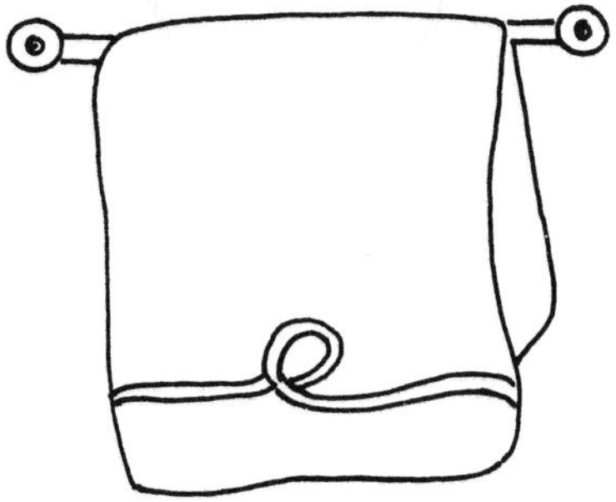

o toalheiro

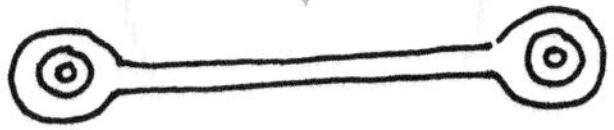

a toalha de mesa

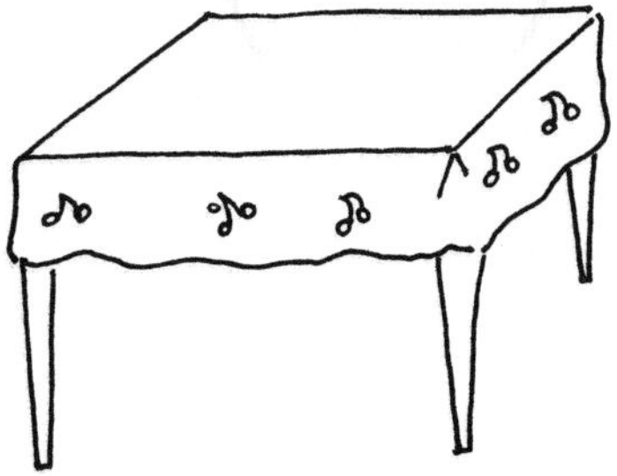

os toalhetes perfumados

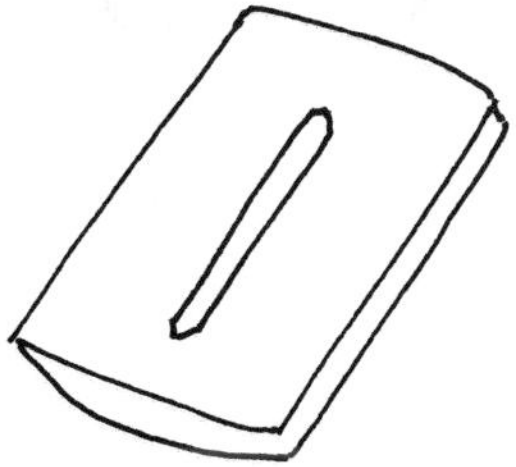

o toalheiro elétrico

ÍNDICE REMISSIVO

C

H

I

J

K

L

M

N

Q

R

S

T